Professional Manager

Professional Manager

元ITT最高経営責任者
ハロルド・ジェニーン
アルヴィン・モスコー 共著
田中融二 訳
柳井 正 解説

Professional Manager

プロフェッショナルマネジャー

58四半期連続増益の男

プレジデント社

はじめに
「これが私の最高の教科書だ」

僕が最初に「経営には覚悟がいる」と思ったのは、ある日突然、父親から資本金六〇〇万円の小郡商事株式会社の実印と通帳を黙って手渡されたときだった。僕が二三歳になったばかりの一九七二年のことだ。当時、紳士服店とカジュアルウエアのVANショップの二店で年商は一億円程度になっていた。「後戻りはできない」と腹を決め、三年に一店ぐらいの割合で、紳士服店とカジュアルショップの二頭立てのまま多店化を進めた。カジュアルウエアにこだわったのは、僕が苦手な接客なしでも売れ、売れる商品と売れない商品の差が大きいので将来の成長性が高いと考えていたからだ。

その思いを実現したのが、八四年六月に広島市にオープンした「ユニーク・クロージング・ウエアハウス」である。「ユニークな服を選べる巨大な倉庫」という意味を込めた店名で、一〇〇〇円と一九〇〇円の二プライスを中心にした「低価格のカジュアルウエアが週刊誌のように気軽に、セルフサービスで買える店」をコンセプトにした。

これがユニクロの第一号店だ。開業から二日間は、早朝六時の開店にもかかわらず、終日入場制限するほどの混雑が続いた。一時は、金の鉱脈を掘り当てたような感触を持ったものだ。翌八五年六月には、下関市で初の郊外型店舗をつくり、一〇月には岡山市内の中心部と郊外にも二店をオープンさせた。山陽道中心に店舗展開していく足がかりができた。そう思い始めた頃、僕の運命を変える一冊に出合った。

山口県宇部市の書店にたった一冊置かれていた、『プロフェッショナルマネジャー　わが実績の経営』（八五年一一月初版発売、早川書房＝当時）を僕は手にしていた。米国のコングロマリット（多国籍企業）

であるＩＴＴ（インターナショナル・テレフォン・アンド・テレグラフ・カンパニー、一九七七年以後グループは解体へ）の元最高経営責任者、ハロルド・ジェニーン氏の経営回想録である。

この本が何冊売れたのかは知らないが、僕が山口県で唯一の読者だったと思っている。それほど衝撃を受けた。一読して、「僕がやってきた経営は違う」「僕の経営は甘い」「経営するとはこれだ」と思わざるをえなかった。ジェニーン氏は、「三行の経営論」と題して、こう書く。

「本を読む時は、初めから終わりへと読む。／ビジネスの経営はそれとは逆だ。／終わりから始めて、そこへ到達するためにできる限りのことをするのだ」

この経営論は、自分が考えていた経営概念とは全く異なるものだった。僕は、カジュアルウエアの郊外型店をやったら面白いかもしれないという漠然とした思いを、ゼロから始めて一つひとつ形にしていくことが経営だと考えていた。その努力が大切だと。

だが、ジェニーン氏の経営論を読んで、僕の経営概念は一八〇度変わった。「経営はまず結論ありき」で、最終的に何を求めて経営していくかを決め、そこから逆算して、結論に至る方法を考えられる限り考え、いいと思う順からまず実行する。そして、実行の足跡と結論を常に比較し、修正していく。「そうすれば、大概なことはうまくいくんだよ」というジェニーン氏のメッセージを、この本から僕は確かに受け取った気がした。

ジェニーン氏は、片親の貧しい家庭に育ち、苦学して公認会計士の資格を取った。第二次世界大戦の影響で経営危機に瀕していたＩＴＴに社長兼最高経営責任者として招かれたのは、五九年のこと。そのとき、ＩＴＴの売上高は七億六五六〇万ドル、収益は二九〇〇万ドルにすぎなかった。しかも収益の半分以上が営業外収益だった。ジェニーン氏は最高経営責任者として「一株当たり利益を年一〇％増加する」という目標

(結論)をまず掲げた。

そのうえで、経営陣と組織、人材評価の見直しを断行した。そして結果を出した。四半期単位で五八期連続増益を成し遂げた。一四年半に渡る増益の歩みである。これは凄いことだ。彼が最高経営責任者を辞任した七七年には、ＩＴＴは「フォーチュン５００」の第一一位にランクされ、売上高一六六億ドル、収益五億六二〇〇万ドルと、売上高、利益ともに約二〇倍になった。

ジェニーン氏は言う。「〝経営(する)〟とはなにかを成し遂げること」、「達成すると誓ったことは成し遂げなくてはならぬ」と。今も僕の経営のバイブルであり、最高の教科書でもある『プロフェッショナルマネジャー』には、こうしたジェニーン氏が経営者として経験し、体得したことのすべてが書かれている。

本書は、第一章の「経営に関するセオリーＧ」の冒頭の至言、「ビジネスはもちろん、他のどんなものでも、セオリーなんかで経営できるものではない」から書き起こされている。Ｇはジェニーン氏の頭文字だ。セオリーＧ、つまりジェニーン理論は、評論家や経営学者、そして時には経営者さえも求めがちな「経営のセオリー」を全否定することから始まっている。

多くの経営者、真剣に事業に取り組んでいる経営者であればあるほど、「経営がセオリー通りにいってたまるか！」という思いを抱いているだろう。僕も、そうだ。だが、ここで喜んではいけない。

ジェニーン氏は第二章「経営の秘訣」でいきなり「三行の経営論」を掲げ、これ以上はない難題を突きつける。目標を明確に定め、周囲に強烈に示し、成功を目指せと。

本書を読んだ当時はバブル期で、アメリカ系企業に勤める友人も、「もはやアメリカに学ぶことはない」と言った。奢りであろう。僕は松下幸之助翁や本田宗一郎翁を尊敬していたが、本当に日本的経営だけでいいのかと悩んでいた。そのとき、本書に出合い、「これが経営だ」と得心するものがあった。『プロフェッショナルマネジャー』を手にした僕は、「わが社を今までにない革新的な企業にしたい」という夢を持ち、語り始めた。そして、試行錯誤を繰り返しつつも、九一年九月一日、宇部市の狭いペンシルビルの本社で、そのときに居合わせた本部社員を集めて宣言した。

「社名を小郡商事からファーストリテイリングに変更します。そして、今から本格的にユニクロを全国にチェーン展開します。毎年三〇店舗ずつ出店し、三年後には一〇〇店舗を超えるので、そこで株式公開を目指します」

当時、直営のユニクロは一六店、紳士服と婦人服の店が六店、フランチャイズ（FC）のユニクロ店が七店の合計二九店舗だった。社員は誰もが、年間三〇店舗出店など到底無理だと思っただろう。しかし、逆算の発想で綿密な経営計画を立て、着実に実行していけば、決して無理ではないと僕は信じた。

事実、九四年四月にユニクロ直営店は一〇〇店を超え、その年の七月に広島証券取引所に上場を果たした。ジェニーン氏唯一のセオリー、「三行の経営論」は通用したのだ。

本書では、第二章以降に、「経営はまず結論ありき」という、〝終わりから始める〟経営を実践するためのノウハウや対処法、心構えが非常に具体的に著されている。組織の活かし方や経営者の条件、リーダシップ、最悪の病としてのエゴチスム（自己中心的な態度）、数字の意味、企業家精神といった大局観に基づく話から、「エグゼクティブの机」（第七章）といった情報の見方の話まで、飽くことなく、一気に読み進められるだろう。

そして、随所で、経営者として思い知らされる指摘を発見するに違いない。

ジェニーン氏は、経営者の条件とは、「経営者は経営しなくてはならぬ！」ことだと書き連ねる。そのリフレーンを読んで、「事業に常に情熱的にコミットメントするという態度が経営者には不可欠なのだ」

と僕は思い知らされた。トップ経営者とは、自分で決断し、目標とやるべきことを明言し、失敗のリスクを一〇〇%背負う人のことなのだ。そして世の中に経営をしていない経営者のなんと多いことか。

日本では、個人の努力、目標達成のプロセスを評価する傾向がかなり強い。そのためか、日本の経営者やビジネスマンには「結果を出す」という執念やガッツが足らないように思う。個人の努力やプロセスは、結果を検証するために不可欠な要素だが、ビジネスは結果でしか評価されない。ジェニーン氏は、「マネジメントの良否は、それがみずから設定した目標を達成するかどうかによって判定され、その目標が高ければ高いほど、良いマネジメントだといえる」と言う。

ビジネスはシビアなもので、経営者の評価は、結果を出したか、出さなかったかで決まる。僕も、そうありたい。といって、失敗を恐れてはいけない。ジェニーン氏は言う。

「過失は恥でも不面目でもない。ビジネスにつきものの一面であり、重要なのは自己の過失に立ち向かい、それらを吟味し、それから学び、自己のなすべきことをすることだ。唯一の本当の間違いは、間違いを犯すことを恐れることである」

僕はずっと失敗してきた。今までのビジネスも一勝九敗ぐらいである。唯一成功したのがユニクロだ。僕はもともと商売はうまくいかないものだと思っているが、「失敗しなければ成功はない」とも信じている。大事なことは、その失敗で会社を潰さないことだ。同時に、失敗の問題点を摘出し、失敗する前に対処するように心がけている。

これは、イトーヨーカ堂の創業者で、名誉会長の伊藤雅俊氏が語る「前始末」から学んだことだ（付録の2部下の報告で詳述）。同じことをジェニーン氏は、「二つの組織」（第四章）で、「ノー・サプライズ！（びっくりさせるな）」という言葉で表現している。ジェニーン氏は、各ゼネラルマネジャーが提出する月次レポートの最初の部分に〝赤信号〟、つまり問題点を挙げさせ、月一度のゼネラルマネジャー会議で、全員で解決法を考えたという。問題を経営者全員で共有し、乗り切り、成功に変えていく。経営はチームワークだという考え方に、僕は共感する。「エゴチスム」（第八章）でも指摘されているが、人材を自分の手足に使うワンマン経営は、うまくいっているときには最大の効果を発揮するが、時間がたつと必ずツケが回ってきて、経営のマンネリ化が早まる。

僕は、経営者は自らの限界を知るべきだと思う。確率で言えば、経営者が一番優秀である確率のほうが低い。優秀な人とチームを組めば、自分の欠点をカバーしてもらえる。

しかし、チームを組むには、達成すべき目標が「努力するに値すること」だという認識と情熱をチーム全員に共有してもらわなくてはいけない。そこで重要なことは、できそうもない目標、努力したらできるギリギリの目標を掲げることだ。そして、経営トップとメンバーが対等の立場で議論を重ね、合意したうえで、仕事を進める。高い目標を示さない限り、誰も熱狂的に仕事をしない。

これは、ジェニーン氏の仕事の進め方でもある。彼は最後の章で、「マネジメントには目的が、献身がなくてはならず、その献身は情緒的な自己投入でなくてはならない」と書いた。「情緒的な自己投入」とは、経営者の熱情やガッツだ。ロジカルシンキングが得意なＭＢＡ（経営学修士）取得者が、こうしたガッツを持てば、とてつもなく優秀なプロフェッショナルマネジャーになるだろう。

もう一つ重要なことは、数字を読む力だ。ジェニーン氏は、貸借対照表や損益計算書は体温計みたいなもの、と言う。「経営はまず結論ありき」という〝逆算の発想〟で経営を行うには、ちょっとした数字の変化で会社や現場の状況がわからなければいけない。僕は、過去の貸借対照表や損益計算書を記憶し、常に現在の数字と比較してきた。

最後にジェニーン氏は、こう結論づけた。ビジネスにおける最大の偉業は、人生のほとんどあらゆる場面におけると同様、天才によってではなく、平凡な普通の男女によって成し遂げられる、と。

僕はこの本を読んで、『国富論』を書いたアダム・スミスをはじめ、名だたる思想家が「夢想」と呼んだ「株式会社」を成功させたアメリカ、その民主主義の根深さを感じた。自由に意見を言い合える公正さや透明さである。ＩＴＴ再建のために外部から招聘された経営者が全権を握り、世界中の子会社トップと一緒に、高い目標に向かって前進し、コングロマリットを再建していく姿に感動を覚えた。

ジェニーン氏は、現在の日本で言えば、日産自動車を再建したカルロス・ゴーン社長兼ＣＥＯのような存在である。こういう経営者が次々と登用されれば、日本の経営風土は劇的に変わるだろう。僕は、そう思いたい。

最後になったが、コングロマリットとしてのＩＴＴには、国防と密接に関わる通信事業をメーンとしてきたため、南米のチリ政変への関与など国際社会の裏舞台との関係も過去に取り沙汰されてきた。本書には、そうしたことへの言及は一切ない。しかし、僕は、それも経営の一面であると思う。そのことが本書の価値をいささかでも損なうことはない。

さて、ご一読あれ。

二〇〇四年五月

株式会社ファーストリテイリング
代表取締役会長兼社長
柳井　正

プロフェッショナルマネジャー　目次

はじめに　「これが私の最高の教科書だ」柳井　正――3

第一章　経営に関するセオリーG――15
ビジネスはもちろん、他のどんなものでも、セオリーなんかで経営できるものではない。Gはいうまでもなく〝ジェニーン理論〟の頭文字。したがってセオリーGは〝ジェニーン理論〟の意味である。

第二章　経営の秘訣――33
《三行の経営論》本を読む時は、初めから終わりへと読む。ビジネスの経営はそれとは逆だ。終わりから始めて、そこへ到達するためにできる限りのことをするのだ。

第三章　経験と金銭的報酬――53
ビジネスの世界では、だれもが二通りの通貨――金銭と経験――で報酬を支払われる。金は後回しにして、まずは経験を取れ。さらに、ビジネスで成功したかったら上位二〇％のグループに入ることが必要だ。

第四章　二つの組織――89
どの会社にも二つの組織がある。そのひとつは組織図に書き表すことができる公式のもの。そしてもうひとつは、その会社に所属する男女の、日常の、血のかよった関係である。

第五章　経営者の条件――115
経営者は経営しなくてはならぬ！　経営者は経営しなくてはならぬ！　〝(し)なくてはならぬ〟とは、(それをやり遂げ)なくてはならぬということだ。それはその信条を信条たらしめている能動的な言葉だ。

第六章　リーダーシップ――139
リーダーシップを伝授することはできない。それは各自がみずから学ぶものだ。ビジネス・スクールで編み出された最新の経営方式を適用するだけでは、事業の経営はできない。経営は人間相手の仕事なのだ！

第七章　エグゼクティブの机――165
机を見れば人がわかる。トップ・マネジメントに、いやミドル・マネジメントにでも、属する人間にとって、当然なすべき程度と水準の仕事をしながら、同時に机の上をきれいにしておくなど、実際からいって不可能である。

第八章　最悪の病――エゴチスム――181
現役のビジネス・エグゼクティブを侵す最悪の病は、一般の推測とは異なって、アルコール依存症ではなくエゴチスムである。自分の成功を盾にエゴチスムを撒き散らす社員、全体最適を考えず、自己最適に走る社員をどうすべきか。

第九章　数字が意味するもの――199
数字が強いる苦行は自由への過程である。数字自体は何をなすべきかを教えてはくれない。企業の経営において肝要なのは、そうした数字の背後で起こっていることを突きとめることだ。

第十章　買収と成長――217
難点はただ、大作戦にはいつもつきもののことだが、他のだれもが彼らと同じものを見、まったく同一の戦略を思いつくことだった。その結果として、彼らはみな、巨大市場をめぐって、トップメーカーと戦うことになる。

第十一章　企業家精神――247
企業家精神は大きな公開会社の哲学とは相反するものだ。大企業を経営する人びとのおおかたは、何よりもまず、過ちを――たとえ小さな過ちでも――犯さないように心がける。

第十二章　取締役会――269
勤勉な取締役会は、株主のために、この基本問題に取り組まねばならぬ。
その会社のマネジメントの業績達成の基準をどこに置くか。去年または
今年、会社がどれだけの収益を挙げたかではなく、挙げるべきであったか。

第十三章　気になること――結びとして――291
良い経営の基本的要素は、情緒的な態度である。マネジメントは生きている力だ。
それは納得できる水準――その気があるなら高い水準――に達するように
物事をやり遂げる力である。

第十四章　やろう！――307

付録　「創意」と「結果」7つの法則　柳井　正――309
これが「プロフェッショナルマネジャー」の仕事術だ

装丁　竹内雄二
帯撮影　大沢尚芳
編集協力　辻　和成
野崎稚恵

第一章　経営に関するセオリーG

《セオリーG*》

ビジネスはもちろん、他のどんなものでも、セオリーなんかで経営できるものではない。

＊　Gはいうまでもなくジェニーンの頭文字であり、したがってセオリーGは〝ジェニーン理論〟の意味。

セオリーというものは、子供のころサーカスで見たペーパー・フープ（フープは大きな金輪）に似ている。ピエロがこれに突進して、突き破るまでは、とても頑丈そうに見えた。しかし、じつはティッシュのように薄い紙が貼ってあるだけだとわかり、あとはもうなんの感興もそそらなくなってしまう。——錯覚は消えてしまったのだ。それでもわれわれは性懲《しょうこ》りもなく、錯覚の魔術を見にサーカスや劇場へ行くことをやめない。われわれは常になにかの種類の妙薬、誇大なうたい文句とともに売り出される特効薬を求めてやまない。ビジネスの世界ですら、この事情は変わらず、そこではそうした妙薬は新理論と呼ばれる。というのは、われわれは常に複雑な問題を解いてくれる単純な公式を求めているからである。こぎれいに包装され、魅力的なラベルが貼られているものならほとんど何でも、効能への期待をこめて糖衣錠のように嚥《の》みくだされる。ビジネス理論というものは、おおむねそうしたものだ。

かくいう私も、ビジネスの世界に入ってから今までの五〇年以上のあいだに、どうしたら良い経営ができるかというテーマについて、何百冊の本を、何千の雑誌記事や学問的な論文を読んだことだろう。若いころには、大学教授やコンサルタントが説くそうした理論や公式を、熱心に吸収し信奉したものだ。それらには、経営スタッフと生産ラインの従業員と株主たちを繁栄させ幸福にしながら、同時に生産性と売上げと利益を向上させる方法が説かれていた。彼らの思考は常に強固で論理的で、議論の余地のない真実の知恵がぎっしり詰まり、その結論は動かしようがないように思われた。

しかし、私が会社の階層組織の中で、他の人びとを支配する決定をおこなわなくてはならない地位に達してみると、そうした理論のどれひとつとして、うたい文句通りには役立たないことを知らされた。あちこちに断片的に役に立つ個所はあったが、そうした本や理論のどれひとつとして、企業の経営はおろか、そのひとつの部分さえも、単一の公式または使いものになる公式の組み合わせに圧縮してくれはしなかった。また、そうした書物の中から拾い集めた有益な断片でさえも、現実のビジネスに応用するには、細心の注意と判断力をもってしなくてはならなかった。

実際、職業人としての私の全生涯を通じて、公式の組み合わせや図表や経営理論によって自分の会社を経営しようとした（いわんや、それに成功した）最高経営者には、いまだかつて出会ったことがない。逆に、ハイスクールも出ず、経営理論などぜんぜん読んだことがないのに、私の見たところでは、自分の事業を運営する術《すべ》を完全に心得ている人びとにおおぜい出会った。どうしてそんなことができたのだろう？

そうした人びとは事業とともに生き、事業とともに成長したのだ。進むにしたがってますます複雑になるビジネスの世界の現実への対応に天与の常識を適用し、実地によって学習したのだ。たしかに、会社が大きくなりすぎ、成功の階段を早く上りすぎて、自分の創立した事業の核心との接触を失った人びともいることは認めざるを得ない。そうなると、ほとんど避けがたいこととして、売上げは水平化し、利益は減退し、徐々に天降が始まる。多くの場合、この転換が起こるのは、成功によって平常心を失った創立者または経営責任者が、自分のよく知っている事業から、世界の経済とか、地域社会や州や国の社会学的問題への分担責任といった、ほとんど無知な高級な哲学へと、関心を移した時である。彼は事業の経営責任をほかの人間に委譲し、自分はスピーチをしたり、地域社会の事業の音頭とりをしたり、外部の活動の主催者の仲間入りをしたりする。私の考えでは、そんなふうに社会への貢献にことさら身をやつさなくても、彼は自分の事業をうまく経営し、従業員と地域社会の経営的安定に資するという自己本来の責任を守っていたほうが、もっと社会や国のためになっていたろう。しかし、外部での社会活動は彼に、事業に固執することからは得られない個人的自我の充足を与える。これは成功したビジネスマンを陥れるために考案された最悪の罠《わな》のひとつである。そうした事例を私は何度も見てきたが、それにもかかわらす、ハーヴァード大学やフォーチュン誌がその問題を取り上げ、理論づけをしたのを見たことがない。

一方、世界を救済すべく外部で活動するために、事業の責任を他に委譲した最高経営者の大半は、事業をやっていくための詳細な指示や自分なりの秘訣を代行者に授けていったにちがいない。にもかかわらず、そうした秘訣や理論は、本人が不在の場所ではなぜかうまく通用しないのだ。

経営理論の長いリストの中で最近もてはやされているものに、〝セオリーZ〟や〝日本式経営〟がある。これらはどちらも、日本人との競争に打ち勝つためにアメリカ式経営をどのように改善すべきかを述べた二冊のベストセラーの題名となっている。そしてわれわれの極東の競争相手によって開発された成功のための魔術的な公式を、われわれに教えてくれようとする何百もの雑誌記事や学問的研究の中で、さかんに援用されてきた。

〝Z〟の前にはマサチューセッツ工科大学のダグラス・マグレガー教授によって編み出された〝セオリーX〟と〝セオリーY〟があった。セオリーXとYのすばらしさは、企業経営のすべてを適用範囲の中にとりこんでいることだ。ビジネス・スクールではだれもがそれを研究した。というのは、いったんそれらの理論を完全に理解したら、もはやなにも恐れることなくビジネスの世界の迷路を通って行ける、とうたわれていたからである。すべての企業はセオリーXやセオリーYにしたがって経営されている、と。

セオリーXによれば、人間はだれも必要以上に働くのが好きではなく働きたくもなく、また自分の職務を果たすのに絶対必要な以上の責任をもたされたがらない。この前提に基づいて、セオリーX会社は厳格な指揮系統を軸として構成されている。どの階層の構成員も、何を、いつ、どのようにせよと言い渡される。その典型的な例は軍隊だ。すくなくとも理論上は、将軍が大佐に命令をくだすと、大佐は少佐にこれのことをせよと指図《さしず》し、以下、順を追って命令は最前線にいる下級下士官まで下達される。セオリーX会社では、だれも直接の上司（上官）を飛び越して、それより上の上級者に直接話しかけることはできない。そして上級者に対してはただ敬礼をし、その命令に服従するだけだ。

これに対してセオリーYは、人はどんな責任のレベルにあろうとも、内心では自己の最善の能力を発揮したいと望んでいるという前提に立っている。彼らは自分の技量と生産性を高めたいと切望し、セオリーX型の組織では飽きたらず、欲求不満に陥ってしまう。セオリーY会社の経営者は、この定則に基づいて、意思決定に従業員を参加させる平等主義的な経営をおこなわなくてはならない。今日の進歩的な経営者はたいていセオリーYを選び、組織の中に共同的なチームワークの雰囲気を定着させようと努力している

――と、実際かどうかはともかく、そう論述する。

しかし、いかにも手ぎわよくまとまったこれらの理論の難点は、私の知る限り、セオリーYあるいはセオリーXに厳密にしたがって経営されている会社はひとつもないということだ。軍隊でさえ、そんなことはおこなわれていない。戦場で下士官と少尉が実際に果たす役割についてすこしでも知っている人ならだれでも、リーダーシップというものは階級より人に属することを知っているだろう。いざという時、しっかりした少尉がいれば、彼が指揮を執る。しかし、優柔不断な少尉しかいない時は、下士官が非常の決断

をしなくてはならない。ビジネスの世界でも同じことだ。困難な決定は、現実には、ペンタゴンでだろうと牢獄でだろうと、重役室でだろうと会社のカフェテリアでだろうと、先頭に立って他を導く自信のある男女によってなされる。大小を問わず、軍でも民間でも、あらゆる組織はそれを指導する一人または複数の人物の個性と性格を反映する。といっても、これはまだ、われわれが現実に見いだす複雑さを単純化しすぎる言い方だ。こうしろと言いつけられるほうがやりやすいというマネジャー、これまでの経歴をぶちこわしにするかもしれない困難な決定をする責任をとりたがらない人びと、そのかわりいったん細密な指示を与えられたら、注意深く精を出して与えられた任務を遂行する人びとを私は知っている。また、それとは逆に、自発的で、意思決定のプロセスに参加した場合にのみ最善の能力を発揮する人びとも知っている。実際、彼らは命令を与えられることに腹を立てる。この両方のタイプのマネジャーが同じ会社で働いているのだ。もしあなたが最高経営者だったら、この会社をどう経営されるだろうか？　セオリーXでか、それともセオリーYでか？　それともまた、常識を用い、その時の状況に応じて行動するだろうか？

セオリーZは東洋の禅の思想をほのめかしながら、日本式経営がなぜ、またどのようにわれわれのそれよりまさっているかを説明しようと試みている。それはまず、出発点としていくつかの自明な事実を列挙する。――日本人はあらゆる種類の製品――自動車、カメラ、テレビ、ラジオ、エレクトロニクス――について、生産性でも売上高でもわれわれを凌駕している。日米両国間の貿易収支は、過去数年間、大幅にアメリカのマイナスで、さらに悪化する徴候が見える。結論――日本人はなにかわれわれがやっていない良いことをやっているのにちがいない。そこでセオリーZは両者の違いに視点をしぼる。

日本では、大企業は従業員を親のような愛情をもって扱っている。会社は従業員に終身の雇用と安定を保証する。毎日の始業前に歌を合唱させ、体操をさせる。最も成績の良い若者を経営層の重要な地位につかせる前に、一〇年ぐらい、多様な経営者教育をほどこす。労使のあいだに協調の気風を醸成する。集団による意志決定を尊重し、分に応じた責任と報酬を与える。個人の勢力拡大は排斥される。こういったことに対して労働者は家族や国に対する同等の会社への忠誠心をもって仕事にはげむ。家族と国と会社の三者は固く結び合わされているように見える。不断の生産増強によって会社が繁栄すれば、従業員も繁栄し、その家族も国も繁栄する。それらすべては、より大いなる共同の福祉を生み出すように作用し合っているのだ。

一方、アメリカの会社は正反対の性格をもつものとして規定される。――比較的短期の雇用、あわただしい昇進と解雇、個人の意思決定と責任と、それに比例した報酬と罰、職業の専門化、会社への忠誠より個人的忠誠のほうが優先すること。

そんなふうに言われると、バラ色の、静穏な、思いやりのある日本の職場の雰囲気に比べて、アメリカの事情は灰色で、寒々《さむざむ》しく、ストレスに満ちているように見える。実際はそれほどひどく対照的ではないと私は思うが、たとえそうだとしても、われわれアメリカ人は個人の自由と個人的機会の平等の伝統を、日本人の内に深く根を下ろした温情主義と謙譲と無私と交換したいと思うだろうか？　また、仮にそうしたいと思ったとしても、できるだろうか？　われわれとははなはだしく異なった日本人の生活様式は、何世紀にもわたって培われた文化に根ざすものであり、日本の近代産業の経営はその根深い文化の上に、ほかにはありようのない発展の仕方で形成されたのである。アメリカにも産業革命の初期には、似たような会社の温情主義というものがあった。しかし、われわれはずっと昔に、賢明にも、従業員の生活への会社のそうした庇護（と支配）なしでやっていく道を選んだ。会社から会社へと移り、どこでも行きたいところへ行き、自己の能力に応じてできるだけ多くを学び、成長し、稼ぐ自由こそ、わが国を、日本をも除外しない世界で最大の産業国たらしめたものである。私はたずねなくてはならない。――そのどこがいけないのか、と。

セオリーZと、日本の工場の実態を視察した人びとの報告の大半の底にある誤りは、日本人が世界市場でわれわれをしのいでいるのは、企業の構造と経営がわれわれのそれよりまさっているからだとする考えである。私の考えでは、両国の文化の際立った対照が真の問題を見えなくさせている。質問が不適当なら、不適当な答えしか返ってこない。ＩＴＴがアメリカ式近代経営の模範と見なされていた一九六〇年代初期、日本の経営者の一団がニューヨークのＩＴＴ本社を訪れ、当時のコントローラー、ハーバート・クノーツに、「おたくのすべての経営決定をさせているというコンピュータ室を見せてくれませんか」と頼んだ。彼はコンピュータ室を見せてやるとともに、ＩＴＴの経営決定はコンピュータによってなされるのではないということを説明しようとした。しかし、わかってもらえたかどうか心もとない、と彼は私に告白した。

アメリカから日本へ出かけた観察者たちは、日本の習慣を説明してもらい、グループ討論や社歌の合唱や工場での笑顔を実見して、アメリカとの事情の違いを見てとることはできたろうが、経営決定がなされるところを見たかどうか、あやしいものだと思う。あえて私の推測を言えば、日本の会社の財務管理も、品質管理も、生産計画も、市場調査も、その他のもろもろも、アメリカの会社のそれと大きな違いはあるまい。日本の企業の実用主義的《プラグマティック》なマネジャーたちは、われわれがやろうとつとめているのときわめて似かよったやり方で市場を眺め、自社の可能性をさぐり、世界じゅうの顧客のニーズと欲望を満たすべく前進を図っていると私は思う。

日本の企業はさまざまなレベルで、またさまざまな製品についてアメリカの企業を出し抜いているが、その主たる理由は経営の構造、システムあるいは効率の差にあるのではない。といっても、日本の企業の経営が効率的でないというのではない。それどころか、きわめて効率的だ。ただ、私が言いたいのは、日本の経営システムだけが、世界の競争の中で日本が頭角を現している理由ではないということである。理由はもっと卑近な、現実的なものだ。日本では、労働コストがアメリカよりずっと安い。また、第二次大戦による荒廃後に建設された日本の工場は、われわれの工場より新式で、ずっと高性能だ。日本で一台の自動車をつくるコストは、アメリカより一五〇〇～一八〇〇ドル安い。その差額の一部を、彼らは品質管理に回すことができるが、デトロイトの自動車メーカーは、今までとてもそんな余裕はなかったという。低コストに加えて、日本の企業は政府からあらん限りの援助を受けている。というのは、小さな島国である日本は輸出市場に完全依存しているので、日本の政府と強力な銀行は、外国に売れて国に富をもたらす製品の開発に、企業と手を握っているからである。彼らは国家的な産業政策を持っているのに、われわれにはそれがない。

過去五〇年間、アメリカの企業と政府とは、事実上、日本の場合とは逆の関係にあった。アメリカ企業が製品を海外に売ることを合衆国政府が積極的に援助したのは、すでに遠い昔の物語である。わが国の法規はアメリカ企業の自由活動を抑制するように考案されてきた。しかし、われわれは他の国々ほど輸出に依存したことは一度もなかった。第二次大戦後、世界で最も豊かな、唯一の無傷《むきず》の工業国として生き残ったわれわれは、世界最高の賃金を払い、労働力の生産性に合わせて需要調整をおこなったりしながら、贅沢に暮らしてきた。工場が古くなって旧式化するにまかせ、ついに国民全体として弛緩し、振わなくなった。

セオリーZは、こうした点のどれにも触れていない。また、日本以外のいくつかの国に対してもアメリカは競争力を失いつつあることにも考慮を払っていない。香港はわれわれのものより安いばかりでなく品質もすぐれた織物と婦人服を生産している。韓国は価格でも質でもわれわれの太刀打ちできない外洋船を建造している。西ヨーロッパ諸国は現在、非常に有望ないくつかの研究開発を進めており、さほど遠からぬ将来に新しい製品を市場に送り出して、われわれや日本がつくる最良のものと競争するようになるだろう。

しかしながら、すべてが失われたわけではない。眠れる巨人は鼻をひっぱられて、目を覚ましかけている気配が感じとれる。われわれが日本の自動車やエレクトロニクス、あるいはその他のどんな国からの輸入にでも、関税障壁その他の制限を課することによって、外国の競争をしりぞけたい誘惑にかられながらも、そうしなかったことは意義あることである。そのことはアメリカが海外からの挑戦を受けとめ、公開市場で競争するつもりでいることを世界に表明する働きをしたにちがいない。目覚めの最初の徴候は、日本の競争によって最も痛めつけられてきた自動車産業に認められる。ここ数年間にアメリカの自動車に、過去数十年分にも匹敵する技術革新と改良が加えられたのをわれわれは目撃してきた。これは以前には競争する必要のなかったデトロイトが、今や競争せざるを得なくなったことによるものである。鉄鋼産業もまた、目覚めの気配を見せている。それからエレクトロニクス産業も、高度技術のペースと需要に油断なく気を配りながら、競争に全力を傾注している。

世界市場の公開競争の挑戦に、合衆国がどのように、またどの程度まで対応できるのか、見せてもらうのはまだこれからだ。問題は現実の競争を通じて明確化され、それらに対してわれわれが見いだす答えによって、とるべき方策が定まることだろう。しかし、個人の自由を放棄することなしに生活水準を維持することを大前提とするなら、それらの答えはアメリカの経営者のみならずアメリカの労働者、また総体としてのアメリカ人を代表する政府との三者によってもたらされなくてはなるまい。アメリカの働く男女が、日本の家族主義的な会社のやり方を取り入れて、GMやITTや、あるいはベル・システム社の社歌を歌って一日の仕事を始める情景を思い描くことは私にはできない。セオリーXにせよYにせよ、あるいはZにせよ、どんな理論も複雑な問題を一挙に解決してくれるということはあり得ない。

趣味や服装の流行のように、ビジネス理論はつぎつぎに現れては消えていくものだ。ある年、町じゅうの話題になったかと思うと、あくる年はもう忘れられてしまっている。第二次大戦後、さかんにもてはやされた時間動作研究（作業時間と作業動作の相関を調べる研究）というのをご記憶だろうか？　流れ作業や文書課での仕事に含まれるいちいちの動作と手順を計測し分析するために、おおぜいの産業心理学者や経営コンサルタントが工場や会社に入りこんだ。それからいちいちの作業を最も能率的に遂行するための仕様書をつくり上げた。それが科学的なことだと考えられたのだ。しかし、時間動作研究は人間を機械のように生産的に（また想像力の欠けた存在に）するために考案されたものだった。そして産業への科学の応用という領域での戦後の新しい進歩について、学者たちによってたくさんの長い深遠な論文が書かれた。しかし、黄金時代は到来しなかった。新しい時間動作の作業基準は、その後の歳月に、労働協約によって侵食され、高生産性どころか最も実用に適さない生産性の基準として会社の経営提要の中にしまいこんでしまった。それらの完全に時代遅れとなった時間動作研究は、今日では主として、かつて能率と考えられていたものの名残《なごり》として参考にされるにとどまる。それにしても、どっちみち時間動作分析は、そうした科学まがいの大騒ぎをしなくても、有能な職長あるいは監督なら、それぞれの仕事の現場で、もっとずっと簡単に能率を上げさせることができる、低いレベルの反復的な作業にしか適用できないものだった。

何年か前、私がまだITTで現職にあった時、多国籍会社のキャッシュ・フローをいかに整合させるかについて、ハーヴァード大学ビジネス・スクールが案出した最新の経営理論のひとつを示されたことがあった。それは例の〝キャッシュ・カウ（牝牛）〟と〝スター〟の理論というやつで、各プロフィット・センターの実態を入念に分析して、公式にしたがってそれらを分類し、格づけするやり方だった。〝スター〟というのは利益性の高い、高成長の潜在力を持った事業部、〝キャッシュ・カウ〟というのは高利益を挙げてはいるが、成長のポテンシャルの低い事業部、また成長率は高いが収益性の低い事業部があり、そして成長性も収益性もともに低くて、どうしようもないのが〝ドッグ（犬）〟といった具合だ。そしてこの分類にしたがって、〝牝牛〟から利益の乳をしぼって〝スター〟に与えることによって、その収益性と成長のポテンシャルをいっそう高めるというふうにして会社を経営せよというのだ。成長率は高いが収益性の低い事業部にも、場合によっては授乳することも考えられる。〝犬〟は時期を見計らって厄介払いするより仕方がない……。

すばらしい理論だとお思いだろうか？　私にはとてもついていけなかった。そんな方式はうまくいくはずがないばかりでなく、われわれが二〇年間ＩＴＴで築いてきたもの——合意された一連の目標に向かって全速力で前進する、全体がひとつのチームとなった経営への信頼——を台なしにしてしまうだろう。もし〝キャッシュ・カウ〟の方式にまだ誘惑を感じる人があるなら、その人はこう自分にたずねてみるといい。——自分たちが挙げる利益をよそへ持って行かれ、将来の成長の望みのない〝キャッシュ・カウ〟のレッテルを貼られた会社や事業部で、だれが働きたいと思うだろうか？　と。明らかに良い経営がおこなわれ、健全で利益を挙げている事業部は、なにも神によって特別の資格を与えられたわけでもない〝スター〟のために乳をしぼり取られたりすることなく、激励され拡張されるべきだ、と本能は私に告げる。〝犬〟について私の考えを言うなら、なぜその事業部は〝犬〟なのかを突きとめ、犬は犬でも優秀なグレーハウンドに仕立てるためにできる限りのことをするのが経営者の責任である。経営者の失敗の結果を、見切り売りすることで決着をつけることを私はいさぎよしとしない。ある会社なり事業部なりをどうしても処分しなくてはならない場合があれば、私はまずそれを立て直し、のら犬ではなくグレーハウンドを売るかたちに持っていくだろう。

また、人びとをその性格に適した経営的地位に配置できるように分類する方式もある。その分類には、理にかなった決定をおこなうことができ、何をなすべきかを心得ている〝頭脳《ブレイン》〟と、決定に基づいて行動できる〝勇気《カレッジ》〟とが二つの評価基準となる。そして各人をつぎの分類のどれかに振り当てるのだ。――〝頭脳と勇気を兼ねそなえた人間〟〝頭脳はすぐれているが勇気のない人間〟〝勇気はあるが頭脳はだめな人間〟、そして最後は〝頭脳も勇気もない人間〟。分類ができたら、あとは簡単だ。〝頭脳も勇気もない人間〟は解雇し、〝頭脳はすぐれているが勇気のない人間〟はスタッフ系統の部署に、〝勇気はあるが頭脳はだめな人間〟は行動力を要求されるライン系統の部署に、そして〝頭脳と勇気を兼ねそなえた人間〟を最も困難で重要な部署に、それぞれ配置する。これもまた、聞こえはいいが、実際のビジネスの世界ではほとんど役に立たない理論の一例だ。これまで私が一緒に働いてきた男女はみな、さまざまな長所と欠点を併せ持った、成熟した、複雑な人びとだった。簡便な心理学的分類に当てはめるなど、とうてい不可能だった。ITTで人びとの能力を判定する方法として私が知っていたのは、実際によるテストだけだった。私はその人物に仕事をさせ、どんなふうにやるかを観察した。頭脳と勇気は判定基準の一部をなすにすぎなかった。その人物の判断、行動、態度、努力、客観性、その他多くの資質も、同じぐらい重要だった。それらを勘案《かんあん》したあとでも、なお完全には確信がもてなかった。あらかじめ定められた方式で人を判断しようなどとは、考えたこともなかった。

　そうした理論や方式は、新時代の科学的経営と呼び慣らわされているものの一部をなしている。毎年、何万人もの熱意に燃えた若い男女が、経営学修士《マスター》の称号を授けられてビジネス・スクールを卒業する。そして科学的経営に心酔した彼らは、理論の方式とチェックリストと、そうした方式が功を奏した事例研究という擬似経験をたずさえ、それらによって自在にビジネスを経営しようと世界に乗り出していく。しかし、そうした〝達人《マスター》〟たちは、ばかでなければ、やがてそうした方式はビジネスの世界では、実験室の化学者や物理学者が用いる不易の公式のようには通用しないことを悟る。真実はただ、ビジネスは科学ではないというだけのことだ。それはいかなる不易の法則にもしたがわないし、機械のように決まった動きはしない。機械はおどろくべき正確さをもって、一片の鋼鉄を一万分の一インチの薄さに、いつでも切断することができる。自動化された組立ラインの一端に材料を入れてやれば、別の端から製品が出てくる。しかし、組立ラインの作業員はロボットではないし、職長も工場長もロボットではない。そして相当に自動化が進みはしたが、ビジネスという建物のコンクリートブロックや煉瓦を接合するモルタルの役をするのは、依然として、欠点や弱点だらけの人間なのである。

　もちろん、論理や理知や技術や技量は、マーケティングであれセールスであれ会計であれ財務管理であれ、その他何であれビジネスのさまざまな面にたずさわる人びとが、各自の道を切り開いていく助けとなることはいうまでもない。それらは、実際への応用が適切とされる時、縦横に駆使されるべき経営の道具である。ただ、人びとは経営決定への安易な、組織化されたアプローチを求めて、理論や固定した方式に寄りかかりすぎる傾向がある。組織化されたアプローチは、事業を収拾するのには、おそらく最も重要な手段だろう。しかし、事実の収拾がすんだら、方式は捨てて事実に基づいて行動しなくてはならない。ビジネスにおける決定は、当面の状況または問題をつくりなす事実に対して、その決定をおこなうべき人物がそれまでに学んだすべてを集中的に応用するというかたちで、その人物の内部から出てこなくてはならない。一言で言うなら、会社や事業部や部を、対応処置のチェックリストや、ビジネス・スクールの才知抜群の教授が考案した理論への盲従によって運営することはできないということだ。なぜならビジネスは人生と同様に、どんなチェックリストにも方式にも理論にも完全にはおさめきれない、活力にあふれた流動的なものだからである。

いわゆる科学的経営の道具――これをできるだけ利用しているという点では、ＩＴＴは世界のどんな会社にも引けをとりはしなかった。巨大コンピュータは二四時間働いているし、世界じゅうの遠隔地の子会社から報告がテレックスで送られてくる。週間、月間そして年次のそれぞれの報告書の量は、戸棚がいくらあっても足りないほどだ。本社に集まってくる数字を分析する専門家の厖大なスタッフも抱えている。しかし、われわれはだまされはしなかった。そうしたものの中のどれか、あるいは全部が、ＩＴＴの経営を科学的なものにしてくれるなどとは夢にも思わなかった。コンピュータや報告書や調査や分析がわれわれに提供してくれるものはただひとつ――情報にすぎない。そしてそれはおおむね事実に即した情報ではあるが、中には誤った情報も交ざっている。決定をくださなくてはならない時になると、私は一人か二人、あるいは何人かの人間にたずねることを常とした。「きみはどう思う？」と。そうして手もとにある事実に基づいた考えとひらめきを交換し合った後に、よかれあしかれ、われわれは決定をくだした。われわれは進んで行きながら学んだ。経験の貯蔵はしだいに豊かになり、前より複雑な問題を前より早く、前より上手に処理できるようになった。自分の能力に、前より自信がもてるようになった。しかし、経営の技術をひとつの方式にまとめようという気にならなかった。たったひとつの、どんな決定に関しても、自分たちは正しいことをしたと完全に確信できたことはなかった。

私が経営決定をおこなうようになってから半世紀以上が過ぎたが、そのすべてを要約せよと言われたら、究極的な成功を目指して事業を経営するこつは、かまどでなにかを料理する時のようにやることだと言いたい。

かまどで料理をする時はどんなふうにするだろう? 原始的なかまどでは、火や薪や空気の流通その他の要素は自動的にはコントロールされないから、絶えずすべてに気を配っていなくてはならない。また、料理についてはある程度まで調理法《レシピ》にしたがうだろうが、なにか自分自身の特別なものを付け足すだろう。調味料やスパイスを入れるのに、いちいち計量しはしない。適当に振りこんだり、注いだりする。それから料理ができていくのを見守る。鍋から目を離さない。時どき出来具合を見る。においを嗅ぐ。指をつっこんで味見をする。自分の好みに合うように、またすこし何かを添加するかもしれない。そしてそれが全体の中にとけこむのを待って、また味見をする。それから同じことをもう一度。もし何かが気に入らなければ、それを修正する。なにをするにせよ、いちばん大事なのは目を離さないことだ。ほかのことに気をとられたりしていると、その間に煮えすぎたり焦げついたりしてしまうかもしれない。そしてちょうどいい出来具合になった時、ちゃんとそこにいて鍋をかまどから下ろしてやらなくてはならない。そうしてついに料理人としての自分の能力を最大限に振るったポット・ローストなりラム・シチューなりができあがる。それは電子レンジのボタンを押すだけで自動的に料理されるどんな肉よりおいしいはずだ。それが、身近に文明の利器がない時、かまどで料理をするやり方だ。そしてそれが、ビジネスの経営に望む私の心の持ち方である。

これまで述べてきたことは、第二章以下への緒論である。本論をなす後の章はいずれも、実際的なビジネスの世界で私が学び、用いて役に立ったことに基づいている。それらは実際的ではあるが、原理や法則に準ずるものとして扱われる資格があるものかどうか、確信がない。誤解がないように申し上げておくが、それらはビジネスの成功への方式や指針ではない。読めばおわかりのように、程度からいって、むしろお祖母《ばあ》さんが教えてくれる手料理のレシピのようなものだ。

老いも若きもとりまぜて、これまで折に触れては、おおぜいの人から私がビジネスに成功した秘密をたずねられた。たいていの場合、私は答えるのを避けた。しかし、今こそ明かそう。——ビジネスでも人生でも成功する秘密は、秘密なんかないということだ。なんの秘密もありはしない。なんの方式も、なんの理論も。

こう警告したうえで、みなさんにビジネス経営の完全な要領を伝授しよう。つぎのページをめくってみる気がおありになるなら、私はそれを三行にまとめてごらんにいれる。

第二章

経営の秘訣

《三行の経営論》
本を読む時は、初めから終わりへと読む。
ビジネスの経営はそれとは逆だ。
終わりから始めて、そこへ到達するためにできる限りのことをするのだ。

なんのかんのといっても、結局、会社とその最高経営者と経営チームの全員は、業績（performance）*というただひとつの基準によって評価される。スピーチも、昼食会も、晩餐会も、会議も、公共への貢献も、有力者や要人たちとの親密な関係も、すべて遠く忘れ去られ、残るのはただ会社とその業績の記録だけだ。――似たような他の会社と比べて、その会社と経営者は何をやったか？　よきにつけあしきにつけ、その時どきの経済環境の中で、それはどんな業績を挙げたか？

*原語〝パフォーマンス〟は、なにかを「おこなう」こと、とりわけ意志的に義務や作業を「遂行する」ことを意味する動詞 perform の名詞形であり、ここでは便宜上「業績」と訳出したが、業績といっても単なる〝結果〟ではなく、現在進行形の〝状態〟――会社なり経営者なりの仕事の〝仕振《しぶ》り〟ないし〝技量〟――をも合わせて意味するものと解されたい。これは音楽や演劇の領域で、同じ語が「演奏、演技（ならびにそのできばえ）」を指すのに対応するものと考えれば、理解されやすいかもしれない。

業績とは、ある四半期または一年の損益計算書についてあげつらわれるものではない。業績とは、長期にわたって会社に組みこまれたものである。それはある会社が去年やったことを今年も繰り返し、くる年ごとにあるペースで成長し続けることができると、みんなに信用させるだけの力のあるものでなくてはならない。業績というものを考える時、私の心中にあるのは、変化してやまぬビジネスの世界で長期にわたって持続する、そういった種類の成長と実績である。

一九五九年にＩＴＴに着任した時、私が持ちこんだのはこの態度であり、そしてそれはおそらく他の何よりも私が意図した経営の仕方に影響を及ぼした。私は（のちにＩＴＴがなったような）コングロマリットをつくろうという先入見をもってスタートしたわけではなかったし、私は選任したＩＴＴ取締役会の選考委員会からも、そんな指示は受けなかった。私はただその会社を引き受けて、〝満足すべき結果〟を挙げてくれと要請されただけであり、それがまた私が請け合ったことのすべてだった。しかし、思うにあらゆる企業活動の目的は、基本的にはそのことにあるのではなかろうか。ＩＴＴでの満足すべき結果とはいかなるものか、それを決めるのは私の責任であり、それからもちろん取締役会が私の判断に対して判定をくだすだろう。とにかく、なにもかもそんなふうに漠然としていたのだ。

私がＩＴＴの社長兼最高経営者として雇われたのは、エレクトロニクスと国防関係の調達を主たる業務とする技術会社、レイシオンの執行副社長として私が勝ち取った評判によるものであることは疑いなかった。そして私がレイシオンに雇われたのは、ずっと業績不良だったその会社に財務管理と近代経営の体制を導入するため――一言で言えばその会社を〝儲かるようにする〟ためだった。私がいた四年間に、レイシオンの収益は三倍に増え、株価は一四ドルから六五ドルに上がり、何よりも重要な一株当たり収益は約五〇セントから二ドルへと上昇した。

私はその新しい地位への誘いを、長期雇用契約も結ばずに、ためらわず受諾した。実際、なんの契約もなしだった。私にとって、ＩＴＴからの誘いは、他人のために働いてきた三三年間の最高到達点だった。それは私がひとつの会社を、自分のやりたいように経営する最初の機会になるはずだった。ボストンの名門を代表するレイシオン社長、チャールズ・フランシス・アダムズと私とのあいだには、性格的に多少うまくいかないところはあったが、私はスタッフとしての助言的な役割を超えて、ラインマンとして指揮権を振るう最初の機会を与えてもらったことで、ずっと彼に感謝の念をいだいている。レイシオン社ではナンバーツーの地位にあたる執行副社長として、私は全社的な責任を託されていた。それ以前に身を置いた他の会社では、すくなくともある程度まで、私の役割はコントローラー（経理責任者）としての財務的な事柄に限定されていた。

ＩＴＴに着任した時、その会社についての私の知識はゼロ以下だったといっていい。というのは、それまでに私がＩＴＴについて読んだり聞かされたりしていたことは間違いだらけだったからである。

ずっと以前、私がコントローラーとしてベル・アンド・ハウエル社に雇われ、翌週の月曜日から出社するように言われた時は、鍵を受けとって、週末に自分の新しいオフィスを検分する許可をもらったものだ。そして土曜日と日曜日の二日間、牛乳とサンドイッチを持ってそこへ行き、朝八時から夜の一二時まで、自分が担当することになる仕事に関する書類のファイルに、残らず目を通した。だから月曜日の朝、新しいボス――前任のコントローラーを思いきりよくクビにした癇癪持ちのベル・アンド・ハウエル社社長――と対面した時、私は完全に準備ができていた。私は会社のさまざまな問題を、前任のコントローラーよりよく知っていた。しかし、ＩＴＴの場合は違った。

私がＩＴＴに雇われる話が決まったのは四月のある時期だったが、六月一九日の朝までは会社に顔を出さないようにと言われた。それは私の前任者が定年に達する六五歳の誕生日にあたっていた。そしてその日より前には私に会いたくないというのだ。その人、エドマンド・リーヴィー将軍はウェストポイント陸軍士官学校出のもと軍人で、軍隊式の儀礼の信奉者だった。あとで知ったことだが、リーヴィー将軍は会社の創立者ソスシーンズ・ベーンの死去に伴ってＩＴＴ社長に選任されたのだが、定年まで二年を余すのみだったので、恒久的な社長となる後継者を見つけ、育成することを主たる任務とするように要請されたのだそうだ。ところが二年後、リーヴィー将軍は適任者として自分自身を推薦した。しかし、取締役会はそれに同意せず、そのメンバー中の五人からなる選考委員会を設け、ほどなくして私に、レイシオンの二倍の大きさの会社の社長の椅子につながる白羽の矢が立てられたのだった。

そんなわけで私は一九五九年六月一九日の朝、ニューヨークの金融街の中のブロード通り六七番地にあった旧インターナショナル・テレグラフ・ビルへ出向き、その最上階の社長室でリーヴィー将軍に対面した。私がそのビルに入ったのは、それが初めてだった。将軍は、凝った飾りをほどこした伝説的なソスシーンズ・ベーンの大机に向かって、まっすぐな姿勢で座っていた。大きな東洋の絨氈が床に敷かれ、一方の壁に石づくりの暖炉のある、ヨーロッパ趣味の社長室はたしかに堂々たるものだった。ビルのてっぺんに強い風が吹きつけると、巨大なシャンデリアが頭上で揺れた。時間を正確に測り、儀式ばったやり方で警備員が勤務の交替をしていた。リーヴィー将軍は私に握手の手を差し出し、八人か九人の側近者に私を紹介し、私はその連中と握手し、彼らが退出したあと、将軍と私はちょっと冗談めかした会話を交わし、彼は私にオフィスと机の鍵を渡してくれた。それから彼の自宅の電話番号を教え、なにか用事があったら電話をくれるようにと言い捨てて出て行ってしまった。つぎに将軍に会ったのはその二年後、まったく社交的な会合でだった。

私はソスシーンズ・ベーンの机に向かって座り、その会社のすべてを創始した人物のことを考えた。彼は一九二〇年にキューバの小さな原始的な電話会社を買収し、それをオーストラリアから日本、南アフリカ、ヨーロッパをめぐり、南米からアメリカ合衆国へと回帰する電話のサービス並びに設備・機器会社に仕立て上げたのだ。筋金の通った個人主義者だった彼は、一生のうち三七年間をＩＴＴに捧げ、故人となってから今や二年が経過していたが、ソスシーンズ・ベーンの気概はその部屋と、世界にまたがる会社に消しがたく刻印されていた。

今、私は彼のオフィスに座って、例の恐れとおののきを自覚していた。それは私がそれまでと違った、新しい仕事を始めようとする時いつも経験するもので、すぐそれだとわかった。そして、それでも私は新しい挑戦にひるんで、引き下がってしまうことはできないことを知っていた。たしかに私の心の中には恐れがあったが、それは正常な不安の感覚であり、心理的にも知的にも、私は新しい出発をしようとする熱意に燃えていた。それは私が初めてひとつの会社の最高経営者として、それを支配する機会だった。私はその会社のことをあまりよく知らなかったから、その新しい地位にあって自分に何ができ、何をすることになるのかはわからなかったが、同時にまた私は自分が支払うべきものを支払ってきたこと、軽工業と重工業の両方に属する異なったタイプの会社の経営の経験を積みながらそこまでたどりついたことを承知しており、ＩＴＴでなされなくてはならないことをする資格をそなえていることでは、だれにも引けをとらない自信があった。一口に言うなら、私は飛びこみたくてうずうずしていた。

最初の一週間かそこらは、事業部別に、またユニット別に、財務諸表や会計報告に目を通すことに大半の時間を使った。がんらい会計が専門で、本来は古風な簿記係の私は、数字は会社の骨格のようなものだと考えていた。会社の世界じゅうのユニットから報告されてくる数字は、ＩＴＴの資産を、収入源を、キャッシュ・フローを、また金がどこへ流れていっているかを確認させてくれた。それればかりでなく、数字の相互関係は私にとって、本の行間を読むようなものだった。私はいちいちのユニットの活動状況を、それぞれの事業部の積極的な姿勢を、また積極性のなさを、目で見るように思い描くことができた。人びとがそれらの報告書を書いているところが、心眼に映って見えた。私は会社の大体の健康状態と、実績を挙げている部門とそうでない部門と、問題の所在に見当がついた。それから私は質問をし始めた。本社のエグゼクティブたちをつぎつぎに呼んで、さまざまな財務報告書を一緒に検討した。ソスシーンズ・ベーンが多年、彼一流のきわめて個人主義的なやり方で経営してきた会社の人びとが、すこしずつ私にはわかってきた。

その最初の年には、予想したように、新しい人間がよそからやってきて社長になったことに対する動揺があった。新しいボスのもとで地位をめぐるお定まりの政治的策動もあった。最高層のエグゼクティブの二、三人は、その中の一人が社長に選ばれなかったことに非常に不満だった。早急に決断を要することがいくつかあった。しかし何よりも重要で、私にとってはいくらかショックだったのは、内部的な財務報告書類だった。

ＩＴＴは、ウォール街の証券アナリストたちが書いたものから私が予想していたものとは違っていた。私はたいていの一般人と同様、ＩＴＴは国内で、とくに軍関係のエレクトロニクスの分野で、非常にうまくいっているものと信じこまされていた。私が登場するすこし前に、世界じゅうのアメリカ陸軍基地をつなぐ通信システムに関係した数千万から数億ドルの発注をＩＴＴが獲得したという発表がおこなわれていた。それは空軍や戦略空軍司令部や、その他の軍事的使途のためのグローバルな通信システムの建設にかかわる、以前からよく知られているＩＴＴの仕事の上に、さらに追加されたものだった。にもかかわらずＩＴＴの総売上げならびに資産に対する利益率はきわめて低く、それはきっとＩＴＴが海外事業で赤字を出しているために違いないとアナリストたちは信じこまされていた。

ところが、事業はまったく逆だったのだ。ＩＴＴの国内総売上高の四分の三を構成する、そうした軍関係の受注をもってしても、国内事業は会社の利益のわずか一五％をひねり出しているにすぎないことを知って、私はびっくりした。収益の八五％は二四カ国の外国での電信電話事業から、そしてその大部分は西ヨーロッパから入ってきているのだった。しかも、そうした収益すら、それほど大きいとはいえなかった。純利益率は三％あたりに低迷していた。

ＩＴＴの組織は明らかに均衡を失っていた。それはアメリカの会社なのに、従業員数の分布は海外の一万三〇〇〇人に対して、合衆国にはわずか二万三〇〇〇人がいるだけだった。なお悪いことに、経営チームは事業がおこなわれている現地にではなく、事実上そっくり本国に陣どっていた。――ブロード通り六七番地の本社に副社長が一五人。そしてその中の一人が一人きりで、海外の全部の事業活動を調整しているのだった。

その人物は名前をヘンリー・スカッダーといい、外交官のような服装と物腰をして、かすかにイギリス風のアクセントが聞き分けられる穏やかな口調で話す、人品のいい、長身の男だった。彼は疲れを知らぬ不屈の働き手だった。それからの六カ月間、ハンク（ヘンリーの親称）・スカッダーは西ヨーロッパ、南米、オーストラリア、そして極東にあるＩＴＴの施設の全部――というのが言いすぎならほとんど全部――を案内して回ることになった。

月例取締役会のために帰国する以外、最初の六カ月の大部分を私は会社のプラントを訪ね、代表取締役やトップ・スタッフたちに会い、工場の中を歩き回り、われわれが生産している製品を見たり触ったりし、銀行家や、時には顧客や役人たちと会食したりすることに費やした。私はそれらの会社を経営している人びとの印象と、彼らが本社へ寄こしている報告書とを突き合わせたかったのだが、彼らのほうでもそれと同じくらい、ＩＴＴを経営している新しい人間を見たがっていた。それはまだジェット機以前の時代で、いろいろな印象の中でもとりわけ、ソスシーンズ・ベーンがＩＴＴ帝国の前哨地点へ船や汽車で旅しながらなし遂げた仕事に対して、健康的な敬意を覚えさせられた。私はまたイギリス、ドイツ、フランスその他の代表取締役たちが、ベーン大佐とＩＴＴに対していただいている忠誠心を感じとった。なにはともあれ、それらの会社はそれぞれ、それらの国の国民で、そこに住んでいながらアメリカの株主たちのために働いている人びとによって経営されているのだった。

ヨーロッパのＩＴＴプラントを一緒に歴訪するうちに、ハンク・スカッダーはすこしずつ私に胸襟を開いてくれるようになった。彼独特の外交官的な言い回しで、彼は過去数年間の会社に対する自分の主たる貢献は、ニューヨーク本社の陣笠《じんがさ》副社長たちがヨーロッパの事業を混乱させるのを防ぐことだった、と正直に認めた。それだけのために、彼はニューヨークに約二〇人のスタッフを抱えており、彼らの役目はもっぱら、副社長の中のだれかが儀礼または社交以上の目的でヨーロッパへ出かけたりしなくてすむように計らうことだった。ヨーロッパのどの会社の、たったひとつのオフィスも、たったひとつの机さえ、ニューヨークのエグゼクティブにはあてがわれていなかった。一方、ハンク・スカッダーは国から国、会社から会社へと巡回し、代表取締役たちとホテルの部屋で会談した。彼だけが彼らの問題を一緒に検討し、彼らの予算、計算、資本支出その他のもろもろを承認し、もしくは却下するのだった。外国人の代表取締役たちはそのやり方を喜んでいた。彼らは事実上思うがままに自分たちのビジネスをおこない、ハンク・スカッダーを通じて働き、利益と報告書をアメリカへ送ってくるのだった。

そうした取り決めに私は同情することはできたが、会社を経営する方式とはそんなものであっていいはずがない。その最も明らかな欠点のひとつは、本社からのそうした独立はヨーロッパの子会社同士に、ライバル会社と競争するよりもっと激烈に競争し合う自由を与えることだ。ヨーロッパのマネジャーたちと会って話しているあいだにわかってきたのは、第二次大戦の個人的、感情的敵意が、戦後の平和時にまで持ちこされていることだった。それらのマネジャーたちは、なにひとつ共有したり分かち合ったりしていなかった。それぞれの会社は自分たちだけの研究開発施設を持ち、本質的には同じことをやっていた。なお悪いことに、電話交換機などの機器を、わざわざ互換性がないように設計していた。互いに同じ種類の消費製品をつくって、ヨーロッパ市場で競争し合っていた。その無駄たるや恐ろしい規模のものだった。

何カ月かが経過するうちに、ヨーロッパとアメリカの経営のあいだには、調整を要する多くのことがあることが私にはわかってきた。ヨーロッパでは、アメリカのわれわれとは違った製品をつくり、違った市場を持ち、競争というものに対してまったく違った態度をとっていた。ヨーロッパには、われわれの会社が現に獲得しているよりもっとマークアップ（付加率）と利益を高める余地があると私は感じた。私はマネジャーたちに、在庫と売上勘定の回転率をもっと高め、自由資産をもっと有効に利用する必要を納得させようとした。しかし、ビジネスの経営においてさえ、伝統は習慣を打ち破り難かった。

しかし、打ち破ることができたものもあった。パリのあるホテルの会議ホールを超満員にしておこなわれたわれわれの最初のヨーロッパ・ゼネラル・マネジャー会議で、私はアメリカの新しい経営方式の中のあるものを、ヨーロッパ会社に導入する必要について、ことこまかな長い説明をおこなった。そしてその最後に、私は質問を求めた。しかし、だれ一人、手を上げなかった。そのあとの昼食の時、私がその理由をたずねると、もう二年以上前にベーン大佐が議長を務めた、最後のそうした会議の時、ある男が老大佐に質問をしたところが、その後間もなくその男は解雇されてしまい、それ以後は質問なんかする者はいなくなってしまった、というのだった。

別の取締役はまた、私がアメリカ人であるための無知から、みんなをファーストネームで呼ぶという社交的な過失を犯したことも、そっぽを向かれた一因ではなかろうか、と示唆してくれた。ヨーロッパでは、先方からそうした親密さへ迎え入れられるまでは、そういうことはやらないのだ、と彼は説明した。昼食後、私はそこに集まっている人びとに、ＩＴＴはアメリカの会社であり、われわれはみんなひとつの家族なのだから、お互いにファーストネームで呼び合うアメリカの習慣にしたがい、また、これからはひとつの家族としてお互いに腹蔵なく率直に意見を述べ合うようにしよう、と断固として言い渡した。そして質問はいつでも喜んで受け、いつでも率直かつ正直に答えるようにしよう、と。

転換は即座には起こらなかった。しかし、結局はおこなわれた。それから二年間のうちに、だれもがお互いにファーストネームで呼び合うようになり、それは多種多様で独立心に富む人びとをひとつの企業に結びつける助けとなった。英語がＩＴＴの公用語になり、それをしゃべれなかった人びとはしゃべる稽古をし始めた。初期のころの会合では、ヨーロッパのマネジャーたちは私に、普通は一対一のかたちで、いろいろな言い方で、自分たちはみんな、ヨーロッパが挙げている利益が会社全体を支えていることを承知しており、会社のアメリカ勢が収益においてヨーロッパ勢に対抗できることを証明するまでは、本社のアメリカ人にはヨーロッパ人のマネジャーたちに説教をする権利はない、と主張した。彼らは本心から、物事をヨーロッパ流にしたがっていた。——すくなくともわれわれアメリカ人が、自分たちのほうが上手《うわて》だということを立証するまでは。

それは認めざるを得ない主張だった。私が最初の努力をヨーロッパ事業に集中したのは、その事業がＩＴＴの収入と利益の主たる源をなしていたからである。私はアメリカ側に主力を転じる前に、ヨーロッパの勝ち馬の足もとを固めておく必要があることを知っていた。

ヨーロッパとニューヨークのあいだを行き来しながら、その最初の六カ月間、常に私の脳裏にあったのは、ＩＴＴの目標基準として設定しようとしていたボトムライン（最低線）のことだった。私はその本源的な重要性をよく承知していた。それは私のＩＴＴでのすべての努力が向けられる〝終点《エンド》〟、惜しみなく自分を賭けることのできる〝目的《エンド》〟になるはずだった。それはまた、ＩＴＴで私の業績が判定される尺度ともなるに違いない。最高経営者の第一の役割は、いわば経営チームのクオーターバックとして、ゴールポストはどこにあるか、そしてそこへ到達するにはどうするのが最善かをチームの全員に示し、しかるのちに率先してそのプレーへとチームを導くことだ、というのが私の久しくいだいていた信念だった。

業績というものは、改善というものさしで測られるのが普通なので、私はＩＴＴにおける私の目標を、一株当たり利益、年一〇％の増加と定めた。それが私の〝ボトムライン〟だった。

どういう考えからそう決めたのか？　まず私は当時の経済環境の中で、われわれと同種の会社がどんな業績を挙げているかを観察した。当時のインフレ率は約二％だった（のちにそうなったように、もしインフレ率が一〇％だったらそれとの対比上、成長率は一八％にならなくてはならない）。他の会社は、一九五九年に、ＲＣＡやウェスティングハウスのように一株当たり成長率五％を達成すれば上々といった状態だった。たいていの会社は三％ぐらいにとどまっていた。

私の考えでは年に一〇％、毎年一〇％の成長は〝ストレッチ・ターゲット（もっと伸びる弾力をそなえた目標）〟とみずから名づけたものに該当した。ＩＴＴほどの規模の、成熟した会社では、だれもが前年よりすくなくとも一〇％は収益を増やすために、あらゆる努力をしなくてはならない。むろん、たくさんの事業部を抱えたＩＴＴのような会社では、一〇％以上の目標を掲げてしかるべき部門もあれば、一〇％を達成できない部門もあろう。実を言うとわれわれは、できれば一五％の利益成長を目指そうと話し合った。しかし、各部門の業績を総合した全社としての数字でも、最低一〇％の成長は確保しなくてはならない、と。つまり、とにかく一五％まで伸ばそうとして全力を尽くし、結果として一〇％以上に落ち着くのならば、まあ、やむを得ないとしよう、ということだ。それが最低の線だった。

初めのうち、この目標はウォール街のアナリストや経済記者たちから非常な誤解を受けた。われわれの内部努力はすべて、一年だけの一〇％の利益成長に向けられていると思われたのだ。彼らは私がＩＴＴの内部で主張している〝収益の質《クオリティ》〟ということを見過ごしていた。私が追求する実績は、くる年もくる年も反復できる年率一〇％の成長だった。支出やコストを翌年に繰り越させて収益を押し上げ、一回限りのドラマチックなスタンドプレーをすることなら、ほとんどだれにでもできる。ＩＴＴの内部では、年に一〇％の成長というのは、将来にかけてそれと同じかそれ以上の成長を続けることを前提条件としたものであることを、すべてのマネジャーが諒解していた。それは、翌年の成長が保証されるように、研究や新しい製品の開発や新しい市場の発見のために、今年、ある程度の金を割り当てなくてはならないことを意味した。それがわれわれの計画の肝心なところだった。

私は機会あるごとにそのことを記者たちに説いた。われわれの目標は〝いかなる状況のもと〟でも収益を年に一〇％から一五％増やすことだ、と私は説明した。そのことは、良い年には比較的容易にその目標に到達するだろうし、悪い年にはできるかぎり働かなくてはならないことを意味する。しかし、目標を下げることはない、と。

そしてその通りにいった。一四年半、58四半期連続してＩＴＴは収益増を記録し、それは一株当たり収益の一〇％から一五％の増加となって表れた。そのころ、私はよく、ＩＴＴは〝金庫株《ロックボックス》〟だ、と言ったものだ。その心は――株主たちはわれわれの株を金庫の底にしまいこんで、二度と見る必要はない。なぜなら、放っておいてもひとりでに利を生んでくれるからだ……。一九七四年のＯＰＥＣによる石油危機と、同じ年に重なった深刻なドル不安のためにストップをかけられるまで、われわれは一九五九～六〇年と一九六八～七〇年の二度の景気後退をも乗り切って一〇～一五％の成長を維持し続けた。

しかし、現実的な確固とした目的を定めること、あるいは前に言ったように終わりから始めることのすばらしい点は、それ自体が、その目的に達するためになすべきことを示してくれ始めるところにある。Ｚに到達したければＹに行きつかねばならず、Ｙに行きつくためにはＸを達成しなくてはならないといったふうに。それぞれのゴールが、そのゴールに行きつくためにしなくてはならないことを明示してくれ、そしてそれぞれのゴールはそれ自体がボトムラインとなる。こうして、どんなビジネスにもたくさんのボトムライン――成功するためにしなくてはならないこと――がある。

そんなわけでＩＴＴでは、私がボトムラインとして定めた年に一〇～一五％の収益増加を達成するために、まずいくつかの大きな目標を達成しなくてはならなかった。

⑴締まりのない、機能の鈍い持ち株会社から、まとまった、管理の行き届いた企業主体《エンティティ》へとＩＴＴを組織し直す必要があった。

⑵⑴と私がもくろむ成長をできるだけ達成するためには、何よりもまず、本社の経営陣をオーバーホールする必要があった。

⑶⑵をおこなうためには、優秀なマネジャーとスタッフをＩＴＴに誘引する必要があった。私が欲しいのは、たんに有能というだけでなく、ボトムラインという私のアイデアを達成するのに必要な、早いペースと長時間仕事に縛られることをものともしない内的なエネルギーと革新的な思考を持った人物だった。

そうした人材を集めるべく、ＩＴＴでの私の目的を達成するための包括的なプランを取締役会に提出するにあたって、私が第一に要請したのは、経営層の給与基準を同業の会社より一〇％高くし、それに各自の毎年の業績に応じて気前のいいボーナスをプラスすることだった。取締役会は速やかにそのプランを承認した。そこでわれわれの必要とするマネジャーを見つけるためにエグゼクティブ専門のリクルート会社に依頼が出され、コンサルタント会社のマッキンゼー社が給与基準とボーナスと、自社株購入権による報奨制度の立案に当たることになった。

新しい経営チームということを別にして、ＩＴＴの発展のために最も緊要だったのは、国内の事業からの収益を強化し、増進することだった。収益の八五％を国外に依存しているのでは、ＩＴＴがアメリカの株主たちから外国会社として見られ、時には忌避されることがあっても仕方がなかった。ＩＴＴを真に国際的な会社にするために、国内収益が総利益の五〇％を占めるようにもくろまれた買収計画に着手したい、と私は取締役会に通告した。そればかりでなく、私の構想では、国内収益の額は、それだけで株主配当をカバーするのに十分なものでなくてはならなかった。ヨーロッパの経済情勢は予断を許さぬものがあり、いつどこの国が、アメリカ会社はその国外収益を本国へ送ってはならないとする立法に踏み切らないとも限らなかった。もしそんなことが起こったら、ＩＴＴはアメリカの株式市場で絶体絶命の窮地に追いこまれるだろう。事実、まさしくそういうことが起こった前例が第二次大戦直後にあった。その時、ＩＴＴは国外収入を断たれて、ほとんど破産状態に陥った。破局から救われたのは、ある方面の銀行からの勇気ある融資のおかげだった。

国内収益を増やすには、買収によって国内の持ち分を増やさなくてはならない。そしてそのためには、そうした買収に有利な立場でのぞめるように、国内と国外の両方で、現在の会社の体制を整えねばならなかった。

われわれの収益を増やすには、ヨーロッパにあるかなり大きな持ち分を連結、統合し、その利ざやを増やさなくてはならなかった。ヨーロッパ会社はわれわれの収益の大きな部分を生み出してくれてはいたが、ヨーロッパでの競争には――とりわけフィリップスとジーメンスに――後れを取っていた。実際、戦後のわれわれの製品の市場と拡大と、ヨーロッパの低い労働コストのために、それらの会社が競争会社に買収されてしまう多少の危険が、現地でさえも感じとれるほどだった。

前記のことをなし遂げるために、いちばん初めになされた決定のひとつは、それらすべての経営の本部となるヨーロッパＩＴＴを設立することだった。それには多くの問題があった。経営上のこともそうだが、それより面倒なのはドイツ、フランス、イギリス、ベルギー、オランダその他の国々のマネジャーたちの民族感情と性格の違いからくる溝だった。われわれは本部をブリュッセルに置くことにしたが、それはその都市がヨーロッパの中央に位置しているからでも、欧州共同市場の本部の所在地だったからでもなかった。われわれがベルギーを選んだのは、それが中立地帯だったからだ。ドイツにあるＩＴＴ本部から支配されることをいさぎよしとしないフランス人やイギリス人も、ベルギーなら承知するだろう。パリやロンドンには行かないというドイツ人も、ブリュッセルで会合することには反対しないだろう。

戦後ヨーロッパでの最も解決困難な問題は、ドイツやイタリアのリードにしたがうように、フランスやイギリスの会社のマネジャーたちを説得すること、もしくはその逆、また、より大きな会社によってなされた決定に、支配されたという感情なしに追随するように、より小さな国々の会社を説得することだった。初めのころのわれわれの会議は、持てる国々と持たざる国々との国際連合の会議のようだった。われわれはこの問題を、戦略決定委員会（Strategy and Action Board）と名づける機関を設けることで解決した。

それは製品ラインを軸として、ある製品の主要メーカーである会社と、一、二のより小さい会社によって構成され、その製品に関する限り、戦略決定委員会の決定は他のすべてのヨーロッパ会社にも順守義務を課するものとした。

たいていの小さい会社は、部品その他の製品を、一社または複数のより大きい会社に依存していたので、その制度は子会社間の対立の問題の解決の一助ともなるものと思われた。その制度がなければ八、九人のマネジャーがそれぞれ独自の決定をおこなうところが、三、四人の合議によっておこなわれることとなり、また、いろいろな国籍の会社がいろいろな製品の戦略決定委員会に加わることで、国の違いによる対立も緩和された。この戦略決定委員会の決定は、しだいに全体に浸透、徹底するようになり、われわれのヨーロッパ事業の統一の足固めとして役立った。そして私がＩＴＴの舵をとっていた期間（一九五九～七七年）中に、われわれのヨーロッパ事業は総体としての成果に誇りを持つ統一組織になるという目標を達成し、この間にヨーロッパＩＴＴの売上高は三億ドルから七〇億ドル以上へと躍進した。

そんなふうにして、われわれの念願する〝終点《エンド》〟にたどりつくまで、ひとつのボトムラインが、つぎのボトムラインに行きつくためになすべきことを順送りに示してくれるという過程を繰り返しながらも、物事は進行していった。それは芯《しん》が出てくるまで玉ネギをむくようなものだった。一枚の皮をむくとその下の皮にぶつかり、またそれをむく。そうしながら、われわれはいろいろのことを学ぶ。

そうした初期の時代に、いちばん先に私が学んだことのひとつは、ヨーロッパからの質問や要求に対して、私がニューヨークにいてくだす決定は、仮に私がヨーロッパにいたとした場合とは違うものになることがしばしばあるということだった。ニューヨークでは、文書になった要求を読んで、ノーと言うかもしれない。しかし、もしヨーロッパにいたら、私はその男の顔を見、声を聞いて、彼の信念の固さを理解し、同じ問いに対してイエスと答えるかもしれない。そこで、早くから私は、もし私と本社の経営チームがヨーロッパ事業の状況を把握し監督するつもりなら、頼りになるのは現場にいるヨーロッパ人のマネジャーたちだと見きわめをつけた。そこでまた、自分がやろうとして始めたことを達成するために、私は一七年のあいだ、夏季休暇とクリスマスという差し障りのある八月と一二月を除いて、毎月一週間、しかるべきスタッフを帯同してヨーロッパへ行って、そうして一事が万事、問題は現場で、顔と顔を突き合わせて処理するのがわれわれの会社の基本方針となった。

そうした初期のころ、私はまた、各ユニットが翌年やこの先五年間の計画を立てることに時間をとられて、ともすれば現四半期の目標を達成できなくなっていることに気がついた。「なあに、心配しなさんな。今期はだめだったけど、年度末までにはきちんと決まりをつけてみせるさ」という、昔ながらの落とし穴に彼らは足をとられているのだった。現実はそんなふうにはいかない。最初の四半期に目標を達成できなかったら、けっして年間の目標を達成することはできない、と私はみんなに言った。——まず、とにかく最初の四半期に予定された収益目標を達成するのだ。それから第2、つぎに第3の四半期の目標を。そうしたら、もしかしたら第4四半期は、あまり努力しなくても計画通りにいくかもしれない、と。

私はまた、ＩＴＴ史上、最も短い覚書を社内に配布した。それにはこう書かれていた。「今後、長期計画はいっさい無用とする」。みんな、その覚書のユーモアとともに真剣な意図を汲みとってくれた。それは四半期の収益の犠牲の上に立った入念な五カ年計画に歯止めをかけた。むろん、後にそうする余裕ができてからは、われわれはさまざまな計画に時間をかけた。しかし、現四半期または年度のことをおろそかにすることはけっしてなかった。

大原則は実際に通用したのだ。——本を読む時は初めから終わりへと読む。事業の経営はそれとは逆だ。

終わりから始めて、そのボトムラインに到達するためになさねばならぬあらゆることをするのだ。

もっと単純かもしれない別の言い方をすればこうなる。——自分は何をやりたいのかをしっかり見定め、それをやり始めよ。

しかし、言うは易《やす》く、おこなうは難しだ。肝心なのはおこなうことである。

第三章

経験と金銭的報酬

ビジネスの世界では、だれもが二通りの通貨──金銭と経験──で報酬を支払われる。金は後回しにして、まず経験を取れ。

私の二十代の初めには、世の中は大不況のどん底にあったが、そのころ私は、その後長年にわたって私を導いてくれることになった実際的な知恵のかけらをわがものにした。それは私が会計と財務の学士資格をとるために、出たり入ったりしながら八年間通ったニューヨーク大学夜間部の、フーピンガーナーという名の教授が手ずから私に授けてくれたものだった。フーピンガーナー教授は学究的な理論家であると同時に、それ以上のものだった。エグゼクティブのリクルートという仕事が職業化するずっと前の時代に、フーピンガーナー教授はある大きな保険会社のために、有能なエグゼクティブを見つける手助けをすることで主たる収入を得ていた。ニューヨーク大学では応用心理学を教えていた。一度ならずも何度も、教授はクラスの学生たちに、つぎのような忠告をしてくれた。

「諸君がビジネスで成功したかったら、みずから選んだにせよ、めぐり合わせで身を置くようになったにせよ、自分が属する場所で上位二〇％のグループに入ることが必要だ」

その忠告はうなずけた。それに、五％でも一〇％でもなく、二〇％の中にはいることなら、なんとか自分にもできそうな気がした。私は一日働いたあと、夜間学校の教室に行く日はほとんどいつも、へたばるところまではいかないが疲れており、成績が落ちないようにするのは楽ではなかった。それでも教授が示してくれた目標は、なんとしても達成しなくてはならないと思った。

教授がそのように忠告する理由はこうだった。──同じレベルで働いている仲間の上位二〇％の中に入っていれば、不景気な時でもレイオフされずに経験を積み続けることができる。そしてまた景気が回復すれば、それまで蓄えた経験のおかげで急速に昇進することができる……。

〝上位二〇％〟を自分の基準と定めてから間もなく、私はそれに多少の自分の考えを追加する機会にぶつかった。それはフィラデルフィアのデイ・アンド・ジンマーマンという会社の求人広告に応募した時のことだった。面接に出かけた私を受け付けた親切そうな老人は、うまくいくように、と励ましてくれた。「どうだった？」、私が奥の部屋から出てくると、彼はたずねた。経験が不足だと言われたからだめだろう、と私は答えた。

「なあに、だれだって初めは経験不足で、それからだんだん経験を積んでいくんだ」。そこで彼はいったん言葉を切り、じっと私の目を見て言った。「ただ、十分な経験を積むまでに、たいてい年をとりすぎてしまうのさ」。

その言葉は何年も私を悩ました。それは、もし経験を積むつもりなら、年をとりすぎないうちに、急いでそうしたほうがいいということを意味していた。

そのとき私は若く、そしてある意味でも幸運でもあった。大不況は私を仕事から仕事へと渡り歩かせ、私は絶えずなにか新しいことをしていた。単にある職業につき、反復的な仕事をしているだけではフーピンガーナー教授が言った〝経験〟にはならない。経験とはなにか新しいことを発見し、学び、能力の成長と蓄積をもたらすプロセスである。そのために出て行って、そういった種類の経験を意識的にさがし求めなくてはならない。手を伸ばしてつかみ取らなくてはならない。必要ならあらん限りの知能をしぼって、なにかより良いもの、なにか新奇なもの、従来の物事のやり方とはどこか違ったものをつかんでこなくてはならない。それが創造的経験というものだ。やることが創造的ならば、失敗すら経験という宝をひとつ増やしたことになる。だれかがずっと昔、私に言った言葉を借りれば、「予期しなかったものを獲得した時に得るもの——それが経験だ」。

以来、創造的経験としての仕事に対するこの態度は、私に深く染みこんだ考え方となり、それは私のためになっていた。私はいつでも、物事を前にやったよりうまくやる方法を見つけようと試み、それは私を、ほとんどあらゆる物事に対して熱意をもってのぞむようにさせてくれた。

今になってようやく私は過去を振り返って、自分自身の手ぎわを改良し、自分が前にやったことの上をいこうとする強い欲求を、私の中に染みこませる素因となったことの一部分を、それと認めることができるようになった。

いちばん古いところでは、五歳の私が母に連れられて、ロンドンからほど遠からぬ海岸の町ボーンマスに、祖母を訪ねた時のことなども覚えている。私はそこで生まれたのだ。母はもとオペレッタ歌手で、十代の時に、旅回りの音楽会の指揮者兼興行元を務めていた父と結婚した。二人は私が一歳の時にアメリカにやってきた。事業家肌の父は、それからさまざまな仕事に手を出した。プロデューサーとして音楽会、レコード、演劇、そして一本だけだが映画まで手がけた。レストランを経営したり、不動産に投資したりもした。そうした事業の中にはうまくいったものもたくさんあったし、時には失敗もしたが、父はいつも楽天的だった。裏に小さな庭があり、前庭にチリー杉の植わった、古風で趣のある祖母の家を訪ねたその時の父の生き生きとした印象は、今も心に焼きついている。大通りの一方のはずれにはゴルフ場があり、反対側のはずれには〝帝国郵政省〟の赤い大きなポストが立っていた。その時経験した、とくにとっぴな冒険を、私は今日まで記憶している。それはいちばん若い叔父にけしかけられて、海を見下ろす恐ろしく高い崖をよじ登ったことだった。私は怖くて、胸をどきどきさせた。しかし、やってのけた。

それから六〇年たって、私はそこへ行ってみた。大きな郵便ポストはまだそこにあった。家も庭も変わらずにあった。チリー杉はずっと大きくなっていた。ゴルフ場も昔のままだった。しかし、恐ろしかった高い崖は、ずっと低く感じられた。長い年月に私が経験してきたことも同じだ。新しい仕事、新たに引き受けたことはどれも、初めは高い危険な崖のように思われた。――それを登り越えるまでは。しかし、登り終えてから振り返ると、もうそんなにけわしいとは感じられなくなっていた。

私が五歳の時、両親は離婚し、妹と私は母が選んだ女子修道院付属の寄宿学校にやられた。そこでは、規律はきびしいが尼さんたちはやさしかった。それでもシスター・ジョーゼフという名の尼僧から、一度ならず手を杖でたたく罰を受けた時の情景など、今でも目に見えるようだ。それは規律を破ったためではなく、字の綴りを間違えた罰だった。それは私に、生徒としての責任をまじめに受けとめる習慣を染みこませてくれたと思う。もちろん、宿題をちゃんとやることも覚えた。

母が歌手としての仕事をまた始めていたので、私が家へ戻るのはクリスマス休暇だけだった。夏休みには、妹も私も林間学校へ行った。だから復活祭や感謝祭などの祝祭日には、からっぽになった学校に一人ぼっちになることがしばしばあった。しかし、それはすこしも私には苦にならなかった。六歳の自分ががらんとした教室に一人で腰かけて本を読んでいたのを、私はまざまざと覚えている。ある時、女子修道院長が通りかかって、私が一人ぼっちでいるのに気にかけて、何をしているの？　とたずねたことがあった。本を読んでいるんです、と私は簡潔に答えた。彼女は私をなぐさめるようにほほえみかけた。その表情に憐れみを読み取ったように私は思う。私の記憶に残っているのは、一人でいることが自分にはちっともつらくはないのに、彼女は誤解しているな、と思ったことだ。そんな幼少時でも、私はいつもなにかすることを見つけることができると思っていた。たぶん、当時のそうした隔離された環境は、他人に依存せず、日々の些事を自分で考えて処理し、自信を育てることを私に教えてくれた。

八歳の時、私はコネチカット州サフィールドにある大学入学準備学校、サフィールド・アカデミーに転校し、一六歳になるまでそこにいた。母がその学校を選んでくれたのは非常に賢明なことだった。サフィールドは人口四万五〇〇〇人の典型的なニューイングランドの町で、公立のハイスクールがなかったので、ハイスクールの学齢にあたる町の少年少女はその学校に通学するなり寄宿するなりした。寄宿生の中にさえ、かなりの数の給費生がいた。当時の学校には、完全に民主的な地域社会の雰囲気が行き渡っていた。生徒たちには制服もなければ、さりとてお洒落《しゃれ》もせず、エリートになろうと血まなこにもならなければ、金持ちと貧乏人を差別する風潮もなかった。しかし、そうした学生としての自由の中にも、規律と価値の基準と人生の大切さを学ばせるものがあり、それらは私の一生を通じて大いに役立ってきた。私たちはみずからの努力によってのみなにかを勝ち取ることができ、それ以上のものを得る資格はないという考えを植えつけられた。私は穏当な一般教養的な教育を授けられ、さらに重要なこととして、学校と町と愛すべき地域社会からなる小世界で心置きなくくつろいでいるという感じを味わった。そこで私はさまざまな人たちと知り合い、その家庭を訪問したりすることで、一口に言って、小さな町での育ちというものを身につけた。

その学校を卒業する前年、一五歳の夏、私は学校はもうたくさんだと思った。そこで、その一九二五年の夏ニューヨークへ戻って、西四〇番通りにあった石版印刷会社の使い走りのボーイに雇われた。まだ半ズボン姿の私は、かつて地下鉄が通っていたブルックリン地区の外周りにかけて、重い石版を町じゅうのあちこちへ運んで回り、夜の八時、九時まで働かされたこともしばしばあった。その夏のことで一番よく覚えているのは、ある時、私が印刷室へ届けたコピーが紛失して、大騒ぎになった事件だ。有力な顧客だった注文主は激怒していた。私はマネジャーの部屋に呼びつけられて、そのコピーをどういうふうに扱ったか説明させられた。説明を聞いたマネジャーは、私がそれを正しい場所へ置いたことを認め、ご苦労だった、行って仕事を続けたまえ、と言った。そのマネジャーの私に対する礼節をわきまえた公正な扱いは、その後長年、ひとつの教訓として私の心にとどまった。

父がフロリダの土地への投機で（〝一九二六年のフロリダ土地騒動〟として知られたようになったものに巻きこまれて）破産したのも、やはりその学年中だった。一五年前にアメリカへ渡って以来、父は〝投資家〟としてさまざまな波乱を経験していたが、その失敗は彼を二度と立ち直れなくしてしまった。私はウエーターをしたり、土地のパン屋で働いたりしながら、サフィールドでの最後の二年間を終えた。ある寄宿学校の食堂のウエーターをしながら、役得として、私は過去のいつもの食事よりも上等の食事にありついた。残念だったのは、学校が終わったあと、働きに行くために、午後、戸外で遊ぶ時間が制限されたことだけだった。私はクラスのみんなと一緒に卒業し、卒業証書をもらったが、ただ、その証書には校長先生の署名がしてなかった。校長先生は私と二人だけの場所で滞納になっている授業料と寄宿費を納めさえすれば、いつでも喜んで証書に署名すると約束してくれた。私がその負債を返済することができたのは、それから何年もたってからだった。

大学へ行くかわりに、私はニューヨーク証券取引所のボーイとして働きに出た。その仕事につけたのは、父の友人だったニューヨーク大学のウェリントン・テイラー学生部長の推薦によるもので、彼は私に、働きながら夜間大学に通うよう勧めた。しかし会計学を学びたいという私の希望に、彼が疑いを挿んだのを覚えている。――きみのように頭の回転が速く、たくさんのことに強い興味を持っている人間は、会計という限られた分野に満足できなくなるかもしれない、と彼は言った。しかし、年はまだ一六歳でも、私は父の人生の浮沈と、それが母に及ぼした影響を十分に見ていた。自分が望むものはもっと安定した確実なものだ、と私は思った。しかし、たとえ夜間部でも大学へ通うには、その前になにがしかのお金を稼がなくてはならなかった。

私は世界の金の首都、証券取引所の場内で、初めはボーイとして、それからつぎつぎに二つか三つの仲買店の場立《ばたち》として、六年間を過ごした。それはすばらしい、勉強の日々だった。個々の上場会社の経営状態に関する業界通信や全国の主要会社の年次報告書などから、膨大な量の情報を私は吸収した。上場されているすべての株の略号を覚え、たいていの仲買人や証券スペシャリストを、取引所のどこへ行けばさがし出せるかわかるようになっていた。ホイットニーからバルク、そしてジャック・ブーヴィエその他にいたるウォール街の伝説中の人物は、私にとって生きた現実の人びととなった。狂乱の二〇年代を通じて、あまたの富が築かれ、また洗い去られた。そして一九二九年一〇月の崩壊がやってきた。

その激動の日、一〇月二九日に、私が代理していたある仲買人は、ほとんど一日じゅういらいらしながら喫煙室にとぐろを巻いていて、私はそこへ忙しく出たり入ったりして彼の注文を扱った。市況は乱れ、株価は下げに下がった。しかし、その日について暗い破滅の物語ばかりが伝えられている中で、私が一番よく覚えているのは、二九日の午前中、他人から依頼された大量の買い注文を私に通すのを忘れていたあるスペシャリストの話だ。たしか、それはアメリカン・シュガーの株だったと思う。午後になって彼が尻のポケットに入っていたその株の注文書を見つけた時、アメリカン・シュガー株は大暴落していた。しかし、法律によれば、その注文主は注文したように、取引開始時間の高値でその株を引き取らなくてはならない。その午後、そのスペシャリストはその差額を自分のものにすることで一財産をつくった。そしてその場で仕事から引退したといわれる。

それからまた、いつも私の近くのテレタイプのそばに立っていた小男がいた。一九二九年に先立つ二年間、その男は、市況は買われすぎだと主張してカラ売りをし続け、株価が上がるのを見ては追い証を入れに走っていた。上げいっぽうの強気市場で、彼はその二年間に一八〇〇万ドルの損をしたと人伝に聞いたが、彼の勇気ある信念を私は尊敬していた。市場が崩壊すると、彼は久しく予言していた通り、失ったものをすべて取り戻したばかりでなく、それから六〇～九〇日間に彼もまた巨富を築いた。

　大不況の進行につれて、周囲には失業者が増え、私の週給も二五ドルから二〇ドルに、そしてさらに一八ドルに減らされた。巨富が一挙にして流し去られ、別の富が築かれるのを私は目の当たりにした。倒産する会社もあれば、生き残ろうとあがいている会社もあった。国の経済の眺望に大きな変化が起こるのを私は目撃した。しかし、困苦がいたるところにはびこる逆境のもとで、それに気落ちしない弾力性を人びとがそなえていることにも、目を開かされた。たとえば一九三一年のある日、証券取引所の場内仲買人たちはヨットパーティを開いた。その日、彼らはヨット帽をかぶり、ハトロン紙の袋に入れた弁当を持って集まり、困窮して手放さなくてはならなかったヨットの追憶談をしながら、ニュージャージー・セントラル鉄道のフェリーボートでサンディ・フックとの間を往復した。

　一六歳から二一歳にかけての私にとって、それは重要で印象深い年月だった。けれどもその間のどこかで、私は自分の一生を証券市場に捧げるつもりはないことを自覚した。当時の私には、それは途方もないギャンブルのように見えた。良い時と悪い時の両方を通じて、取引所で繰り広げられる情景を観察したところでは、証券市場がどう動くかを洞察するなど、だれにもできそうには思えなかった。投機家たちはさまざまな会社の運命に賭けて、あるいは勝ち、あるいは敗れていく。当時の私の目には、彼らは本当に生産的なことはなにもしていないように見えた。私の転機は、一九三一年の末だったか三二年の初めだったかに来た。私はランズバーグ・ブラザーズという仲買店から暇を出された。その店にはもう、場立を雇っておく余裕がなくなったのだった。

その六年間の私の勤めからの貯金――二〇〇ドルにわずかに足りない金額――はほとんど全部、五番街と四五番通りの角のハリマン・ナショナル銀行に預けてあった。その銀行を選んだのは、いちばん遅くまで（午後一〇時まで）営業している銀行と広告していたからだ。しかし、崩壊が起こると、それはまっさきに営業を停止した銀行のひとつだった。私は一生懸命新しい勤め口をさがしたが、いくら歩き回っても職は見つからなかった。一週約六ドルの下宿代を払うのも、私には身を削られる思いだった。それでも〝住〟はどうしても確保しなくてはならないので、〝食〟を切り詰めることにした。私はパンとタフィー（黒砂糖、糖蜜、バターを煮つめたキャンディ）を常食にすることに決めた。パンは一かたまり五セントぐらい、タフィーはロフト・キャンディ会社が安売りしていて、一ポンド九セントだが、一ポンド買うと、もう一ポンドは一セントになるのだ。私はその組み合わせを〝科学的〟に考え出した――パンは空腹を満たしてくれ、タフィーの糖分がエネルギーを補ってくれるだろう……。

ようやく二週間後に私は週給一五ドル、プラス売上げの歩合という条件で、図書の訪問販売の仕事にありついた。私が持ち歩く商品の小説本を詰めこんだ大カバンの重量を、試しに量ってみたら六〇ポンド（二七キロ強）もあった。当時の私の体重は一二五ポンド（五六キロ強）そこそこだった。しかし、一週間の仕事を終えて最初の給料をもらった時の嬉しさといったらなかった。私はその会社があったビルから、約二五ドルをポケットに入れて出てきて、最初に通りかかったカフェテリアに入ったのを覚えている。それは〈シルヴァーズ〉という名のチェーン店のひとつで、窓ガラスにサービス料理の名と値段を書きつけた紙が、外から見えるように貼りつけてあった。――レバーステーキ、三七セント。それは私の一生を通じて最もすばらしい食事だった。思い出すと、その味は今でも私の舌にまざまざと甦る。

　私は週に二五ドルから三〇ドルぐらいの収入を得ながら、一九三二年の夏じゅうずっとその仕事を続けた。むろん、それで自分の将来が開けるはずはないことは承知で、夜はもう疲れきって、ただ寝床にもぐりこむばかりだった。それでも暗い気持ちはならなかった。私は若く健康で、やる気と希望に満ちていた。

　それから私は家族ぐるみの知人で、最近シカゴ・トリビューン紙の広告部長からバーナ・マクファデンが社主のニューヨーク・グラフィック社の社長に引き抜かれたユージン・パースンズに電話をかけた。グラフィック紙はイエロー・ジャーナリズム全盛の当時でも名うてのスキャンダル新聞だった。

　ジーン（ユージンの親称）・パースンズは私をグリニッジヴィレジの〈チャムリーズ〉という上等なレストランへ連れて行って、昼食をご馳走してくれた。きっと彼は私がしっかりした食事を必要としていたことを知っていたのだろう。その席で私は家族ぐるみの交際という関係に甘えて頼み事をする勇気を奮い起こした。私は彼に、グラフィック社に雇ってもらえないかとたずねた。

　すると彼は、もっと志を大きく持つようにと言い、こんな忠告をしてくれた。「コンサートピアニストになろうと思ったら、古ぼけた、おんぼろピアノで稽古をしていてはだめだ。グラフィック社はきみにふさわしい場所じゃない」。

　彼は私に、放送会社に就職することを勧めた。それは利益の挙がる成長産業で、とりわけ広告媒体として発展性があると彼は言い、どういう手段を用いたらいいか伝授してくれた。その助言にしたがって、私はＮＢＣ（ナショナル放送会社）と社長室の受付係のところへ出かけた。そして内密な用件で緊急に彼と話がしたいが、本人以外のだれにも用件を打ち明けるつもりはない、と言った。その戦術は成功しなかった。たぶん、前に同じ手を使った人間がいたのだろう。結局、私はどうしても受付係の壁を突破することができなかった。

それでジーン・パースンズは、しばらく前にニューヨーク・ワールド紙と合併したばかりだった午後版の新聞、ニューヨーク・テレグラムの広告部長への紹介の手紙を書いてくれ、私は二〇〇人の同じような仲間とともに、週給一五ドル、プラス売上げの一〇％の報酬という条件で、不動産の案内広告のセールスマンに雇われた。新しい合併会社ワールド＝テレグラムは、朝刊新聞だったワールドに掲載されていた案内広告の広告主を、新しい午後版の新聞に吸収するための勧誘コンテストを始めたところだったのだ。その二〇〇人の中で、いちばんたくさん広告をとった二人が、正社員として採用されることになっていた。

クイーンズ区内とロングアイランドの境界地域との、市の外縁地域を担当することになった私は、地下鉄と徒歩で巡回を始めた。その皮切りとして、ジャクソン・ハイツに店を持つ、ある大口の広告主を訪ねた時のことをよく覚えている。私は長い道のりを歩いてそこにたどりついた。話しかける勇気を奮い起こすために、店へ入る前に長いことためらった。そしてようやく入って行くと、息を大きく吸いこんで、ひと息に言った。「今度出たワールド＝テレグラムに、今週、広告を出してくださいませんか？」

「だめだ！」と店主は叫んだ。

「どうも失礼しました」と私は言い、対決が終わったことにホッとしながら、そそくさと退散した。

地下鉄へ取って返す道すがら、そんなやり方で広告がとれるわけはないと反省するには、さほどの想像力を要しなかった。そこで販売術に関する本を買って読むと、それにはこう書いてあった。
●いきなり商談を切り出すな。顧客にタバコを勧め、腰を下ろし、きみが売ろうとしている商品の利点を説明するのだ。
●相手の言うことを傾聴せよ。そして言いたいだけ言わせ、途中でさえぎるな（これが私には難しかった)。

●相手の主たる反対または疑惑を拾い出し、説得の力点をそこに集中せよ。

●最後に、いとまを告げる前に、注文をもらうのを忘れるな。

この本よりはるかに大きな影響を私に与えたのは、セールスについてのもう一冊の本だった。というのは、それはセールスを超えたビジネス一般の領域で私を導いてくれたからだ。フォード・モーター社の最初のセールス・マネジャー、ノーヴァル・ホーキンズによって一九一八年に書かれたその本の題名は、『セールスマン必携――販売のプロセス』というものだった。それは私に長く心に残る印象を与えた。彼の説くところによれば、良いセールスマンであるためには、何よりもまず、良い人間でなくてはならない。良いセールスマンの条件は身なりでも、売りこみの口上でもない。それは顧客の信頼を勝ち取るに足る人間性そのものである。セールスマンとして成功するには、肉体も頭脳も精神も清潔《クリーン》そのものでなくてはならない。正直で率直でなくてはならない。

不動産の案内広告をとるには、さしたる技量を要しなかった。それはただ、たくさんの顧客候補者を訪問し、空いている土地や家や部屋を広告するように勧誘することから成り立っており、一九三二年にはそうした物件に不足はなかった。私はうんと歩き、たくさんの呼鈴を鳴らし、あらゆる種類のビル・マネジャーや管理人と話をし、毎晩八時か九時ごろまで働いたが、そのころの私は若く、好奇心に満ち、ハングリーだった。最初の週、私は一五ドルの週給と、約一ドルの歩合をもらった。翌週、歩合報酬は五ドルに増えた。私は進歩しつつ当った。第三週か四週には七〇ドルを稼ぎ、それ以後、週の収入が一〇〇ドルを切ったことは一度もなかった。それは当時としては相当の高収入だった。――ご想像の通り、私はワールド゠テレグラム社の正社員として採用された二人の中にいた。

正規採用にあたって、質問されたことのひとつは、「車を持っているかね?」ということだった。持っていれば、クイーンズ地区の全部とロングアイランド、ウェストチェスター、コネチカット、ニュージャージー、それにスタンテンアイランドを自分だけの受け持ち地域にできる。「ええ」と私は答え、実家へ行って母に借金を申し込んだ。そしてフォードのA型車を買い、三日間の運転講習を受けた。二年間、私は案内広告とりをし、さまざまな人びとと会って取引し、競争というものを学んだ。自分がとれなかった広告が競争紙に載るというかたちで、敗北も見ることができた。二二歳にして私は、ついに実社会に踏み出したのだと実感し始めた。

広告とりの仕事に長い時間をとられるために、私は夜間学校に通えなくなっていたが、一年ぐらいたった時、ニューヨーク大学へ復学するように母から説き伏せられた。「年とって白髪になって、周りから厄介がられながら、お払い箱になるまで広告とりを続けたくはないでしょう。自分はこれが専門だと威張って言える職業を身につけなくちゃだめよ」と母が私に諭《さと》してくれたのを覚えている。二週間、私は家にこもって、五つの課目に必要なあらゆる参考書を読破し、それからみっちり一週間、試験攻めに遭わされたあげく、その年に取れなかった単位の合格点を与えられた。むろん、出席しなかったそれらの単位に対する授業料も、ニューヨーク大学に払いこまなくてはならなかった。私はまた、広告とりより勤務時間が短くて規則的な、証券取引所の場立の仕事を見つけた。

翌一九三五年、会計に多少の実力のついた私は、メインフラワー・アソシエイツという小さな閉鎖式投資会社の簿記係の仕事についた。社長はジョーゼフ・マッコンネルといって、デンヴァー出身の鉱山技師だった。私が勤めていた三年のあいだに、その会社は油田その他の資源をよく発見することで名を売り、私はマッコンネルから大いに学ぶところがあった。実際、週給二二ドルの簿記係というしがない身分だった私が、初めて事業に投資するという経験をしたのも彼のおかげだった。ある時、彼はルイジアナ州への調査旅行から、その土地で買ったある会社の株券を、いくつかのスーツケースに詰めこんで戻ってきた。彼が大株主となったその会社は、石油開発会社とは名ばかりで、当時はまだマスクラット（じゃこうねずみ）の捕獲を主たる収入源としていた。私はかなりの数のその株を、一株当たり七五セントで譲ってもらい、その会社が油田を掘りあてた時、一ドル五〇セントで売りとばした。マッコンネルはメイフラワー社をたたみ、投資した事業のほうに全力を注ぐことになった。そのマスクラット捕獲会社は、やがてルイジアナ・ランド・アンド・エクスプロレーション・カンパニーという大会社となった。もし私がその株を売らずにいたら、一生働かなくてもいい百万長者になっていたろう。しかし、当時の私は、生まれて初めての投資に一〇〇％の利益を得たことで大喜びしたのだった。

けれども、メイフラワー社が解散されると、私はその会社の監査をしていたライブランド・ブラザーズという会計事務所へ求職に行った。そしてその事務所の共同経営者の一人だったノーマン・レンハートに向かって、自分がどんなに有能な会計マンであるかを力説したのを覚えている。それから待遇は、メイフラワー社でもらっていたのと同額の週給二二ドル五〇セントは無理だとしても、一八ドル五〇セント以下では勤められない、と私は言った。「うちでは一八ドル五〇セントなんて給料は払わない」とミスター・レンハートが言うのを聞いて、落胆した私に向かって、彼は言葉を継いだ。

「うちの最低給与は三五ドルで、きみは採用だ」

採用されはしたが、当座は臨時雇いということで、私はただちにジャージー・シティのジャーナル・スクエアにあるアテラス・コーポレーションという会社の監査の手伝いをする仕事をあてがわれた。同社は倒産またはほとんど機能を停止したミューチャル・ファンドや会社を買いとることで知られると同時に高利益を計上していた会社で、ホテルや遊覧船や冷凍食品や公益事業をはじめ、多種多様な資産を代表する証券類を大量に所有していた。私たちの仕事で目立ったのは、何よりもまずオーバータイムがはげしいことだった。週に五日、時には六日、夜の一〇時ごろまで、とくに最後の三週間は午前三時、四時まで働いた。私はそれから地下鉄でニューヨークへ戻り、家で眠り、午前九時にはまた仕事を始めなくてはならなかったことを考えると、その最後の三週間は毎夜二時間ぐらいしか眠らなかったと思う。ようやく監査証明書に署名がすむと、私はミスター・レンハートに、話があるから聞いてほしいと言った。

「何だね?」と彼は聞いた。

「私はここ一週間、合計して九時間ぐらいしか眠っておらず、それでも自分の身分のことが心配でたまりません」と私は言った。「私はずっと雇っていただけるのかどうか知りたく、さもないと家へ帰ってぐっすり眠ることもできません」。私は本雇いとなり、その夜はたっぷり、ぐっすり眠った。

会計事務所の作業チームのメンバーとして、ひとつの会社から別の会社へと、監査をして回りながら、私はそこに含まれる仕事と訓練とチームワークを楽しんだ。その仕事は私にビジネスの問題への分析的なアプローチと、客観的な思考方式と、事実に即した提示をおこなうための最高度の修練を教えてくれた。私は企業の内部的な財務報告を吟味することを通じて、それらがどのように経営されるかについて大いに学ぶところがあった。公共会計は証券市場でおこなわれていることより、ずっと実質的なもののように感じられた。それでもなお、完全に満足というところまではいかなかった。依然として局外者という感覚がつきまとった。証券市場に身を置いていた時と同じように、自分はビジネスの建設的な、能動的な面から除外されているという感じがした。証券市場で働いていた時も、そこで扱われているあらゆる数字や略号の背後に自動車や住宅や産業機械や、われわれの生活の具となっているあらゆる種類の物を生産している大会社や大工場があることを私は承知していた。そして自分がただ傍観者として人びとの賭けを取り次ぐだけではなくて、生産的ななにかをしたいと思った。のちに私にも、企業の成長と存立に証券市場が重要な役割を務めていることがわかってきた。しかし当時の私には、アメリカの工業会社は製品や貨財を生産しているのに、証券市場は賭博場に類似したことをしているにすぎないように見えた。公共会計の仕事についてからは、前よりも生産ラインに近づきはしたものの、私はただ数字を足したり検査したりしているだけで、何を生産することにも関与していなかった。

私はライブランド・ブラザーズ会計事務所で六年間働き、そのあいだに試験を受けて公認会計士の資格をとった。そして、それから日本軍が真珠湾を爆撃した。私はニューヨークのチャーチ通りへ行き、少尉に任官させてもらえるという諒解のもとに、海軍に志願した。私はちょうど三二歳になったところだった。しかし、身体検査をパスしたあとで、なにかの書類に目を通すか署名するかしようとして私が眼鏡をかけると、即座に任用を中止されてしまった。海上で眼鏡が曇ったら、船を操縦することができなくなるだろう、というのがその理由だった。陸軍でも、それよりもっとややこしいが、結果的には変わるところのない扱いを受けた。それとほぼ同じころ、合衆国が第二次大戦に参戦してから一、二カ月たつかたたぬかの時期だが、私が監査の仕事をしていたアメリカン・キャン社が企業として戦争協力を分担するため、魚雷製造工場を一つか二つ建設しようとしているという話を聞きこんだ。私はただちに自分を売りこみに行った。

アメリカ・キャン社の新設事業部、アマートープで働いた四年間は、活動と緊張と、新しいことの習得と猛烈な重労働で、まるで旋風に巻きこまれたような目まぐるしさだった。しかし、爽快だった。それこそ私が望んでいたすべてだった。のっけから私は、ゼロからスタートして海軍の兵器工場を二つ――一つはセントルイス郊外の粘土採掘場跡に、もう一つはシカゴ市外のフォレスト・パークのゴルフ場に——建設するという重要な仕事に飛びこまされた。この工場は航空魚雷を製造するためのものだった。連合国は、日本軍の飛行機の魚雷攻撃によってイギリスの弩級戦艦プリンス・オヴ・ウェールズともう一隻の船がシンガポール沖で沈められたことにショックを受けていた。当時、連合軍は航空魚雷をぜんぜん持っていなかったのだ。

　その新しいグループのための調達と財務の担当者として、私はロードアイランド州ニューポートの海軍水雷部で働いている六〇〇人に及ぶ人びとに、われわれの二つの兵器工場で製造することになっているものの青写真をつくってもらうように手配する手助けをした。それから私は列車でセントルイスへ行き、われわれの最初の工場を建設すべく、建築資材や建設機械を調達し、またそれに必要な承認を政府機関から取りつける手伝いをした。国じゅうのさまざまな場所から、あらゆる種類の人びとが、われわれの最初の航空魚雷工場が必要とする専門意見や技術を提供するためにセントルイスに集まってきた。われわれは互いに見知らぬ同士であり、それが見知らぬ環境の中で合流して、前にだれもやったことがないことをしようとしているのだった。われわれの討議はしばしば激論や個人的な衝突や怒鳴り合いになった。

　すると決まったようにアメリカン・キャン社の建設担当副社長Ｃ・Ｇ・プライスがひょっこりと現れ、全員を豪勢なカクテルパーティに招待するのだった。われわれはみんなわめいたり歌ったりしていい気分になり、翌日はまた仲間への連帯感をもって働く意欲に燃えて仕事に戻って行った。しかし、仕事の緊張とストレスで、やさしい気持ちと共同意識は日ごとに薄れ、二週間もたたないうちにまた殺伐としてくる。するとまたＣ・Ｇが現れて、みんなをパーティに招待して気を取り直させ、われわれは再び協力的になって仕事に戻って行くのだった。

ある日、そのことについて私が質問すると、彼は答えた。「たくさんの知らぬ同士のブルドッグをひとつの囲いの中に入れておく時には、風通しをよくして、けんかをしないようにしてやらなくちゃならないのさ」。

当時五十代の、がっしりした体格の、そのC・G・プライスという人物は偉大な統率者だった。彼は親分肌の、徹底した気性で、勇気のある非凡な人物だとだれにもわかる雰囲気を漂わしていた。彼のリーダーとしての資格を疑う者はなく、また彼がわれわれの仲間の一員であることに異議を唱える者もいなかった。ある時は、つまらぬ注文をつけてわれわれを悩ませがちだったある将官を、面と向かって「エレベーターボーイ」と呼んだことで、彼の人気がいっそう高まるといった事件もあった。彼はいつもわれわれの問題の中に飛びこんで、それらを解決するのを助けてくれ、どういうわけかわれわれが、前の週よりもっとよく働こうという気を起こすようにさせるのだった。

猛烈なエネルギーで、われわれはその二つの工場を建設するために全力を挙げて働いた。私はC・Gのリーダーシップのもとで、いかにして物事をなし遂げ、いかにして人びとに各自の責任を遂行させるかを学んだ。解決しなくてはならない問題がそこにあり、自尊心のある人間なら、それを解決してしまうまでは安心して休む気になれなかった。仕事がわれわれの最大の関心事になった。家族のことさえも第二義的になった。仕事をやり遂げるために、みんな懸命になった。なぜなら、われわれは気分を高揚させられていたからだ。われわれは戦争協力の一部だった。われわれの仕事は、われわれとわれわれの国にとってなにかを意味した。そしてその精神は、戦時中ずっと国じゅうにみなぎっていたと私は思う。人びとは必死に働いた。勝つか負けるかがそこに賭けられていた。アメリカの生産性は二倍以上に高まり、戦争の勝利を勝ち取った大きな要因のひとつは、その生産性だった。今、われわれがその精神に立ち戻ることができたら、アメリカ産業の力は再び世界の羨望するところとなるにちがいない。

個人的なことを言うなら、私はわれわれの工場の状況を本社とワシントンに報告するために、セントルイス、シカゴ、ワシントン、そしてニューヨークの本社のあいだを行き来し、週に五日ないし六日、ほとんど昼夜の別なく働き続けた。だいたい週に四夜は寝台車に乗って過ごした。われわれは八カ月で最初の海軍兵器工場をセントルイスに竣工させ、それから四カ月後にはフォレスト・パーク工場も完成して生産に入っていた。われわれは精密設計の航空魚雷を――のちには甲板魚雷も――大量生産していた。

私は自分の仕事が、時としてその二つの工場のコントローラーの職分をはみ出して、生産の問題に関われることがあるのが嬉しかった。ある時は、生産ラインから出る廃棄物やスクラップの管理システムをつくる仕事を任されたことがあった。その時、いちばん私を手こずらせたのは、スクラップの記録を続けたりしていると〝本当の〟仕事のペースが落ちると言って、素直に言うことを聞こうとしないある部長だった。私には彼をどうすることもできなかった。ところが、その後彼は昇進して、工場のスクラップと廃棄物の管理の責任者に任命された。すると彼の見解は一変し、スクラップと廃棄物は彼の関心の対象となった。そして彼はスクラップを生産ラインに再循環させるチャンネルの番犬になった。それもまた私にとってはひとつの教訓になった。

戦争が終わりに近づくにつれて、やがて工場の装備を取り除かなくてはならないことが明らかになってきたので、われわれの小グループは魚雷工場を、なにかの種類の平時生産に切り替えるプランを練り始めた。われわれは二つの優秀な工場と、すばらしい工員たちと、すぐ何でも始められる経営スタッフを擁していた。そして政府はアメリカン・キャン社に、転換のためのコストと、おそらくは創業時欠損をも、戦時中に会社が支払ってきた七五％の超過利得税から引き出すという便法で補填することを許してくれるに違いなかった。われわれはミシンやアイロンをはじめ、戦後期に切実に必要とされるようになるに違いない製品の生産に、工場を転換させる費用の見積もりを立てた。しかし、アメリカン・キャン社の最高経営層は保守的だった。彼らは工場の一つを政府に売り、もう一つは将来、缶詰め工場に転換する心づもりで一時閉鎖した。つまり、あくまでも缶と容器に固執することに決めたのだった。

私はアメリカン・キャン社のアシスタント・コントローラーという平和時の新しい地位を提示され、喜んでそれを受けた。しかし、私はまず魚雷工場の残務――その損益計算、政府在庫、不必要な、また売れ残りの資産の清算――を片づけなくてはならなかった。

ようやく本社に戻って出勤してみると、私は自分の身分が〝経費担当事務員〟ということにされていることを発見した。新しいサラリーも、先の話し合いでは戦時中の一万ドルの年俸を多少カットされた額を約束されたのに、いざとなってみると、それがさらにカットされていた。私は自分の新しいボスになったコントローラーに会いに行ったが、それは一時的な措置だと釈明された。「そのうち、きみにはとても重要な地位についてもらうつもりでいるんだ。我慢してくれたまえ」と彼は言った。それだけの説明ではあまり意味をなさないので、周囲に多少さぐりを入れてみた結果、彼は他の連中にも同じような約束をしていることがわかった。彼が私を正当にも正直にも扱っているとは思えなかった。かといって、それにどう対処したらいいのかもわからなかった。

あの大不況を経験した人間には、よほど考え詰めたあげくでなければ転職する勇気は出なかったが、それは私が満足できない環境に妥協しないことを学ぶための最初の試練だった。そうした場合、なすべき唯一のことは、環境を変えることなのだ。たまたま私はある本屋をひやかしているあいだに、運よく、私に呼びかけているかのような、『自分の適職を見つけ、それをつかみ取れ』という題名の本にぶつかった。

それには、適職を見つけたかったら問題があるところへ行け、問題を抱えているか成長の途上にある会社へ行け、なぜならそういう場所にこそ最大の昇進のチャンスがあるからだ、と説かれていた。また、求職の手紙は写しではなくオリジナル（タイプライターで用箋に直接に打ったもの）にせよ、とも書かれていた。おまけに、そのためには当時注目を集めていた、同じ文を何通でもタイプできるテープを使えるフーヴェン反復式タイプライターを使えと勧めていた。私はさっそくムーディの株式年鑑でそれらしい会社をさがし、三〇〇通以上の求職の手紙を出した。それに対して六、七通の返事が来て、面接の結果、四つの会社が私を雇おうといってくれた。その時から私はもう二度と失職することを恐れまいと心に決めた。

私はシカゴのあたりで働きたかったので、その四つの中から、カメラや光学器機や精密機械をつくっている若い会社、ベル・アンド・ハウエル社を選んだ。待遇はアメリカン・キャン社が初めに約束してくれた給料より多い年俸一万一〇〇〇ドルで、地位は全社のコントローラーだった。

突然だがやめるとアメリカン・キャン社に知らせると、私は社長室に呼ばれ、ブラック社長から、アメリカン・キャンのような偉大な会社をやめるのは間違いだということ、それによって大きな機会を取り逃がすことになるだろうということその他について、二〇分にわたる説諭をされた。私は終わりまで聞いてから、ありがたいお話に対して礼を言い、こう付け加えた。「しかし、今のようなお話は、会社をやめようとしている人間にではなく、入ってくる人間になさったほうが有益でしょう」。守られなかった約束には、私は一言も触れなかった。やめる決心はもう動かなかったからだ。

終戦直後の一九四六年当時のベル・アンド・ハウエル社は、鉄の統制を布《し》く創立者のジョーゼフ・マクナブ社長によって統率されている、小さな、成長途上の、活気ある、上手に経営されている会社だった。

のちにイリノイ州選出上院議員となったチャールズ・パーシーが執行副社長を務めていた。最初からパーシーと私は、ベル・アンド・ハウエル社の急速な戦後の成長に対応できる最新の経営方式を編み出そうと、緊密に協力した。この会社の研究開発活動は目覚ましく、パーシーと私は急速に進展するテクノロジー産業のコストと価格と利潤マージンを絶えず計算し、また計算し直す仕事に追われた。また、われわれが使用できる空間に最大限の活動を詰めこむべく、工場を模様替えし、壁を壊し、あるいは新築することにもかなりの時間を費やした。

ジョウ（ジョーゼフの親称）・マクナブは自分の腕一本でたたきあげた人物で、会社は戦時中に軍用の精密レンズをつくることで事実上ゼロから築き上げられたので、今や平時用の製品への転換の時期に当面していた。彼はいつ爆発するかもしれない癇癪持ちのボスで、自分の期待を満たせない部下は容赦なくクビにする、と私は脅かされていた。そこで私は、彼と初めて会う前の週末をつぶして、彼のことをにわか勉強したものだ。しかし、実際には、たしかにきびしくはあるが公正な親方だとわかった。彼にはまた、多少奇妙な自分の習癖を部下に押しつけるところがあった。たとえば、彼以外のだれも社内で青鉛筆を使うことを許されていなかった。彼はけっして自分の名前を署名しないが、なにかの書類に青鉛筆のマークがついていれば、それはミスター・マクナブからの命令であることを意味した。彼はまた、弁護士へのすべての支払いを、自動的に請求書の半額に値切った。そのやり方はといえば、請求書を二つ割りにするように青鉛筆で線を引いて、それを私のところへ回して寄こすのだ。むろん、そこは私も心得たもので、請求書の半額しか支払わなかった。しかし、そのうちに弁護士たちもそれを呑みこんで、初めから通常の倍額を請求してくるようになり、結果としてどちらの側も支払額に満足するようになった。

入社して最初の年の末に、私は〝ジョウじいさん〟と初めて大きな衝突をし、成り行きによっては職を失うことになるかもしれないと覚悟させられた。それはまず、とぼしい平時用の物品の、戦後のはげしい値上がりを抑えるために、ＯＰＡ（物価管理局）によってわれわれの製品の価格に課された規制に、彼が強い不満をいだいたのが発端だった。容認される価格は、コストと賃金と間接費を基礎にした窮屈な公式によって定められるのだが、不幸なことに、ＯＰＡの公式は、ベル・アンド・ハウエル社においてはかなりの重きをなすエンジニアリング（機器、施設の詳細な設計や、機械の調達、使用の指導などの業務をいう）や研究開発のための間接的な経費を、適切に算入してくれていなかった。そうした状況のもとで、ミスター・マクナブから私に、ある型式のカメラについてわれわれが必要とする値上げが認められるようにＯＰＡの書式を記入せよという命令が伝えられた。

　そうするには、数字をごまかす以外に道はなかった。それで私はそう言ってやった。すると折り返して、私が何を、どんなふうにやろうと知ったことではないというミスター・マクナブの返事が伝えられた。とにかくその値上げが認められるようにせよ、と。

　そこで私はなんの予告もせずに社長室へ行き、彼に向かって言った。「あなたのためだろうと他のだれのためだろうと、不正確な数字を記入することは私にはできません。しかし、やってみようと思うことがあります。私はワシントンへ行って、われわれの苦境を物価管理法の特別救済条項に訴えてみます」

　彼は顔を真っ赤にし、何やら意味のとれないことをブツブツ言ったが、イエスかノーかはまだ口にしないうちに、私は急いでその部屋から退散した。

　ワシントンで、私が筋の通った誠実な回答と認められるものを受けとるには一週間ぐらいかかった。ミスター・マクナブがそれで満足するかどうかはわからなかったが、私は彼に電話して、われわれは一、二の製品についての値上げではなく、全面的にわれわれの全部の製品の八％値上げを認められた、と知らせてやった。よくやったというかわりに、うなるような声を立てて電話を切ったのが、彼の感謝の気持ちの表現だった。

会社へ帰っても、ミスター・マクナブは私のやったことを、どんなかたちにせよ、ねぎらうことはしなかった。しかし、その事件以後、私は彼から困らされたことはいっぺんもなかった。ベル・アンド・ハウエル社は私にとって楽しい働き場所だった。それは適度に小さいので、同僚たちと直接に知り合うことができ、大会社に見られるような官僚主義に煩わされることもなかった。私は財務の最高責任者として、会計とは関係のない多くのことに関与した。たとえば、会社の原価計算や価格決定への取り組み方に多少の改革を試み、従来だったら却下していたかもしれない契約を引き受けるように持っていったりしたこともあった。

私がベル・アンド・ハウエル社に入社して五年目の一九五〇年に、ジョウ・マクナブはガンでこの世を去った。その時、一種の遺言ともいうべき指示を記した手紙を残し、それにはチャック・パーシーを後継者とし、私を財務の統括者としてなんとしてでも会社にとどまらせるように、と書いてあった。そしてそのようになった。それからほどなくして私は結婚し、初めて自分の家を持とうとして昇給を願い出た。それで私の年俸は一〇〇〇ドル増額され、一万四〇〇〇ドルになった。しかし、それに対して、チャック・パーシーは七万ドルの年俸をとっていた。職責の分担の割合からいって、それは不公平だと私は思った。そして、ビジネスの世界でもっと出世したかったら、よそに道を求めなければならないことを悟った。

そして私を迎えてくれたのは当時アメリカで第五位の鉄鋼会社、ピッツバーグのジョーンズ・アンド・ラフリン社（以下、J&Lと略称）だった。私の新しい職名は副社長・コントローラー、年俸は四万ドルだった。ベル・アンド・ハウエル社をやめるのは、情において忍びがたいものがあった。これで最後という晩まで、私は強い迷いと疑いにとらわれていた。それは戦後の私の最初の職らしい職であり、自分の能力に挑戦する責任を伴った、楽しい、良い働き場所だった。私は会社の駐車場から、まだ明かりがついている自分の部屋の窓を見上げながら、今からでも引き返すべきではなかろうかという気迷いを覚えた。しかし、引き返すわけにはいかなかった。引き返して、本当にすっきりした気分になれることはけっしてない。進もうと決めたら進むのだ。——ひとつの仕事をこなすことができたからには、つぎの、もっと大きな仕事だって、きっとうまくやれるはずだという信念をもって。もちろん、成功の保証はない。しかし、その後ずっと、自分自身に対して後ろめたい思いをせずに生きたければ、進んでリスクを冒さなくてはならない。

何年かたってから、私は訪問者としてベル・アンド・ハウエル社をたずねた。私のもとの同僚たちの多くはまだそこにいた。同じ顔をして、ただ私がいたころよりすこし年をとり、すこしもの静かに、すこし、頑固に、そして私が受けた感じではすこし陰気になって……。

J&Lは私にとって特別な魅惑をそなえていた。とにかくそれはれっきとした重工業会社だった。しょっちゅうシカゴから出たり入ったり列車で旅行していた戦時中、シカゴ郊外からゲーリー（シカゴの東南に隣接する町）にかけて広がる巨大な製鉄所の中ではどんなことがおこなわれているのだろうと、いつも想像をかきたてられたものだ。今こそ、それを実見できるのだ。

J&Lはオハイオ川に沿った広大な敷地に、製鋼工場や溶鉱炉が累々と立ち並ぶ、外から見たり想像したりした通りの工場だった。そこらじゅう、ほこりや煤や粗砂にまみれ、活動している溶鉱炉や重機標がごうごうと音を立てていた。製品はといえば、巨大な機械から出てくる、例の、長い幅広い鋼鉄の巻き板だった。それは畏れをもよおさせるものだった。それでも、私がコントローラーとして働くようになってみると、それらの巨大会社の内部で起こっていることは、小さな会社の中と同じで、ただその規模が大きいだけだとわかった。製品はより大きく、コストも売上高もより大きいが、そこにある問題は同じだった。それらは――すべての会社の経営を良くも悪くもさせる、どの会社にも共通した要素――人間や勤労意欲やチームワークや生産性コストに関するものだった。

しかし、ただひとつ、違っていたことがあった。鉄鋼会社の従業員は常に危険な状況のもとで働いていた。作業場での肉体的な危険の自覚は、安全性ということに関する限り、仕事に気を抜かず労を惜しまないという盟約をつくり出した。そこには人命がかかっているからだ。そしてその盟約からさらに、他の会社ではめったに見られない家族的な意識が形成された。

一九五〇年代初期の鉄鋼業はバラ色の産業ではなかった。今日の鉄鋼業の不振は当時に端を発している。鉄鋼の価格は不当に低かった。会社は組合の賃金要求に悩まされていた。新しい工場に投資するのに必要な資金がなかった。置換費用は鉄鋼の価格に比して過大だった。工場は不平の落書きだらけだった。人びとの多くは未来を見ることができず、予見できる人びとも、それに対してなんの手を打つ力もないように見えた。

業界が結束してUSWU（アメリカ鉄鋼労働者合同組合）の賃上げ要求をつっぱねると、トルーマン大統領は製鋼所を接収し、賃金要求を容れた新しい協約を結んでから、工場をもとの所有者に返してよこした。増加した労働コストをカバーするために、業界が鉄鋼価格をトン当たり八ドル上げると、政府と世間一般から、その値上げは新しい自動車の価格を、人びとの手の届かぬところへ押し上げるものだという非難がごうごうと湧き起こった。私は実際に車の価格にどれだけの違いができるのかをチェックしてみた。

アメリカの車一台に二トンの鉄鋼が使われるとして、たった一六ドル多くかかるだけではないか！　ところが自動車のショールームでは、平均的なアメリカの車は五〇〇ドル前後に及ぶオプション装備をつけて展示され、顧客たちはなんの文句も言わずにそれに飛びついていた。そのことを広く一般への声明としてはっきり指摘したら、鉄鋼業の無実の罪は晴れるのではないかと私が提案すると、J&Lの会長兼最高経営者だったベン・モリール提督は、こう言って私をなだめた。「それはできんよ。自動車会社はわれわれの最大の顧客なんだから」。

最も好調な時期にあってさえ、鉄鋼は周期的変動の大きい産業で、需要が高まった時には作業が混雑すぎて、本来の生産能力の八〇～九〇％ぐらいしか発揮することができず、需要が低迷すると炉の火は落とされてしまい、それでもそうした巨大な製鋼所の巨額の間接費は常時不変だった。鉄というただひとつの生産物に依存している鉄鋼業は、市場のなすがままに浮き沈みするほかはなかった。問題と危機は絶え間がなく、そのために私はしょっちゅう自席を離れて工場へ出かけなくてはならなかった。私の仕事の大部分は、職長や監督に、自分たちの仕事の管理体制をつくり、それぞれの業務活動のコストを検査・管理できるようにするように説得することを、必然的に伴っているように思われた。私が繰り返し説明しなくてはならなかったのは、彼らをスパイするためにではなく、手助けをしに行くのだということだった。彼らの仕事の能率を高め、もっと働きやすくするのを手伝おうではないか、と。すこしずつ、私は成功を収めた。それは長い道だった。しかし、適正な利潤を挙げるのに十分な値上げをすることができないのなら、コストを減らす以外、道はなかった。

なんらかの活路を求めて、私はアルフレッド・P・スローン・ジュニアがその天才によって、集権的な経営管理の機能をそなえた分権的な会社をつくり出すことには初めて成功したゼネラル・モーターズ（G

M）社で用いられている経営方式を視察することにして、六日間の見学旅行への承認をとりつけた。それからJ&Lに戻った私は、GMで学んできた教訓の一部分を活用するために、重役室でさんざん説得の努力をしなくてはならなかった。その中のひとつは、メンテナンス要員をプール化し、そこから必要な場所へ、必要な時に派出する制度をつくることだった。それにはまず、メンテナンスの全要員と、各自の所属部課での職務内容を書き出したリストを作らなくてはならなかったが、その過程で多大のむだが発見された。特別ひどい例としては、ある従業員は二〇年間なんの仕事もせず、それをだれにも咎められずにいたのが見つかった。その男はただ、自分の所属する作業場でバケツを取り上げ、それをさげて橋を渡って別の作業場へ行き、人目につかないところに腰を下ろして一日を過ごし、それからバケツを持って戻って、家へ帰ってしまうのだった。われわれは彼をクビにした。しかし、メンテナンス要員をプールするやり方で、J&Lは毎年数百万ドルを節約できることになった。

しかし、それは勝利のない戦いだった。J&Lはおおかたの鉄鋼会社がそうであるように、伝統に縛られ、硬化した官僚主義が幅を利かせている会社だった。直接の上司以外には、質問や提案をすることができなかった。経営層には優秀な、想像力に富む人びとがたくさんいたが、彼らのアイデアは入り組んだ序列の階段のどこかでせき止められてしまう。私もさんざん奮闘して、効果なく終わったことが何度もあった。

最終的に私が到達した結論を言うなら、J&Lが抱えている問題を解決し、みずからを救う道は、すくなくともある程度、鉄鋼への依存から脱出する以外にないということだった。つまり、多角化しなくてはならないということだ。たとえば、いろいろ考えられる策の中のひとつは、コールタール製造工場の化学的副産物を加工することだった。私の記憶では、その副産物を一ガロン五セントでアライド・ケミカル社のバレット事業部に売り、バレット事業部はそれを多少加工したものを一ガロン四〇セントで売りさばいていた。そこで私は、J&Lが化学会社をつくって自分たちのコールタール副産物を精製し、やがてはそれを本格的な化学事業部へと発展させるという案を立て、なんとかしてそれを会社に採用させようと躍起になった。化学会社をつくることには、直接の利益のほかにも、毛色の違った人びとや新しいアイデアをJ&Lにもたらすというメリットも予想できた。しかし、それは実現しなかった。J&Lの最高経営層には、そうしたものが目に入らなかったのだ。彼らは鉄鋼マンであり、そのことを誇りにし、それを固守しようとしていた。そのほかにも、私が主唱しあるいは支持したいくつかの多角化案は、すべて却下された。J&Lでは、どんな提案をしても徒労に終わるように思われた。ずっと後年になって、USスチール社が化学品に多角化し、他の鉄鋼会社も必要に迫られて、会社の生命をつなぐために他の業種の会社の買収に走った。J&Lは多角化が不十分で、やがて不振の時期にぶつかり、結局シェームズ・リング社に買収された。

J&Lに入社して五年たった一九五六年、なおも病めるわが社の助けとなる新しい経営技術をさがし求めていた私は、会社の承認をもらってハーヴァード・ビジネス・スクールの高等経営講座を受講した。その間に、最近レイシオン社の財務担当副社長がやめて、その後釜をさがしているという話を聞いた。それで私はレイシオン社の社長兼最高経営者、チャールズ・フランシス・アダムズに会いに行った。彼は合衆国の大統領を二人生んだボストンの名門、アダムズ家の一員で、ヨット愛好者として有名な、立派な風采の人物だった。私は自分がありきたりの会計係タイプのコントローラーではなく、真の関心は新しい経営技法と財務管理によって会社を経営することにあるということを、初めによく知っておいてもらおうとした。するとたまたま、アダムズがその時さがしていたのはちょうどそういう種類の人間だということがわかった。そして彼は私をレイシオン社の執行副社長として雇った。それは私の職業経歴を通じて初めて、スタッフからラインへ、生産とそれに伴うすべてに責任をとる地位へと、大きくひとまたぎすることを意味した。かつてニューヨーク大学でフーピンガーナー教授が予言したように、私は自分が選んだ分野でまず経験を積み、金銭的執酬がそれについてきた。私のサラリーは年俸一〇万ドルとなった。

その最初の年、私はサラリーに見合う以上のことをやり遂げた。レイシオン社はハネウェル社とのジョイント・ベンチャーとして、軍用の初期のコンピュータの開発に取り組んでいたデータマティックという小さい会社から、手を引きたがっていた。それまでの研究開発の段階で、レイシオン社はすでに一三〇〇万ドル程度を注ぎこみ、今また数百万ドルを追加要求されていた。しかし、ハネウェル社との契約には、もしどちらかが先に手を引く場合には、そのベンチャーの共有権を大きく割り引かれるべきことがうたわれていた。レイシオン社をできるだけ有利な条件で撤退させる任務を帯びて、私はハネウェル社の最高経営者に会い、われわれはその共同事業から手を引くつもりでいるが、そのあとハネウェル社がその会社を自由に、完全に支配したければ、これまでのわれわれの全般投資額でわれわれの権利を買い取るのが唯一の方法だ、と主張した。さもなければわれわれはそのコンピュータ会社の株を一般に売りに出さざるを得ず、そうなったら、もしその事業がハネウェル社の支配する子会社として失敗した場合、ハネウェル社の不面目は隠れもないものになるだろう、と。それはほとんど完全なこけおどしだった。しかし、ハネウェル社は私の説得を容れて、われわれのそれまでの投資総額で権利を買い取ることになった。私は会社のために一三〇〇万ドルを回収し、頭痛のたねを取り除いた。チャールズ・フランシス・アダムズは私がつけた始末に大満足だった。ハネウェル社はコンピュータ事業の山を乗り越えるまでに、結局二億ドル近くを投入しなくてはならなかった。

当時のレイシオン社は、すぐれた技術陣と少人数のトップ・マネジメントからなる、小さくまとまった会社で、レーダーやミサイル誘導システムや航行用の機器を専門とするところから、事業のほとんどは軍関係のものだった。会社は軍からの受注で急速に成長しつつあったが、経営の組織化がよくおこなわれていないために、軍関係の仕事の量に釣り合うだけの利益が挙げられていなかった。他方、民間の分野での業績はかんばしくなく、したがって合衆国政府という唯一の顧客にほとんど完全依存している状態だった。

私が入社した時、レイシオン社の事業部は各個に孤立して、その全部が四、五人のグループ・エクゼクティブを通じてミスター・アダムズに、どちらかというと杜撰《ずさん》な業務報告をおこなっていた。ミスター・アダムズは直属のスタッフを抱えていたが、その人びとはさまざまな問題に関して動かすことのできない事実より、ボスが喜びそうなことを言うように習慣づけられているように、私には見受けられた。そこへ私が割りこんだことは、ミスター・アダムズのスタッフと私とのあいだに、一種の主導権争いを引き起こした。彼らは私のところへやってきて、ミスター・アダムズの〝命令〟(と称するもの)を私に押しつけようとした。そればかりか、私の報告は彼らを介して、ミスター・アダムズに取り次ぐように強制された。その状態がしばらく続いた後のある金曜日の午後、私はどうにも我慢できなくなり、ミスター・アダムズの部屋へ行って、はっきりした言い方で問題のありかを説明した。

「つまり、会社を運営するのは私か、それともあの人たちかということです。両方がやるというわけにはいきません。私は直接あなたに報告をし、あの人たちからではなくあなたから直接に命令を受けたいと思います。そんなわけで、どうしたら一番いいか、よくお考えください。そして月曜の午前中にお返事をください」

月曜日に、私は事業本部長に任命され、主導権争いはその後も続いたが、私は事業部マネジャーに、各自の事業活動に関してより大きな自主性を与えるとともに、各自が受け持つ事業部の損益に責任を持たせるように、レイシオン社の機構を改革することができた。また、利潤マージンをしっかりと監視できるように、各プロジェクトに含まれるコストについて一定の会計基準を設けた。

私の見るところでは、レイシオン社の経営の問題点は、研究開発部門の技術者は優秀で、事業部マネジャーも有能で熱意のある人びとがそろっているのに、その上司であるグループ・マネジャーの一部と中心部のスタッフは、事業部の活動の財務的な細目《さいもく》を進んでわかろうとしないところにあり、それが会社を発展させる推進力の妨げとなっていることだった。それらの人びとを改造できる見込みはあまりなかった。そこで私は一種の迂回作戦をとり、グループ・マネジャーだけでなく事業部マネジャーもひっくるめた全トップ・マネジメントの月例会議をおこなうことにした。そうすることによって私はいっぺんに全員と話すことができ、だれのエゴもかき乱すことなしに、会社の計画や問題を事業部マネジャーたちと論議することができるようになった。彼らこそ本当に仕事をし、問題の最重要点を心得ている人びとだった。私はそれらの人びとから、彼らが直面している技術的な問題を教えてもらい、とりわけ彼らがおこなっている財務的な面で、経営者支配（専門経営者により経営体が支配されるようにすること）の方式に則って彼らを組織化する必要があった。それは驚くばかりうまくいった。われわれの利潤マージンは増大し、人びとは各自に相応したボーナスを勝ち取り、会社は繁栄し、株価はぐんぐん上昇した。ほとんど全員の技術者の幹部社員たちは、そうした財務的な成功に、技術的な功績への誇りにも等しいものを見いだすようになった。

また自分の仕事の一部として、私は証券アナリストたちをわれわれの工場に案内し、事業活動の現況と将来の計画を説明する役を買って出たりした。そうしたこともあって会社が一般に広く知られるようになるのと歩調を合わせて、レイシオン社の株価が好調な上昇を続けるいっぽうで、私がレイシオン社の社長になり、ミスター・アダムズは会長に祭り上げられるらしいといううわさが流れ始めた。そしてある人の耳には私が社長になるという話がささやかれた、別の人は私をレイシオン社の社長には絶対にさせないとミスター・アダムズが言明したという話を吹きこまれるといった具合に、対立した両論が社内と財界に飛び交い、会社の中に不協和が生じた。私はミスター・アダムズがどう考えているのか知る必要があると思い、彼の部屋へ行って、風説が社内の空気を乱していることを説明し、あなたを二階に追い上げようなどという意図は毛頭ないが、レイシオン社での自分の将来がどう予定されているのかは知っておきたい。――私はいつか、あなたが良しと思われる時に、社長にしていただけると諒解してよろしいのでしょうか？　彼は長いあいだ一言も言わず、ひややかに私を見つめていた。それから彼は言った。

「私はだれに対しても、どんな種類の誓約もしないことにしている。それが私の主義なんだ」

それはそれなりにひとつの答えになっていると私は受け取った。

一九五八年の終わりごろ、私はそれとなくつぎの職を物色し始めた。機会はそれから六カ月後に到来した。

ITT社が新しい社長をさがしているというのだった。

ITT取締役会の選考委員会との交渉で、私は今では普通になっている長期契約という保証を求めなかった。そもそも、契約というものを要求しなかったし、与えられもしなかった。私はただ報酬条件だけを呑んだ。――年俸一二万五〇〇〇ドル。ボーナスも、会社の株の優先取得権も約束されなかった。私はITTで初めからもういっぺん自分を証明しなくてはならないのだ。かつてフーピンガーナー教授がニューヨーク大学の私たちのクラスで、職業的経歴においてある点を越えると、金銭的報酬はさして重要ではないと教えてくれたことを忘れていた。そこまでいくと、人はもう一度、仕事が与えてくれる経験へとたち戻る。自己の気概を試す挑戦でもあり快事でもあり、楽しみでも誇りでもあるものへ、そして骨身を惜しまない勉励のみが提供できる自己達成の感覚へと回帰するのである。

第四章　二つの組織

どの会社にも二つの組織がある。そのひとつは組織図に書き表すことができる公式のもの。そしてもうひとつは、その会社に所属する男女の、日常の、血のかよった関係である。

会社の機構を克明に示した組織図は、小さな家内工業などは別として、どんな企業にも絶対に不可欠である。フォーチュン誌五〇〇社リストに載るような、数万から数十万人の従業員を抱え、年間の売上高が数十億から数百億ドルにも達する巨大企業ともなれば、その機構はいやが上にも複雑となる。しかし、どんなに大きい、あるいはどんなに小さい企業にあっても、組織図が作られる目的は同一――私が何を受け持ち、だれはだれに従属するかということを示すこと――である。それは人びとが秩序である、理にかなったやり方で意思と情報を伝達することができるように、自由なコミュニケーションの流れをつくる必要から生まれた。

会社の公式の機構はおおむね、労働力が底部で全体の組織を支え、その上にさまざまな監督的機能を持つ経営層が積み重なって頂点に達する、おなじみのピラミッド形として描かれる。その構造は正規の命令系統のくさりを示している。そのくさりを伝って情報が上達し、命令が下達される。だれもがその階層社会の中での自分の位置と責任を承知している。そこでは論理と秩序が最も尊ぶべきものとされる。

なるほど論理と合理性はそなわっているが、そのシステムは私を満足させてくれない。それは軍や政府やアメリカ企業の大半をむしばんできた官僚主義のあらゆる因子を蔵している。一部の最大規模の会社では、ある意思決定がおこなわれるのに六カ月もかかることがある。なんでもすべて命令系統の経路を通って上がって行き、また下がってこなくてはならない。マネジャーは往々にして書類の奴隷となる。報告書はうずたかく積み上げられ、書かれる稟議書には熱がこもらず、意思決定は手間どり、行動はとられない。かくして会社は停滞する。私はこれまでに働いたさまざまな会社で、それが起こるのを何度となく見てきた。経営組織の硬直化は、多くの実りあるアイデアを封殺してしまう点で、組織を構成する人びと自身のそれに、ほとんど引けをとらない。

　公式の組織と命令系統がなければ混沌が生じるだろう。しかし、それがあると、組織図上の枠のそれぞれが独立した領土となり、各副社長は自分が受け持つ領域、自分に所属する人びと、自分の義務と責任だけを考えて、だれも全体としての会社のことを考えなくなる危険がある。そうなると、「私の仕事はこれをやることで、私が知っているのはそれだけだ」と一人が言えば、もう一人は、「私の仕事はあれをやることで、彼の受け持ちのことはなにもわからない」と言い、書類受けと書類受けのあいだを社内メモが行き交い、最後に上のだれかが見かねて割って入り、共同の目標に向かって二人が力を合わすようにさせることでようやく決着がつく、といった状況が現れてくる。

　しかし、それよりもっと悪いのは、重要な情報が命令系統をさかのぼっていくうちに、途中の各段階で濾過され要約されて、頂上にいる人間には、下で起こっていることの概略しか届かなくなることだ。彼らは本当に知ることができない。何が起こっているかを現場の人びとは知っており、事業部の副社長たちも知っているが、上の副社長たちは報告書にその知識を盛りこむ時に、必要やむを得ずそれを要約し、したがって頂上の最高経営者は四人か五人のグループ・エグゼクティブから報告されたことしか知らない、という結果になる場合がすくなくない。最高経営者はグループ・エグゼクティブたちを当てにしている。そうせざるを得ない。なぜなら、彼らは下で起こっていることを、実際に知っているよりずっとよく、知っているものと想定されているからだ。

それでも、命令系統のエグゼクティブの全員が各自の仕事をしっかり遂行している限り、そのシステムでもやっていける。しかし、そうした重要人物の一人が失敗を犯して危機が発生すると、最高経営者は状況を十分に知っていないために、どう対処したらいいのか判断ができなくなる。最も普通には、彼にできるのは失敗を犯した人物をクビにして、ほかのだれかにあとを引き継がせることぐらいのものだ。そして必要があれば、取締役会に対してこんなふうに弁明する。「……つまり、そういった状況でして、私の落度ではありません。私はジョウ・スミスを信頼していたのです。彼はこれまでずっとよくやってくれていたのですが、今回ばかりは私の信頼を裏切り、それで私は彼を解雇せざるを得ませんでした」。

つぎにどんなことが起こるだろう？　失敗をしたらクビになるぞ、といううわさが社内に広まる。そこで人びとは――さもなければそうはならなかったろうに――自分たちの過失を隠そうとし始める。直面している窮状を長く隠しておくことができればできるほど、それだけ長く職を失わずにすむ。するとどうなるか？　問題は危機へと発展する。そして手遅れにならないうちに危機に気づかないと、それは破局を招くかもしれない。そうしたことが起こるのを私は見てきた。新聞の経済面を見れば、そうした例は、毎日とはいわないまでも毎週のように出ている。危機や破局は一夜にして生ずるものではない。それは問題が長いあいだ隠蔽され、症状が悪化するままに放置されてきた結果である。

大きな複合会社の官僚主義的な情報経路では、問題ばかりでなく、すぐれた革新的なアイデアが見過ごしにされてしまうことも多い。失敗するかもしれない提案をすることで地位を危険にさらしたがらないエグゼクティブは、どこにでもいるものだ。そうしたエグゼクティブは、そうした明敏で若々しいアイデアを、もっとよく研究せよという口上をつけて、ラインを通じて突っ返すか、あるいは頭からしりぞけてしまう。それらはけっして最高経営層の内陣には達しない。するとどうなるか？　中間管理層の明敏な若い人たちは、提案をするのをやめてしまう。割り当てられた仕事だけをやって、ほかのことは考えないようにする。さもなければ辞職して、もっと機会を与えてくれる別の職場をさがす。そしてトップにいる人間は、自分たちが何を失ったかを知らずに終わる。そんな状況のもとでは、もちろん、会社は本来持っている力を出しきることができない。おまけに、会社の公式の組織図を固守しすぎることからくるこうした弊害に、だれも本当に気づいていないのだ。

一九五九年に私が着任した時のＩＴＴの組織は、これにかなり近いものだった。私は過去の経験からそのことに気づき、ただちにそれを改めにかかった。私は声高に、はっきりと、そしてなんべんも、ＩＴＴの隅から隅まで、あらゆる場所で自由な意思の交流がおこなわれるようにしなくてはならない、と号令した。私に限らず、同じ言葉を口にした最高経営者はたくさんいるが、フォロースルーが不足だった。ＩＴＴでは、新しいシステムが定着して、自治的な事業部のマネジャーたちがＩＴＴをひとつの会社、ひとつのチーム、ひとつの方向を目指しているマネジメント集団として考えるようになるまでに何年もかかった。われわれは事業部からの月次報告のシステムを設け、電気通信、エレクトロニクス、消費財、エンジニアリング、会計、法務、マーケティング、その他なんでも、われわれの事業のあらゆる面を専門家と経験豊かなスタッフ系の人びとにチェックさせられるように、本社スタッフを増強した。つぎに最高基本方針として、スタッフ系の人間はだれでも、会社のどこへ行ってどんな質問をしてもよく、その結果として発見したことを私のオフィスへ直接報告できるようにした。ただし、その報告を提出する前に、自分が何をしようとしているかを、報告内容に関係のあるマネジャーにはっきり知らせることが、ただひとつの条件だった。報告を提出するのに上司の許可は不要だが、当事者の背後で秘密に立ち回ることは許されなかった。

なにか改めるべきことがあれば、当事のマネジャーにそうする機会を与えてやらなくてはならない。そしてその改善策について両者の意見が一致すれば、問題は一応それで解決されたことになる。しかし、意見が合わなければ、本社レベルで決着がつけられるというわけだ。スタッフに限らず、会社がやっていることを改良するアイデアを持っている者はだれでも、それを私のオフィスへ提出することができる、と私は社内に布告した。私はまた、すべての報告書に、それを書いた人間が署名するようにさせた。上司がそれに自分の意見を書き添え、頭文字の署名を付記することはさしつかえない。しかし私は、報告書について質問したいことがある時は、ひょっとしてそれに署名したかもしれない上司ではなく、それを書いた本人と話したかった。会社で何がおこなわれているのかを、本心から私は知りたかった。それは絶対に必要なことだと思われた。

本社のスタッフ・メンバーは公式の組織の堅苦しい枠を破って、子会社の実際活動を検分しに出かけた。会計スタッフは利益を検分し、技術スタッフは技術を検分し、以下マーケティング、人事、法務その他についても同様だった。スタッフ・メンバーは現業の人びとと非常に密接な関係を持ち、なにごとによらず、自分が受け持っている現場でうまくいったりいかなかったりしたことに対して、現業の人びとと同等に責任ありとされた。スタッフと現業にたずさわる人びととのあいだに対立が生じた場合、現業の人びとと同等に責任ありとされた。スタッフと現業にたずさわる人びととの間に対立が生じた場合、起こり得るのはつぎの三つのことの中のひとつである。その一——事実を知らないために誤りを犯していると、現業側がスタッフを納得させる。その二——自分が間違っていたと現業側が認めて、改善の努力をすることに合意する。その三——現業側は誤ったやり方をしてきたことを認めはするが、社長室の調停を受けた後もなお、自分流のやり方に固執する（そしてやがて職を失う）。やがて、たとえば本社の技術スタッフと特定の子会社の主任技術者とのあいだには、相互の盟約関係のようなものができた。両者は会社の共通の利益のために協力することを学んだ。なぜならスタッフ・メンバーは現業のエンジニアが抱えている問題の解決に、聡明な第三者としての見解を明示することによって力を貸し、また改善に必要な資金要求を本社が認めるように説得するのを助けてくれることがわかったからである。これは一夜にして起こったことではない。それには時間を要した。本社スタッフと現業従事者とのあいだに意見の衝突が起こることはあったが、見解の相違はけっして本当の害にはならない。やがて現業従事者は本社スタッフを、必要な時に助けを当てにできる〝外部のコンサルタント〟と見なすようになった。

この正規のスタッフのほかに、われわれは新しいスタッフの地位を創設した。当時、一二人から一六人の製品系列マネジャーという職名で呼ばれていた上級スタッフがそれである。その各人はそれぞれ〝競争〟を眼目《がんもく》にして、受け持ちの製品系列の内外をうろつきまわった。その役目は、ＩＴＴの子会社の市場における競争力を監視することにあった。現業のセールスマンやマネジャーや技術者やオペレーション・チームのメンバーは、いずれも自分たちの製品を贔屓目《ひいき》に見ることに慣らされていて、競争者を見る場合、ともすればその欠点にばかり目がいくものだ。製品系列マネジャーはＩＴＴの系列会社とその競争を冷厳に観察し、適切な疑問を提起するために給料をもらっているのだった。ＩＴＴにおける製品系列マネジャーたることは、どんな人間にとっても困難きわまる任務だったが、競争市場で起こっていることの実相を把握し、そこに包含される人間的因子《ヒューマン・ファクター》を考量するというその仕事には、その人物の体重分の黄金にも相当する価値があった。彼には、なにかをせよと現業マネジャーに命令する権限はなかった。しかし、疑問を提起して、それに答えさせることはできた。そうした疑問点は真剣に検討され、迅速に対応措置がとられねばならぬという、競争に対する正しい態度をその制度は導入した。製品系列マネジャーが仕事を円滑にやるには、自分たちはライン・マネジャーを個人的に譴責《けんせき》しようとしているのではなくて、手助けをしようとしているのだということ、自分たちが提供するアイデアは歓迎されるべき、有効な、実用的なものだということを、彼らにわからせなくてはならなかった。製品系列マネジャーは、予算にも営業成績にも責任はなかった。そのことは（経費や成果を気にせずに）いろいろと違ったやり方を、そしてより良い方法を思索する認可状を授かっているような効果を生んだ。自由奔放に想像力と創造性を発揮することができた。自分たちのアイデアをライン・マネジャーに売りつけ、会社の改善のために彼らと力を合わせることが、彼らのなすべきことのすべてだった。そしてここでもまた、両者が合意できない場合、意見の食い違いは報告され、訴えられ、本社レベルで処理された。

自由な意思伝達と並んで、ITTに導入されたもうひとつの改革は、会社の各事業部のコントローラーに、直接ニューヨーク本社に財務報告を送らせるようにしたことだった。するとただちに事業部マネジャーたちから、私に彼らの財務部長を本社のために働くスパイにしようとしているという非難が、ごうごうと湧き起こった。たしかに、われわれはコントローラーから、本社への報告のコピーをもらってはいるが、コピーを寄こせばそれでいいというものじゃない、と彼らは言った。あんな報告……どこといわず文句をつけたいところだらけだ、と。彼らは自分たちの領地を完全に支配し、自分たちの財務マンの完全な忠誠を把握したかったのだ。しかし私は、本社へ提出する数字に直接責任のあるコントローラーに、事業部の活動について、周囲からなんの干渉も受けないチェックをしてほしかった。数字によって事実を糊塗もしくは粉飾するのは、言葉によってそうするのと同じぐらい容易なことだ。誘惑はいつでも、すぐそこにある。意識的に嘘をつかなくても、人は物事や状況を各人各様に解釈するものだ。会社や事業部のマネジャーは、ともすれば予想売上高を誇張し、コストその他を過小に見積もりがちで、その下で働く人びとは唯々としてそれを受けいれる。なぜなら、それには自分たちのクビがかかっているからだ。私はコントローラーたちが、そうした圧力に影響されることなく、率直な意見を本社に伝えることができるようにしかった。もし事業部マネジャーと彼のコントローラーの見解が一致しなかったら、公開の場で十分に意見を聴取したうえで、より高いレベルで決着をつければいい。

どんな会社でも、マネジメント（企業の経営・管理層の総体を指す）の基本的な仕事は経営することである。私は自分の職業経歴を通じて、何百回、何千回となくそのことを強調した。マネジメントは意思決定をおこない、それらの決定が遂行されるようにすることによって経営する。そしてマネジメントがそれに成功する唯一の道は、会社の福利に影響を及ぼすあらゆる状況に関する事実を完全に把握することだ。最高経営者を首長とするトップ・マネジメントは、いわば会社というてこの支点である。営業戦績へのプレッシャーが、上からも下からも、そこへ集中される。会社を所有し、取締役会によって代表される株主たちは、いやが上にも利益と発展と、資本収益の向上を求める。彼らは常により多くを求め、それはしごく当然なことでもある。一方、生産ラインに配置されている男女は、より高い賃金、より良い機会、より良い労働条件、そしてマネジメントからのより多くの支援を要求する。与えられた環境のもとで期待できる生産の質量には限度がある、と彼らは叫ぶ。両側からの圧力で、メリメリという音が最高経営者のオフィスに伝わってくる。彼とそのマネジメント・チームは上と下からの要求のバランスをとり、両方の側を公平に満足させなくてはならない。いかなる企業においても、自由な情報の流れが必須とされる理由はそこにある。というのは、経営者は自分の会社と市場の現実を知ることによってのみ、満足のいく経営をおこなうことを期待できるからである。

ＩＴＴのニューヨーク本社には、各事業部あるいはプロフィット・センターからの情報が年度予算と事業計画のかたちで、さらに月次営業報告書として流れこんでくる。翌年の事業計画を含む予算は二月から三月にかけて立てられ、当事者レベルで再吟味、修正され、それから本社で再吟味、修正される。われわれは事業部またはユニットごとに、代表取締役並びにそのスタッフと顔を突き合わせて対座する。そして計画と予算は討議と修正を経て、年度の最後の四半期に合意され、その時からそれは翌年の活動の指標となる。各事業部マネジャーとその経営スタッフは、翌年度の予算と事業計画に関して、本社と合意に達したわけだ。マネジャーはＩＴＴに対して固い約束をしたのだ。そしてラインに属する彼の部下たちは、彼の予算を構成する部分について、彼に対して約束をしたのだ。われわれが彼の約束を盾にとるのと同様に、彼はそれを言質《げんち》として受けとめる。

われわれは向こう一年の各四半期について綿密な計画を立てた。二年、三年、さらには五カ年計画となると、ずっと概略的で、あまり重要視されなかった。新しい工事とか重機械とかいった主要な改善計画については、三年か五年前から準備をしなくてはならないが、原則として私は長期計画というものを信用しない。目の前の一年間の計画を立てるだけで、マネジメントにはなすべきことが山ほどある。当時のＩＴＴ本社では、ルーズリーフ式に綴じこまれた全事業部の予算と事業計画は、書棚の幅にして一〇メートル以上を占領し、会社がそれによって生きるバイブルとなっていた。

各プロフィット・センターからの月次営業報告書には、売上高、収益、在庫、受取勘定、就業統計、マーケティング、競争、研究開発、現在直面している問題と予想される問題、そして最後にその年の残余期間の予測に関するあらゆるデータが盛りこまれていた。マネジャーたちは自分たちが営業をおこなっている国々の経済ならびに政治情勢を含む、それぞれの事業部の営業活動に影響を及ぼし、また及ぼす可能性のあるあらゆることを月次報告書に書きこむことになっている。それに加えて、事業部コントローラーは本社のチーム・コントローラー、ハーバート・クノーツに月次財務報告書を送ってくる。また、各自の専門領域でラインの人びとに伍して働いている本社スタッフ（技術、会計、研究開発その他の分野の専門家）からも、絶えず報告が送られてくる。それからさらに、特別な状況について製品系列マネジャーからの報告書を受ける。こうした情報の流れが、世界じゅうから本社に集中されていた。

通常一五～二〇ページの各事業部の月次報告書は、それぞれに専門領域を持つ本社スタッフによって吟味され、それから私と社長室に属するトップ・マネジメント・チームの目にさらされた。ITTが年ごとに大きく、また複合化するにつれて、私のスタッフと社長室も大きくなっていった。当初、初めの一〇年以上、私はITTの社長職を一人で処理した。というのは、過去の経験から、管理スタッフというものに一種の恐れをいだいていたからである。本来はなんの権限もないのに、彼らは最高経営者を代弁しているかのように見せかけ、また受けとられた。やり方はさまざまだったが、とにかく管理スタッフがボスの知らないところで命令をくだすのを、私は見てきた。しかし私は、自分の意思は自分の口から、あるいはすくなくとも当面のことに責任を分担している役員から、伝達されるようにしたかった。とはいうものの、ITTの規模が急激に拡大するのに伴って、三人ないし五人の執行副社長――五人になった時はティム・ダンリーヴィ、ジェームズ・レスター、リチャード・ベネット、ライマン・ハミルトン、ランド・アラスコッグという顔ぶれ――を擁する〝社長室〟へと、徐々に移行せざるを得なかった。だが、そうなっても私は、会社の最高意思決定の負担もしくは根源的な出所を、分割することを拒絶した。私は各事業部からの月次報告書の全部に漏れなく目を通すとともに、五人の執行副社長にも、各自がITTの全事業について包括的な深い知識を持つために、私と同じようにすることを求めた。つまり社長室のわれわれは、どんな問題と対峙するにしても、六つの頭はひとつの頭よりましだという単純な前提を拠りどころとして、ひとつのチームとして働いたのだ。

ＩＴＴが一〇～一五％の年率で成長し続けるのに歩調を合わせて、本社への情報の流れは奔流となった。ある時期には二五〇に及ぶ個別のプロフィット・センターから、マネジャーの月次報告書とコントローラーの報告書と、特別な状況に関する専門的な報告書が送られてきた。一九六〇年代の末には、ＩＴＴは石油メジャー五社とＧＭ、ＧＥ、ＩＢＭの合計八社に続くアメリカ第九位の会社へと発展していた。世界の一一五カ国に分布する従業員総数は三七万五〇〇〇人、そのうちエグゼクティブがアメリカに二四〇〇人以上、ヨーロッパに一六〇〇人。そしてわれわれは複雑精妙な通信システムからパンやケーキ、レンタカー、ホテル、自動車部品、駐車場、芝の種苗、産業用機器、化粧品、金融、保険にいたる千差万別な品目を製造、販売していた。一般にわれわれは世界最大の多国籍複合会社として知られていた。どうしたらわれわれは、ひとつのマネジメント・チームとして、この複雑な活動の流れに対処していけるだろう？　どうしたらわれわれは、この巨大会社の統制を維持し、以前と同じように年々成長し続けることができるだろう？　くる年ごとに私はそう自分に問いかけ、出てくる答えはいつも同じだった。――もっとよく働くのだ、と。いうまでもなく、それは情報とマネジメント・チームがおこなう決定の質を、いやが上にも高めることを意味した。

図表にすれば、ＩＴＴの機構と組織は、アメリカのたいていの大企業のそれらと大した違いはなかった。しかし、組織図そのものは生命のない静止したもの、人びととの役割の系統を示した一枚の紙にすぎない。会社が最高経営者によって定められたゴールに向かって突進するひとつのチームとして行動するように、組織図に含まれるすべての人びとを、共同一致して機能させ、何よりも肝要な、緊密な人間関係によって結束させた時に、初めて真の経営は始まる。この人間関係の緊密さこそ、個々の会社の違いを生じさせる因子である。だから、組織図の上ではまったく同じように見える二つの会社が、実際にはまったく違うということがあり得るのだ。会社の重要な政策、決定、活動とは、役割ではなく人間に関係したそれらである。

毎月おこなわれる経営会議の規模と範囲と形式において、ITTは他のたいていの会社と違っていた。われわれの本社のトップ・マネジメント・チームは、前月の営業活動を検討するために、プロフィット・センターの代表取締役たちとヨーロッパで、つぎにアメリカで会合した。他の会社も会議を開いて自分たちの営業活動を吟味しはするが、それらはほとんど決まったように、あるレベルでの少人数の委員会の会議で、そこでまとめられた報告書や勧告が順を追って上級の委員会へと送られ、結果としてそれは委員会による経営という方式を形づくっている。そんなふうにして、たいていの会社の経営は、委員会決定というものによって小区画されてしまっている。そして官僚主義による遅滞を伴いながら、提案は命令系統をさかのぼっていって上級に達し、それらに対して決定が天下《あま》ってくる。これに対してITTでは、私のマネジメント・チームと私は、上部の二つか三つの経営層をカットして、最前線にいる人びと――それぞれの事業部とプロフィット・センターの業積に直接責任をとる人びと――とじかに話し合うことができるようにした。

前にも触れたように、私はITTに着任して間もなく、ヨーロッパ人のマネジャーたちと国際電話やテレックスを通じて問題を解決しようとするより、面と向かって話し合うことの利点を見てとった。人の表情を見、声を聞き、ボディランゲージを読みとることは、おこなおうとしている決定に差異をもたらした。それはまずヨーロッパのホテルの、タバコの煙がもうもうとこもってしまうような小さな部屋で始まったが、会社が拡張し、ブリュッセルにヨーロッパ本社が設けられたりするうちに、月例ゼネラル・マネジャー会議には通例一二〇人から一五〇人の代表取締役が顔をそろえるようになった。毎月、私は約四〇人の本社スタッフとともにヨーロッパへ飛び、われわれは一堂に会して月次営業報告を順々に吟味した。コントローラーと代表取締役のそれぞれの報告書が、部屋の三方にある巨大なスクリーンに映し出された。本社スタッフは全員、検討されるすべての月次報告書にあらかじめ目を通していた。われわれは予備知識ができていた。私は二冊の茶色い皮表紙のルーズリーフ式の報告書の綴りに目を通しながら、会議の席でたずねたいと思う事項が出ているページの隅を折り曲げ、質問を赤インクの字で書きつけておくことにしていた。

ひとつまたひとつと、われわれは月次報告書を見ていった。私だけではなく、会議の出席者はだれでも、それらの報告書の内容に関係のあることなら何でも言い、質問し、提案してかまわない。各人の前にはマイクが用意されていた。スクリーンに現れる数字で、各プロフィット・センターが売上高、収益、受取勘定、在庫その他において、予算、前年の実績その他に対比してどのような成績を挙げたかを、全員が見ることができた。問題が出てくると——わざわざ断るまでもなく、いつも出てくるに決まっていたが——われわれはそれを討議し、その場で解決がつく場合もあった。時には——とりわけ当時のヨーロッパでは——二つかそれ以上の子会社の活動の重複が問題になることもあった。そうした場合、それらの会社の代表取締役が同じ部屋に同席していることは、相互のポリシーを調整するのに好都合だった。また、ある会社の問題と、そっくり同じとはいわないまでも類似した問題に、他のいくつかの会社も当面しているといった場合もあった。出席者たちは他の人びとの悩みを聞くことによって学ぶところがあった。それは時としてほとんど集団療法の趣を呈した。ある会社のマネジャーが自分たちのために役立つ解決法を提案し、それが似たような問題を抱えた他のマネジャーの助けとなる場合もしばしばあった。

われわれはグリーンのフェルトを張った大きなU字型のテーブルを囲んで、互いに向かい合って座り、私は彼らの月次営業報告書について作っておいたメモをもとにして質問をした。――なぜ売上げが落ちたのか？　きみはそれについて自分が述べた理由に確信があるか？　調べてみたか？　どういう方法で？　それで、どういう対策をとるつもりだ？　一、二カ月でその効果が出ると思うか？　助けが必要か？　競争者に対抗し、もしくは圧倒的に差をつけるためにどんな計画を立てているか？

ある状況を検討しているうちに、問題の原因は予想していたのとぜんぜん違うところにあったことがわかることも、よくあった。私はそうした会議に、答えをすべて用意してのぞんだわけではない。われわれは探求し、うまくいかなければ別の方法を試してみた。問題があると、たくさんの人間の頭脳が集中的に動員された。助けが必要と見れば、スタッフ・メンバーのチームをそこへ派遣した。前にも言ったように、われわれはいつでも困っている仲間を助けようと身がまえていた。われわれ全員はひとつのチーム、ひとつの会社であり、私の関心があるのは、責任者を譴責することではなくて、当面の問題を解決することだった。初めのころ、巨大規模の子会社を支配し、独立に慣らされていた代表取締役たちは、本社からの〝部外者〟が自分たちの領域にでしゃばってくるのをいやがった。

たとえば、あるマネジャーはこんな言い方をした。「いいですか、私は長年この会社を経営してきて、なすべきことは心得ています。私のことは放っといてください。自分の責任でやりますから。失敗したらクビになさればいい。しかし、私の思うようにやらせてください」。

「それは満足な答えじゃありませんね」と私は答える。「もしあなたが失敗し、あなたをクビにせざるを得なくなった場合、どんなことをしてもあなたの解雇手当から二〇〇〇万ドルの損失を弁済することはできません。一方、もしあなたがこの問題を解決すれば、どれだけの助けを借りようとあなたはそれを解決したことになり、年末には予算目標を達成した功績に対してボーナスを手に入れることになるでしょう」。

このポリシーが効果を表し、ＩＴＴの子会社の代表取締役たちにそれが受けいれられるまでには時間が――何年も――かかった。中には自分の能力への攻撃と考えられるものに我慢がならず、会社をやめていった人たちもいる。しかし、たいていの人びとは私がつくった業務監督制度を、私のためであるのと同じぐらい自分たちのためのものだということを認めるようになった。要するに、それもまた自由なコミュニケーションというわれわれの基本政策の一部だったのだ。あるマネジャーが困っているか、あるいは〝思案に余って〟いるのをわれわれが発見した場合、私がおこなう〝行動隊の任命〟は、結局彼自身のためになるのだった。われわれは問題の関係者に審判をくだすことより、問題を解決し、非能率をなくすことに関心があるのだということを、彼らは悟った。時には、とくに困難な問題を処理するために、五つもの専門スタッフ・チームを任命したこともあった。

こうしたやり方でわれわれは会社のポリシーを打ち出していった。なぜなら、同じ問題は二度と起こらないような解決の仕方をしたかったからだ。われわれは反復して起こる問題の共通点を見きわめ、時を追ってわれわれの解決法は洗練の度を高めていった。


こうした会議での経験から生まれたＩＴＴの基本ポリシーのひとつは、「びっくりさせるな《ノー・サプライズ》！」ということだった。

企業にあって、びっくりさせられることの九九％までは良くないことに決まっている。経営チームとしてわれわれがどれほど熟達していようとも、だれかがきっと失策を犯し、予期しなかったことが起こり、問題が生じるものだ。しかし、予期しなかった問題を発見し、それに対処するのが早ければ早いほど、解決するのはそれだけ容易になる。その全部を早期発見することはできないかもしれないが、手遅れにならないうちにそうした状況の九五％に対処できれば、残りの時間とエネルギーを、網の目に漏れた二、三の大きな問題の処理に向けることができよう。

そこで、ずっと初めのうちから、私は全子会社のマネジャーに、重要と思われる問題はすべて月次報告書に書き出すように要求した。隠しておいて、あとでびっくりさせるな、と。ところがある時の会議で、あるマネジャーが、大がかりなストが起こって困っていると報告した。――「ストが起こりそうな気配は、いつごろからあったのか？」「三カ月ぐらい前から」「なぜそのことを月次報告書の中で警告しなかったのか？」「しましたよ」と彼は答えた。「それはどこに？」、それは第一八ページの真ん中あたりに、ある項の中のたった一行の記述になって隠れていた。そこで私はポリシーを修正した。――マネジャーたちは問題をすべて、月次報告書の〝赤信号〟ページに書き出し、その問題が解決されるまで、〝赤信号〟をつけて毎月報告し続けなくてはならない……。

ＩＴＴでの最初の二、三年、私は水っぽい、口ごもった、あいまいな報告書をさんざん読まされて、何を言おうとしているのか真意がつかめずに、むかっ腹が立ってくることがしばしばだった。私はラインとスタッフの両方のエグゼクティブたちに、彼らが何を提案しているのか、またなぜそういう提案がなされたのか、そしてその提案の責任者はだれなのかを知ることが、本社にとってどんなに重要かということを、絶えず説き続けなくてはならなかった。そこでついに私は、報告書に私が何を期待するかを、はっきり述べたメモを配布した。

向後、私はすべての報告書の冒頭に、以下のことを以下の順に、具体的かつ直截《ちょくせつ》に述べた摘要を付することを要求する。

1　提案要領。
2　問題となっていることの摘要。
3　必要な場合には、その提案に到達した論拠を明らかにするための、思考過程の明快な説明と、判断を助ける展望を提供してくれる数字。
4　右以外の、起案者の個人的意見と、確信の度合いと、取り上げられた事柄に関する疑問点等を述べた、短いステートメント。

いうまでもなく、この種の直截明快なステートメントを作成するには、まずひたむきで〝きびきびした〟考究と、適切な下準備が必要である。さもなくばわれわれは、起案者がとる立場もその根拠もさっぱりわからない、あいまいで要領を得ないステートメントや報告書に悩まされ続けるだろう。今度、こうした種類の〝不明確な〟ステートメントや報告書は、それを書いた本人に再考を求めることとし、その点についての対応しかなされないことを断っておく。

実際、会社のエグゼクティブたちに物事がよく呑みこめてくるまでの初期の時代には、私が報告書の一、二行を読み、それを書いた人間は何を言いたいのか説明を求めることに、多大の時間が消費された。そしてその人物が事実を知っていながら、それを提示するのをしぶっている場合には、私の質問は彼が隠そうとしていることを、いやでも告白せざるを得なくさせた。また、自分が何を書いたのか知らなかったりわからなかったりするような場合には（事実そういう場合がしばしばあった。というのは、それらを自分で書かなかったからである）私の質問は彼を二重に困惑させ、顔を洗って出直すことを余儀なくさせた。

間違いをしたり、たまに過失を犯したりするのは恥でも不面目でもないと私は本気で言っているのだということを、マネジャーたちに納得させるのにはしばらく時間がかかった。過失はビジネスにつきものの一面であり、そのように扱われるべきものである。重要なのは自己の過失に立ち向かい、それらを吟味し、それから学び、自己のなすべきことをすることだ。唯一の本当の間違いは、間違いを犯すことを恐れることである。

アメリカの経営者の最大かつ基本的な間違いのひとつは、長年のあいだに冒険への、リスクを冒すことへの、だれもまだやったことがないことをすることへの熱情をなくしてしまったことだ、と私は久しく思い続けてきた。この変化の背後にある理由は、自分のやることに確信をもち、けっして職業的な過ちを犯さないのがプロフェッショナルマネジャーだとする誤った考えである。なるほど、学校でAの成績をとるには、試験や論文に九〇〜九五点をとらなくてはならない。しかし、ビジネスにおいては、八三〜八七点をとったマネジャーには、私はAの評価を与えるだろう。平均的なマネジャーは、採点すれば四五〜五五点ぐらいのもので、彼はそれよりずっと上だからだ。しかし、点数よりもっと重要なのは、意思決定を迫られた時のエグゼクティブの心的態度である。私はＩＴＴのエグゼクティブに、想像力に富み、創造的であってほしかった。しかし、そうであったとしても、彼が成功するにはその上さらに、当面の状況に関する事実に対して客観的でなくてはならない。事実を客観的に眺めることは、経営に成功を収める最も重要な条件のひとつだと私は考えるようになった。人びとが意思決定を誤るのは、その決定が、入手した事実についての不適切な知識に基づいたものである場合が最も多い。

初期のＩＴＴ経営会議で、問題の当事者が拠りどころにしている〝事実〟がどういう種類の事実なのかを、飽くこともなく問いたださなくてはならなかった。――それらをどこから入手したのか？（他のだれかからであるのが普通だった）。それらが正確だとどうしてわかるのか？　それらは本当に事実なのか？

そこで私は〝揺るがすことができない事実〟についてのメモを書いた。


昨日われわれは、主として事実を追求するために長い精力的な会議をおこなったが、もしそれをやらなかったら、ひょっとすると、最初に真実とみなされていた情報に基づいて、安易な経営決定がなされていたかもしれなかった。あの会議から引き出された結論は単純である。それは、論議の余地なく明々白々であること――言い換えれば〝最終的な、信頼し得る真実〟という意味を強調することにかけて、〝事実〟という言葉の上をいくものはないということである。

その半面、実際に使用される場合、これほど乱用される言葉もない。

たとえば、昨日われわれが吟味した〝事実〟の中には、つぎのようなものがあった。

〝表面的な事実（一見事実と見える事柄）〟

〝仮定的事実（事実と見なされていること）〟

〝報告された事実（事実として報告されたこと）〟

〝希望的事実（願わくば事実であってほしい事柄）〟

事実のレッテルを貼られ、事実として受けいれられた事実、すなわち〝受容事実〟――ならびに似たような由来を持つ、たくさんの言葉。

たいていの場合、これらはぜんぜん事実ではない。

日常生活の多くの場面で、これはそれほど大した問題ではないかもしれない。しかし、経営決定の分野では決定的な重要性である。意図的な重要性がある。意図的であろうとなかろうと、きみが受けいれ、あるいは提出したたったひとつの〝事実ではない事実〟のために、マネジメント全体の物事や意思決定の流れが間違った方向に向けられて、計り知れぬ金と時間と士気のロスをもたらす危険性があるのだ。

プロフェッショナル・マネジメントという最高の芸術は、〝本当の事実〟をそれ以外のものから〝嗅ぎ分ける〟能力と、さらには現在自分の手もとにあるものが、〝揺るがすことができない事実〟であることを確認するひたむきさと、知的好奇心と、根性と、必要な場合には無作法さをもそなえていることを要求する。

これこそわれわれが拠りどころとしなくてはならない〝事実データ〟である。そしてそれは、チームの一員として受けいれ、また提出してもよい唯一の種類のものだ。なぜならわれわれの経営チームは、各メンバーがチームの共同利用のために提出する資料に関し、この点について最大の注意を払っているものと、信用してかかるほかはないからである。

そういうわけで、諸君が〝これらすべての種類の事実の鑑定家〟となり、よってこれからは〝ほんものの事実〟を他のものと識別することができ――よってこれからは〝揺るがすことができない事実〟のみを浮かび上がらせ、それのみを取り扱うことを学ぶように私は希望し、かつ要求するものである。

前進を続けていく途上で、諸君はこれからもしばしば、この〝揺るがすことができない事実〟という言葉が口にされるのを聞くだろう。それは終わることなき訓練であり、どうしてもわれわれに必要なものである。

そういうわけで、今すぐに、それは事実か？　と、そして忘れずに、それは揺るがすことができない事実か？　とたずねる習慣を身につけようではないか。

付言／その一――一見してどんな印象を受けようとも、念のため、かならずそれを〝揺すって〟みること。

付言／その二――このメッセージを、ラインの下部まで徹底させられたし。

メッセージはラインの下部の経営層まで届いた。なぜなら、われわれが代表取締役たちに要求しているのと同じことを、代表取締役たちは事業部やユニットのレベルで、部下に要求しなくてはならなかったからである。子会社のマネジャーがゼネラル・マネジャー会議で要求されることに対して準備を整えるには、部下たちに、会社で起こっていることを細大漏らさず自分に知らせるようにするしかない。しかし、効果は即座に表れなかった。命令では人を訓練することはできない。しかし、年を経るあいだに、しだいに、（ヨーロッパ会社が集まる）ブリュッセルでも（アメリカ会社が集まる）ニューヨークでも、われわれのゼネラル・マネジャー会議では、どこまでも客観的事実に即して問題を処理する訓練ができてきた。そしてそこから、ＩＴＴで働いていることにプライドを持たせる知的誠実という気風が生まれた。

毎年ブリュッセルで月に一週間、ニューヨークでも月に一週間会合することで、われわれはみな互いによく知り合うようになった。同じ顔ぶれ――本社のトップの四〇人かそこらのエグゼクティブにグループ・エグゼクティブ、そして二五〇のＩＴＴ子会社の全部の代表取締役――が月に一回は会合し、意義ある相互接触の効果を挙げた。彼らは私を直接に知り、私が彼らに何を期待しているか、また私から何を期待できるかを知るようになった。そして私のほうでは、彼らの心の動き方がわかるようになった。ある人りとはある方向への偏見を持ち、別の人びとには別の方向への偏見があった。ある人びとはより想像力に富んでいたり、論理的だったり、考え方が保守的だったり、信頼できると感じられたりした。そうしたことは、報告書を読むことによってではなく、直接の接触によってのみ知ることができる。会議の席に座り、人びとと話し合い、人びとが声に出して考えるのを見、質問に答え、問題を解き……というふうにして人びとの能力の大体をうかがい知るのだ。そればかりでなく、ある人物とそのひと特有の表現の仕方がわかると、その人物が書いた報告書を解釈するのもずっと容易になる。長年一緒に暮らしてきた家族同士のように、互いに相手のことが本能的にわかるようになる。各人の報告書や会議での発言の重みを測ることを覚え、それぞれの人物をどの程度まで信頼していいのかがわかってくる。そしてそれは、通例、その人物の報告書そのものと同じぐらい重要なことだった。

思うに、ある意味で会議は、小さな家族事業の経営に含まれている人間力学の複雑な組み合わせのようなものだった。われわれはしゃべり、議論し、問題を解決し、新しいアイデアにたどりついた。肝心なのは、だれもが発言することを恐れないことだった。そこには新しい事実、新しい発明、新しい選択を発見することへの熱情があった。アイデアと事実と提案との、その沸騰する大釜から、みんながその部屋に入ってきた時にはだれの頭にもなかった答えが飛び出した。各自の代表する会社の大きさにも、年功序列にも、給料の多少にもかかわりなく、そこにいる全員は原則として対等だった。会議での発表を通じて、事実を粉飾したり、重要な問題を回避したり、しらを切って押し通そうとしたりした者はだれでも、私だけでなく会議の全参加者の前に、やがては自己を露呈せざるを得なかった。他人を攻撃することで点を稼ごうとした者は、上席者の前に真の姿を暴露されてしまう。われわれは互いに学び合い、助け合い、ひとつのチームとして働くために集合しているのであり、あらゆるビジネスの問題を競争相手の連中よりうまく解決する能力に誇りを持っていた。そして他のだれもがそれまでにやったこと以上に上をいく、なんらかの改善をしようと常に心がけていた。そうするために、わかりきった答え以上のものを模索した。やさしい答えなら、競争相手も見つけるだろう。われわれはその一枚上手《うわて》をいきたかった。われわれはそうすることができたし、事実そうした。数字がそれを示している。くる年もくる年も、ＩＴＴはこの製品系列、つぎはあの製品系列という具合に競争相手を出し抜いた。

企業競争における〝チームワーク〟の重要さはだれもが口にするが、ＩＴＴはきわめて現実に即したやり方で、ひとつのチームとして行動した。われわれはまず年次予算会議で、競争相手がどう出るかを予測して作戦を立て、つぎに月例経営会議でハドルを組んで（フットボールで、つぎの組み立てを決めるためにプレーヤーがスクラム線の後方に集合すること）、どういうプレーを試みるかを決めた。その場で作戦を部分的に修正して進むことができた。われわれは新しいことを試み、すぐまたつぎのハドルでそれを変更することもできた。われわれは迅速に行動し、また反応することができた。そしてそれは功を奏し、われわれはナンバーワンだという自覚をもった。そして自覚はやがて自信となり、われわれは世界一のビジネス・マネジャーだというその自信を保持させるために奮闘した。さらにわれわれは新しい会社を併合し、新しいプレーヤーをチームに加入させて、ますます大きく強く、世界市場で発展を遂げていった。

ゼネラル・マネジャー会議にはさまざまな人びとが集合した。法律、会計、工学、マーケティング、政治等に通じた専門家が西ヨーロッパのすべての主要国からやってきた経験豊かで有能なビジネス・マネジャーと一堂に会して、相互に影響を及ぼし合った。ヨーロッパで集まるのは電気通信、エレクトロニクス、産業用機器といった同一の製品系列を扱っている、違った国々からの人びとだった。アメリカで集まるのは、多種多様な製品と市場に取り組んでいる同国人だった。どちらのゼネラル・マネジャー会議も、平均して約一二〇人の、さまざまに異なった製品系列に二〇年以上のビジネス経験を持つ、世界じゅうのあらゆる場所から集まった高度に有能な人びとによって構成され、さながら巨大な生きたメモリ・バンクの趣があった。それは毎回の会議に合計二四〇〇のビジネス経営の集積が、いつでも利用を待ちかねていることを意味した。そしてわれわれはそれを毎月二回ずつおこなっていたのだ。

われわれは仲間の見解に耳を傾けることによって、市場や世界経済や貿易や国際法やエンジニアリングや、そしてもちろん企業経営の技術に関する知識を深めた。そればかりか、われわれ全員は一人のチームだった。その結果として、働くシンクタンク――経営に関する問題を解く機械装置のような機構となった。

われわれは互いに仲間から学び、助けられるばかりでなく、また問題を直接的に、スピーディに処理できるようになったばかりでなく、会議はしばしば活力と熱中で充電され、時にははげしい興奮のるつぼとなることもあった。だれの報告予定にもなかった新しいアイデアを出し合うことによって、新しい製品、新しいベンチャー、物事をやる新しい方法に逢着した。

ゼネラル・マネジャー会議は、通常、午前一〇時から夜の一〇時に及んだ。ヨーロッパではしばしば一二時を過ぎることもあった。というのは、われわれがそこで費やすことができる日数は限られていたからである。予算と事業計画の会議は、ほとんどかならず一二時過ぎまでかかった。われわれは時計を見なかった。目前の責務を完遂するまで、ただ働きに働いた。

というわけで、それらの会議に費やされた日数を合計してごらんになれば、われわれは翌年の予備的な、大まかな事業計画と予算の会議に二月と三月中の三週間、そしてそれらの再検討と合意のために年末の一二週間を費やしたことがおわかりだろう。その合計は一五週間だ。つぎに年に一〇カ月、毎月一週間ずつ、ブリュッセルとニューヨークで各一回のゼネラル・マネジャー会議。こちらの合計は二〇週間となる。これらに四週間の休日を加えた総和は三九週となる。したがって額面通りの計算でいけば、一年からそれを差し引いた、わずか一三週間の〃その他の時間〃で会社を経営しなくてはならないことになる。どうしてそんなことがやれたのかって？　夜や週末や、その他できる時にはいつでもオーバータイムして時間不足を補ったのだ。なぜならＩＴＴの本当の経営はそれらの会議と、子会社のライン・メンバーの顔突き合わせての会議においておこなわれていたので、どんな無理があろうとも、それを省くわけにはいかなかったからである。

組織図のどこにそんなことが書き表されているだろうか？　組織図を見ただけでは、ＩＴＴは同じぐらいの規模の他の会社とすこしも変わらず、しかし実際には絶大な違いがあった。その違いは何かといえば、ＩＴＴの男女と他の会社で働く人びととの、人間的な、生きた、日常の関係と相互影響における違いであり、さらに言うならその八〇％までは、マネジメントの顔突き合わせての会議によって生じたものであった。

第五章

経営者の条件

経営者は経営しなくてはならぬ！
経営者は経営しなくてはならぬ！
経営者は経営しなくてはならぬ！
何べん言ったら本当にわかってもらえるのだろう？

それは単純きわまる信条——ビジネスに、職業に、人がたずさわるほとんどどんなことにでも、成功を収める秘密におそらく最も近いものである。奇妙なのは、なんらかのかたちでだれもがそれを知っていながら、なぜかそれを忘れてばかりいることだ。また、それはあまりにも単純すぎて、まともに信条にする気になれないという場合もある。

この場合、〝経営者〟とは企業なり何なりを運営するマネジャーのチームをいう。〝経営（する）〟とはなにかをなし遂げること、マネジャーである個人なりマネジャーのチームなりが、努力するに値することとしてやり始めたことをやり遂げることだ。

〝（し）なくてはならぬ〟とは、（それをやり遂げ）なくてはならぬということだ。それはその信条を信条たらしめている能動的な言葉だ。その能動性があって初めて信条は信条としての意味をもつ。

ビジネス・マネジャーは、ある会計年度末までに満足すべき収益を挙げるための事業計画と予算を立てる。事業計画はマネジャーが狙いを定めたターゲットである。しかし、ある年間の結果を達成したいと思、うだけでは不十分だ。経営（する）とは、いったんその事業計画と予算を定めたら、売上げやら市場占拠率やら、その他何であれ、それを達成すると誓ったことをなし遂げなくてはならぬことを意味する。

もしその結果を達成することができなければ、その人は経営者ではない。そりゃまあ、経営者としての肩書を名乗ることはできようし、執務室のドアに〝専務〟とか〝副社長〟とか〝販売部長〟とか書きつけさせることはできよう。しかし、私の基準では、その人はマネジャーではない。よかれあしかれ、どこでも物事は起こっている。しかし、きみがそれらの物事を起こらせているのではない。きみはそれらを経営していない。といっても、なにもきみがウスノロだとか、だめなマネジャーだと言うつもりはない。良いとか悪いとかでなく、とにかくマネジャーではないということだ。

たとえばここに、知識も能力もほぼ同等の三人の大学生がいて、三人ともビジネス・スクールを出て、企業のエグゼクティブになりたいと志望していると仮定しよう。第一の大学生キャルは、平均Bの成績をとれるだろうと目算を立てていた。というのは、それまでずっとそうしてこられたからだ。彼は講義に皆出席し、宿題をサボることもなく、やるべきことは何でもちゃんとやった。ところがある年、期末試験の前に流感にかかり、平均点がCプラスに落ちてしまった。だが、それはぼくのせいじゃない、と彼は言う。なあに、来年Aをとれば、均《な》らしてBにすることができるさ、と。しかし、またなにか別の故障が起こる。ある問題の解釈を間違えて、Cの評点をもらってしまう。そのほかにも、彼のまじめな意図の裏をかくようなことがあれこれと起こる。結局、彼は平均Bマイナスの成績で卒業し、Bマイナス級のビジネス・スクールに入れたら幸運としなくてはならなくなるだろう。

二人目のエグゼクティブ志望者アルは、一二のトップクラスのビジネス・スクールの中のどれかに入りたいと思い、それには平均Aか、きわめてそれに近い成績をとらなくてはならない。なにかの学科で初めてBをとってしまうと、彼は夜の勉強時間をそれまでの一〜二時間から三〜四時間に延長する。しかし、第二、第三学年でも、ほかの科目は全部Aだが、ひとつの科目だけはBから這い上がることができない。そして口惜しくは思うが、それについてそれ以上何をやったらいいのかわからない。それで、毎年三つか四つのAにBが一つなら、まあまあじゃないかと自分を慰める。最終学年の成績はAが二つ、Bが一つ、そして思いもかけなかったCが一つあった。彼は一二のビジネス・スクールへ入学願書を出し、ただ幸運を祈った。彼がトップクラスのビジネス・スクールの中のどれかに入れるかどうかは、もはや自分の力だけではどうにもならない。ほかの志願者の成績との優劣関係にかかっていた。

三人目の学生は、自分が入りたいのはスタンフォードかハーヴァードかのビジネス・スクールで、それ以外は願い下げだと心に決め、それにはオールAの成績をとることが必須条件だった。彼はハルという名前だった——なぜか私の耳に快く響く名前だが——と仮定しよう。ハルは何がなんでもオールAをとらなくてはならないと思い定めていた。いつでも自信をもって試験にのぞめるように、毎夜三〜五時間勉強した。しかし、オールAの成績を保って迎えた最終学年に、彼はひとつの科目——高等会計学——で初めてつまずいた。第一学期にはBをとるのがようやくだった。そこでいっそう勉強にはげんだ。しかし、学年の中ごろになっても、その科目では依然としてBマイナスのあたりでもがいていた。——どうしたらいいのだろう？　彼はその学科に関して、読むように決められた以外の本も読んでみた。それでもやはりその学科をマスターできなかった。助けてもらえないかと教授に頼むと、同情はするが時間がないと断られた。——どうすればいいのか？　友人のキャルとアルは、彼の悩みに取り合おうとしなかった。——四年間にBが一つだなんて、悩むほうがどうかしているよ。しかし、ハルの決心は動かなかった。どうしても高等会計学にAをとるんだ！　彼はプライドを捻じ伏せて、家庭教師をしてくれる大学院生を見つける。そして深夜まで勉強する。物事をとことんまで考えつめる習慣をつけ、はげみにはげむ。そしてもちろんAの成績をとり、望みのビジネス・スクールに入る。

私の評価では、先の二人の学生はマネジャーではない。キャルは成り行きに任せて漂流しただけだった。アルはある目標を立ててスタートし、まじめに努力もしたが、不測の事件の波に押し流されてしまった。この二人の青年がどんな成功を収めるにせよ、それは普通〝幸運〟と呼ばれるものに依存している。ほかのだれもが自分たちよりうまくやれなければ、なんとか他の連中を出し抜くことができるだけだ。三人目の青年ハルは、ビジネス・スクールに行きつく前からマネジャーだった。彼は本能的に企業経営の本質をつかんでいた。それは彼が勉強にはげんだからではなく、ひとつの対応がうまくいかなかったらつぎの対応を、そしてまたつぎの対応を……目標に達成するまで試み続けたからである。それが〝経営する〟ということなのだ。

やがてビジネスの世界に入ったキャルとアルとハルは、それぞれのタイプの先輩たちがすでに歩んだコースをたどるだろう。キャルは大した業績を挙げずにのんびりやっていき、アルは想像力に乏しいが良心的にこつこつ働き、そしてハルはITTのような会社で高みをきわめるだろう。

ビジネスの世界では、だれもが自己利益に根ざした正当な反対目的の板ばさみになって働いている。顧客はより安い価格を、サプライヤーはより高い価格を、組合はより高い賃金を、株主はより多くの収益をそれぞれ要求する。競争はより良質な製品をより低いコストで市場に送り出させようとする。マネジャーの仕事はそれらすべてを按配《あんばい》し、さらに、そうした反対目的のみならず、自分自身と会社のために設定した目標をも満足させる結果を挙げてその年を終えることだ。ビジネスには常時さまざまの問題があり、マネジャーの仕事はそれらを解決することである。たとえば、ある問題を解決するのに二二通りの方法を試み、それでもまだ成功しなかったら二三番目の方法を試みなくてはならない。いずれにせよマネジャーは、「必要なら私は会社で徹夜でもしよう。しかし、この問題はかならず解決してみせるぞ」という態度でいなくてはならない。

私はしばしばそうしたし、時折、他人にそうするように勧めることもあるが、重要なのは会社で徹夜することではなくて、問題を解決することだ。経営において重要なのは結果である。一、二回まばたきをし、あるいは手をひと振りするだけで問題が解決されるなら、それは大いに結構なことだ。徹夜をして働くのは、問題を解決し自分を満足させる答えを発見するのにそれだけ時間がかかるからにすぎない。その結果は四半期と年度末の損益計算書に表れるだろう。「経営者は経営しなくてはならぬ」とは、そうした結果を挙げなくてはならぬということだ。

この態度に反対する者は、ビジネスの世界には一人もいないだろうが、口ではそういうふうに言いながら実行が伴わない人間がおおぜいいることも、また歴然たる事実である。ミドル・マネジメントはトップ・マネジメントに報告する。「すみません、チーフ、目標の完全達成はできませんでしたが、かなり近いところまでいきました。説明すればご納得いただけると思うのですが、じつは……」、そんなふうにして、この事業部あの事業部からの報告が上へ上っていき、最後に最高経営者が取締役会に報告する。「まことに遺憾ながら、今期の業績は……」。

経験を積んだ最高経営者にとっては、自分がその年の初めに約束した結果を会社がなぜ挙げることができなかったかについて、千ものもっともらしい説明の中から、非の打ちどころのない論理的根拠を選び出すのは易々たることだ。取締役会への彼の報告と、株主への年次報告書は冷徹な論理と理由づけを軸にした堂々たる論文になるだろう。彼は会社の不成績の責めを国民経済の下降に、インフレに、資材供給の不足に、天候に、新しいテクノロジーに、外国との競争に……あるいはそれらの中のどれかの組み合わせに帰すことができよう。実際、彼の論理は反駁不可能なものであることがきわめて多い。というのは、ほとんどいつでも、「(やり方によっては) もっと悪くなっていたかもしれない」というところに論拠が置かれているからだ。そうしたひどい、不利な条件に直面しながらよくやったということで、彼は自分のマネジメント・チームに賛辞を並べることも往々にしてある。毎年、どれほど多くの年次報告書の中でそうした説明を読まされることだろう。

しかし、「経営者は経営しなくてはならぬ」という信条に立つなら、いくら論理的に完璧でも、そうした説明にはなんの意味もない。意味があるのは、所期の結果を達成したか、しなかったかということだけだ。

しかし、たいていの人びとはそう考えない。あまりにも多くのアメリカの会社のマネジャーたちは所期の結果を挙げず、それはだれも彼らにそうさせようとしないという理由による説明や理屈が、あまりにも簡単にまかり通る。それどころか、予期されてさえいる。だれもが承知の上なのだ。社長は販売目標を掲げるが、販売部長とその部下のセールスマンたちは、その目標の八〇%を達成すれば勘弁してもらえるということを知っており、それだけのことしかしない。実際、八〇%以上を達成した時は、オーバーした分を、またノルマが増やされるに決まっている翌年に回せるように、隠しておくことさえある。そうしたことがしょっちゅうおこなわれている。言い換えれば、いつでも期待しただけのものしか手に入りはしないということだ。それ以上を獲得できることは、絶対にとは言わないまでも、めったにない。

品質管理の問題は、この仕組みを説明する好例である。昔は、危険の多い業種では一人か二人、あるいは一〇人の殉職者に加えて、それを上回る数の負傷者が出るものと相場が決まっていた。それは必然と見なされていたのだ。その状態はずっと長いあいだ続いた。それからようやく人命を守るための職場管理の必要が至上命令として認められた。——一人の死者も出してはならぬ、と。事故死ゼロが目標となった。そして、見よ、それらの作業はアッセンブリー・ラインでの疲労あるいは過失による死がゼロとなるまで、改善が重ねられた。人間的な過誤をいかにして避けるかを教える制度も設けられた。鉄鋼会社のジョーンズ・アンド・ラフリン社では、平炉や高炉や圧延工場で一人も死者を出さずに経過した日数が毎日掲示されていた。無事故の日数が積み重なって、三六四日とか三六五日とかになると、そろそろなにか起こるぞという予感でだれもが緊張し、過度に神経質になってくる。しかし、そこを敢えてやらなければ、その後も事故が頻発し続けていたろう。

不良率ゼロという概念がアメリカ工業のノルマとして定着するには、それよりずっと長い時間がかかった。年間に一〇〇万個のトースターを生産する会社は、その中の二%か三%か五%か、とにかくある率の不良品が出ることを予想している。そして予想通りの結果が出る。そうした数字は予算に織りこまれている。しかし七%か一〇%か、とにかく予想以上の製品が不良品として返品されてきた時に初めて、会社は品質管理ということに関心を向ける。そしてその結果は経営決定というかたちをとる。——不良品を何%かに下げるための品質管理の努力に、どれだけの支出をすべきか、と。ハイテクノロジー製品の場合には、すでに使用中の不良製品の修理のために巨大なメンテナンスの陣容を維持するよりも、生産ラインの管理を確立するほうがずっと安価につく。ITTの電話交換装置についていえば、不良率ゼロが基準だった。いや応なしに、われわれはそれに固執した。同じことは航空機の設計と生産についてもいえる。何がどうあろうと、不良品を容認するわけにはいかないのだ。

しかし、品質管理と価格が見合いにされる製品もある。たとえば、GM社にせよフォード社にせよクライスラー社にせよ、耐久年限二〇年の無欠点の自動車をつくることはできるだろう——というか、できると私は思う。それはステンレスでつくられ、いちいちの機能を監視するコンピュータ装置つきの車といったものになるかもしれない。しかし、その車の価格はおそらく二〇万ドルぐらいになり、耐久年限がくる前に時代遅れになってしまうだろう。ITTにはフィリップ・クロスビーという名の超優秀な品質管理専門家がいて、生産ラインで製品の品質管理をするほうが、あとで、使用されているそれを修理するより安くつくことを、コスト分析によって会社のライン・マネジャーたちに説明してくれた。彼の論点は、品質管理すなわち高品質を意味するものではない、というものだった。あくまでそれは品質の管理を意味する、というのだ。だから、一〇〇ドルの機械に四〇〇ドルの機械の性能を持たせるわけにはいかない。しかし品質の基準を定めて、それを満たさないものは絶対に許容しないことだ、と。

品質管理とは、マイナス面の管理である。いくつの欠陥、いくつのマイナスまでなら許容できるという態度をもってのぞむことだ。生産のプラス面を管理することは、マネジメントの仕事の一部にすぎない。売上げや収益も、これとまったく同じように扱われるべきだ。マネジャーは何よりもまず、生産、売上げ、マーケット・シェア、収益その他何でもの基準を定め、それらの基準に満たないものは受けいれてはならない。それでは、それらの基準はどのようなものであるべきか? それは業種と製品とマネジャー自身によって決まる。それらは彼にとって受けいれられるものではなくてはならない。もし彼が真のマネジャーなら、どのようにすべきかを知っているはずだ。もちろん、業界と同業者たちによってつくられた基準もあるだろう。しかし、そんなものより彼自身こそが、自分がどれだけ立派な仕事をしているかの最良の判定者である。彼自身が基準を定め、それらを達成するように経営をおこなわなくてはならない。

最近、私は方々のデパートで貴金属売り場を経営している人物と知り合ったが、彼は私に言った。

「それぞれのデパートのお客の四％が貴金属売り場に立ち寄るようにしないと、経営者として私は気がすまないんです」

「なぜ四％と決めるんです？」と私は聞いた。

「わかりません。でも、とにかくそれでいいんです」

「五％にしたらどうです？」と私は言った。

「いや、四％でいいんですよ」と彼はがんばり、四％というのはデパートのどの売り場よりも高い顧客吸引率なのだと説明した。彼はなんら高等な理論や方式を用いることなしに、自分の基準を定めているのだった。その基準を満たさないと眠ることもできなかった。まるで罪を犯しているような気分になるのだ。そして徹夜でも何でもして、その四％を達成するのだった。具体的にどういうことをするのかは私は知らないし、やり方によっては五％とか八％にすることも可能なのかもしれないが、それは大した問題ではなかった。彼は自分の事業を経営していた。彼は企業家だった。

一般論として、企業家とプロフェッショナルマネジャーの主たる違いは態度の違いである。企業家は、とりわけ創業の当初には、自分が成功か失敗かの境目に立っていることを承知している。たったひとつの失敗も、彼を破滅させてしまうかもしれない。彼はある特定の市場に浸透し、しかるべき量の売上げを挙げ、さらに前進するための資金を稼がなくてはならない。他の人びとが五時に退社してしまっても、彼は居残って、事業の発展の妨げとなっている問題を解決するために心を砕く。彼は経営しなくてはならない。日夜を問わず、彼にとっては生活即事業なのだ。

プロフェッショナルマネジャーも、初めはそうした心がまえでいても、いつかそれを失ってしまうことがあまりにも往々にしてある。自分が働いている会社は、これぐらいのミスをしてもビクともしないとわかっていることで、つい気が緩んでしまうのだ。彼らとて、なにもそのつもりでミスをしたり、市場で劣勢に立つことに甘んじるわけではない。成功したいのはだれでも同じだ。ただ彼は無意識に、この程度なら許されるだろうと思われるエラーの枠を自分に与えてしまう。しかし、その枠は自分で事業を経営している企業家のそれに比べると、通例、ずっと大きい。しかも、そのエラーの枠は受けいれられてしまうのだ！　プラント・マネジャーあるいはセールス・マネジャーはそうしたエラーが起こる事情を事業部マネジャーに説明し、事業部マネジャーは副社長に、そして社長は取締役会にそれぞれ説明する。いかにも論理的、合理的な口実がつけられ、それらは受けいれられる。私の考えを言うなら、そこにあるのは、当然なすべき経営という仕事をしない贅沢をマネジメントに許す甘やかしの態度である。

取締役会や株主や財務分析者たちは、本来受けいれ難いそうしたものを、なぜ受けいれるのだろうか？　それは、ノン・パフォーマンス（本来なるべきことの不履行）というものは測定しにくいからだ。ほとんどの場合、ノン・パフォーマンスは言い抜けが利く。たとえば、全国を襲っている寒波のために、国じゅうの小売業の売上高は下降線をたどるだろうというビジネス予測がおこなわれた場合、北部のミネソタ州のある小売業者はそれにもかかわらずその週、売上げと収益の上昇を記録したのに、温暖地帯にある別の小売業者は赤字を出した、といったことがかならず起こる。それはなぜか？　なぜなら前者は自分の事業を経営している経営者だったのに対して、後者は自分の力を超えた（と彼が考える）物事の犠牲者でしかなかったからである。

しかし、経営の効験を判定するのは主観的な行為ではない。それは四半期または年度の終わりに、損益計算書によって測定される。その数字を見れば、何が起こったか一目瞭然である。つまり、マネジメントは目標を達成したか、しなかったかのどちらかだ。別の言い方をすれば、経営したかしなかったかのどちらかである。私の目から見れば、他はすべて無意味だ。状況によっては判定の基礎になる期限を、たとえば三年間に――とくに創業時などには――延長することはできる。それだけの時間を与えられれば、ちゃんとした経営がおこなわれていることをはっきり証明できるはずだ。普通に進んでいる会社なら、四半期ごとに測定できる。私はＩＴＴでのマネジメント・チームに、最も重要なのはその年の第１四半期の実績だとよく言ったもので、第１四半期の予定実績を挙げることができなければ、たぶん、その年の目標を達成することはおぼつかないだろう。逆に、第１四半期の予定をなんとかこなすことができれば、第２、第３四半期もその調子でいき、第４四半期は苦もなく乗りきることができるだろう。実際、事はいつもそういうふうに運ぶように見えた。

事業部なり部なりが第１四半期の目標を達成できなかったらどうする？　まず第一に、問題のありかをさがす。つぎにその原因を突きとめる。それから、それを解決する。ＩＴＴに所属するすべての会社のコントローラーに、それぞれの会社の毎週の数字を本社に送らせていた理由はそこにある。それを見れば、どんな不手際《ふてぎわ》も隠しようがなかった。だからライン・マネジャーたちも、問題があればためらわずに〝赤信号をつけて〟われわれに知らせたのだ。われわれが月例マネジャー会議を開いたのはそのためだ。われわれは問題の原因を突きとめ、できるだけ早く最善の解決法を見つけたかったのだ。もし売上げが落ちれば、落ちた理由を知りたかった。そして原因にしたがって、あるいは広告とプロモーションを増強する決定をするかもしれない。あるいはマーケティングの戦略を、あるいは流通の機構を、あるいはパッケージングを、あるいは製品のモデルそのものを変える決定をするかもしれない。それともまた、製品の値下げができるように、製造コストを減らす決定をするかもしれない。

われわれは成果を挙げるために、あらゆるものを利用した。学校で学んだあらゆるのことを、ビジネスの経験から学んだあらゆることを、同僚から学んだあらゆることを利用した。自分たちの発明の才を働かせた。自分たちの頭脳を働かせた。

「経営者は経営しなくてはならぬ」はＩＴＴのわれわれの信条となった。それは望む結果をもたらすためになさねばならぬ（正当かつ合法的な）あらゆることをするということだった。ある問題に対するひとつの解決法が効果を表さなければ、別の解決法を試みた。それでもだめなら、また別のを。赤信号のついた事項は解決されるまで、新たに生じた変化を補足して、その会社の毎月の月次報告書に載せなくてはならなかった。それは当事者であるマネジャーにとって自己の能力へのプライドを損なう苦しみのたねだった。何としてでも彼はそれを解決しなくてはならなかった。彼はわれわれの会議に出席して、問題はまだそのままで、なにも変わっていないと報告するわけにはいかなかった。私と本社のマネジメント・チームと同僚たちに対して、その問題についてどんな手を打っているか、そしてこれからどんなことをするつもりでいるかを述べなくてはならなかった。彼は単に状況を報告するだけでなく、いかに経営者をおこなっているかを説明しなくてはならなかった。もし彼が行き詰まっているなら、必要なあらゆる助力を彼に提供しよう。みんなで一緒に経営しようではないか。だが、何が何でも経営するのだ！

この点に関してひとつの実例がある。私がＩＴＴ社長に就任して間もないころ、中南米で事業の責任者がゼネラル・マネジャー会議で、最新式の、価格数千万ドルの電話交換システムをブラジル政府に売りこむのに失敗したという報告をした。そのことに関してなされた努力、なされた説明、そしてその時の状況に関する事実を、私はかなりの時間をかけて聴取した。彼はやってみたことをすべて私に説明した。

「そのシステムを買うか買わないかを最終的に決定するのはだれかね？」と私は聞いた。

「クビチェック大統領です」

「きみは彼に会ったかね？」

「いいえ」

「なぜ」

「なぜなら、実際に決定するのは××（だれそれ）だからです。こういうふうに決定するようにと彼が勧告し、大統領はその助言にしたがいます」と彼は説明した。

「それに、直接大統領には会えないと思います」

「なぜやってみないのかね？　得るところばかりで、失うものはなにもないじゃないか」

翌月の会議の席上、彼は恥ずかしげな微笑を顔に浮かべながら、クビチェック大統領に会って電話交換システムの売りこみに成功したことを報告した。それはかなり大きな商売だった。会場の人びとは大拍手で彼を称賛した。

また、ヨーロッパでの一連のゼネラル・マネジャー会議で、深刻な在庫管理問題に全員が頭を抱えてしまったことがあった。通常は二〇億〜三〇億ドルのヨーロッパの品材在庫が、望ましいレベルを五億ドルあまり超過して、それらの遊休在庫に毎月利息を払わされていた。そこでわれわれは、電話・電子製品会社のための部品などの器材のだぶつきに、再三のチェックをおこなった。特命を受けたタスクフォースが何度も調査したが、くる月もくる月も在庫は増えるばかりだった。最後に、ある時の会議で、あるマネジャーが参考意見として、自分の会社の各工場の器材積み下ろし場に、不必要あるいは注文しなかった器材はいっさい受けとらないように指示した男を一人配置することで在庫問題を解決したという体験談をした。なんと簡単な解決法ではないか。しかも、それは有効だった。われわれはヨーロッパにあるわれわれのすべての工場の器材積み下ろし場に職員を一人配置し、しばしば注文に先立って運びこまれる器材の奔流を押し返させるようにした。

むろん、私が言いたいのは、経営者は自分の責任範囲のあらゆる活動をしっかり掌握していなくてはならないということだ。そして、なにかがうまくいっていないのを見つけたら、原因がわかるまで究明し、ひとつの解決法が効果を挙げなければ別の、また別の、さらにまた別の方法を試みるのだ。経営とは経営することである。

良い経営とは、問題が起こった時にそれを解決するだけではない。良い計画は、将来起こりそうな問題の予見と、それらを回避するためにとるべき手段と、事前に回避することができなかった場合には、ただちにそれらを処理する方策を包含していなくてはならない。良いマネジャーは経験から学び、ひとつの会社なり事業部を統率するようになった時には、やって効果のあることと、ないことを嗅ぎ分ける一種の第六感を身につけていなくてはならない。さまざまな選択の中から最善のコースを選ぶことができるように、状況と問題と人間的要素を分析する能力をそなえていなくてはならない。そして用心深い人間であれば、最初のやり方が失敗したら、つぎに打つ手を準備していなくてはならない。それが〝宿題をやる〟ということだ。

それは「経営者は経営しなくてはならぬ」という信条に組みこまれている基準のひとつである。この基準には、最初に受けとる答えがかならずしも最善の答えではないことを認識することも含まれている。揺るがすことができない事実を追求することを、私が強調する理由もそこにある。それは容易なことではない。実際には、いわゆる〝事実〟なるものはほとんどかならず、それを提出する人物の偏見によって色づけられている。だから、さまざまな方面から〝事実〟を収集するのが上策というものだろう。セールスマンは顧客が言うことに影響されて、判断を上なり下なりに誇張する傾向がある。マーケティングの担当者は製品に対する市場の必然的反応の統計的分析に信を置き、顧客たちの意見にはあまり関心を払わない。技術者は、通例、新製品に（それがその時点において市場や顧客の要求するものであってもなくても）関心をとられやすい。また、（もし……が……ならば）こうなるかもしれないという夢に動かされる人間もいれば、物事が悪いほうへ向かっていくことばかりを考える人間もいる。マネジャーはそうした個々人が提出する〝事実〟を受けとり、それらから偏見（自分の偏見をも含む）を剥ぎとり、物事の真の姿を見きわめなくてはならない。子供のころ、貨幣の上にかぶせた紙を鉛筆でこすって、その貨幣に印刻されている像を浮き出させる遊びをした時のように、鉛筆でこする回数が多くなればなるほど、鮮明な画像が浮き出てくる。それと同じように、〝事実〟について多くの異なった出所からの報告が重なれば重なるほど、真の状況（もしくは、可能な限りそれに近いもの）が見えてくる。

しかる後にマネジャーは決定をくだし、措置を講じなくてはならない。私の経験によれば、状況をはっきり見きわめれば、はっきりした決定が容易にできるものだ。事実が決定をしてくれるのである。しかし、時には像がぼやけていて、十分な事実が入手できず、それでも行動しなくてはならないこともある。しかし、その場合には、事実の全部をつかんではいないことを自覚し、状況が急激に変わるかもしれないことを念頭に置いて、用心しながら行動するだろう。だが、用心するばかりが能ではなく、とにかく行動して、はずみをつけることのほうが重要な場合がしばしばある。というのは、帆船を操縦する時のように、はずみ（惰力）に乗ったまま、それからでもコースを変えることはできるからである。はずみというものがなければ、船の操縦はできない。物事をあまり深く考えつめているあいだに、むざむざ機会を取り逃がしてしまうことがないようにするのも、経営の仕事のうちだ。

経験から私は〝正確度に対する時間の逆比の法則〟とでも呼ぶべきものを学んだ。企業のヒエラルキーの中で、低い地位にあればあるほど、自分の行動の拠りどころとなる事実を確かめるのに多くの時間をかけることができるにもかかわらず、なかなかそうしない。そして逆に、地位が高まり、大きな責任を託されるようになればなるほど、事実をゆっくりチェックしている時間がなくなるにもかかわらず、そうすることはますます重要になる。私が職業人としてまだかけ出しのころ、計理士として会社の一般監査をしていた時には、いくらでも時間をかけて帳簿や在庫を検査することができた。私は何日もかけてある会社の石炭入れを調べ、しかる後に、いくつかの石炭入れに合計何トンの石炭が貯蔵されているかという〝事実〟を証明した。しかし、コントローラーという地位につくと、私は他のだれかの監査の正確度に頼らざるを得なくなった。さらに進んでITTの社長になると、〝事実〟をいっぱいに詰めこんだ何千、何万もの報告に頼らざるを得なくなり、決定をくだす私の任務はきわめて困難なものになった。揺るがすことができない事実を私がしつこく要求し、そうした〝事実〟を私にもたらす人びとを反対尋問した理由はそこにある。私には自分で石炭入れを数えている時間がなかったのだ。私は二五〇の子会社を監督しなければならなかったが、それぞれのプロフィット・センターのマネジャーはひとつの会社を監督すればよかった。したがって、彼には私より、事実をチェックする時間が多くあった。そして彼の下にいる人びとには、それぞれの部課における事実をチェックする時間が、彼よりたくさんあった。しかし、われわれのだれもが――私はITT全体のことに、彼らは組織内の各自の持ち場のことに――責任があった。私の頭には、〝正確度に対する時間の逆比の法則〟を念頭に置きつつ、事実をチェックすること以上に重要な経営上の仕事はほとんどなかった。それ自体が誤りという誤った決定をマネジメントすることはめったにない。しかし、誤った、もしくは誤りに導く、あるいは見落とされた〝事実〟に基づいて〝正しい〟決定をマネジメントがくだすことによって、ものごとはおかしな方向へ――時として深刻な事態をもたらす方向へ――

向かって行ってしまう。

われわれがＩＴＴで犯した、最も高価についたマネジメントの誤りは、一九六八年に買収した林産物会社、レヨニア社の拡張計画の一部としてケベック州（カナダ）カルチェに木材セルロース加工の大工場を建設したことだった。例によってその新しい会社が持つ潜在力を引き出そうとするわれわれの諮問に対して、レヨニア社のマネジメントはそれまで久しく、そうした工場を建設したいと思っていたことを打ち明けた。ただ資金のないことがそれを妨げていたのだ、と。ケベック州に、数百万エーカーの未開の森林地をカナダ政府からほんのわずかな金で借りることができ、その森林地のはずれに木材をセルロースに変える工場を建てれば、理想的な環境ができることになる。工場の建設費は一億二〇〇〇万ドルと推定されるが、それが完成したあかつきには、近代的な新工場はわれわれが二億九三〇〇万ドル相当のＩＴＴ普通株で買収したレヨニア社を、アメリカ最大のセルロース・メーカーの地位へと押し上げるだろう。

われわれはレヨニア社の計画に検討を重ね、リスクと期待される効果を分析し、ゴーサインを出した。しかし、それから工事進行中の労使紛争という予期していなかった問題にぶつかった。なお悪いことに、木材を処理するのに用いられる化学薬品を回収して再利用するテクノロジーに、重大な欠陥が見つかった。しかし、それらも時間によって解決される問題だろう、と私は判断した。われわれを立ち往生させたのは、計画の開始以前に犯された根本的な誤算だった。というのは、カナダの極北地方の森林地のあらゆる樹木は、極端な寒冷気候のために、直径三インチ以上の太さに生育しないことを見落としていたのだ。そんな貧弱な樹木では、伐採と工場への運搬のコストに対して採算のとれる見込みがなかった。かといって、いかにわれわれでも、樹木の生育限度を〝経営（管理）する〟ことはできない。開始後一〇年で、その計画を放棄し、約三億二〇〇〇万ドルに及ぶ損失を甘受せざるを得なくなった。その損失のかなりの部分は、レヨニア社のカナダ子会社をそっくり、三億五五〇〇万ドルで売却することで償いがついた。しかし、計画をスタートさせる前にわれわれの中のだれかが現地へ行って、それらの樹木を実見していれば、三億二〇〇〇万ドルの損失は回避できたはずだ。ところがわれわれはきわめてあやふやな〝事実〟を信用してしまった。われわれは森を、工場を、利益を見たが、何より肝心な〝木〟を見なかったのだった。

ホテル業へのわれわれの進出は、「経営者は経営しなくてはならぬ」という信条の実践の、極端ともいえる好例である。レヨニア社の問題に巻きこまれたのとほぼ時を同じくする一九六〇年代の末、ホテルチェーンを買収することに決めた。ホテル業は基本的にいって良い業種のように思えた。事実、クリーヴランド（オハイオ州の工場都市）地区にある八つの〈ホリデー・イン〉モテルのフランチャイズを買い取り、さらに同チェーンを買収する交渉を進めていた。ホテル並びにモテルの将来はきわめて発展性に富んでいるように見えた。というのは、時あたかも、その営業――とりわけ予約システム――にコンピュータが大幅にとり入れられたところで、ホリデー・イン・チェーンは無料の同一電話番号で国じゅうどこでもすべての施設の予約を扱うことができる中央コンピュータをそなえていた。コンピュータはまた各ホテルとモテルの使用率をモニターし、会社はそれによってかなりの確実性をもって将来の拡張計画を立てることができた。われわれはつぎに、ヨーロッパのホテルをTWAに売却したばかりだったヒルトン・チェーンの意向を打診した。コンラッド・ヒルトンは私をシカゴのパーマー・ハウスに招いて案内して回り、成功を収めている彼のホテルチェーンの経営についていろいろと説明をしてくれた。しかし、彼の言い値は高すぎた。そこで今度はアメリカ・シェラトン社に関心を転じた。同社の収益は率のうえで業界最低だった。この系列のホテルは平均して築後三〇年という古さで、至急に手入れを必要としていた。なお悪いことに、たいていのシェラトン・ホテルは都心部の不振地区にあって、どんな方法を用いてもその全体的状況を改善できると考える人間はほとんどなかった。しかし、社内にも多少の反対者が残っていたのを押し切って、一九六八年にシェラトン・チェーンを買収した。われわれの力で、なんとか風向きを変えさせることができると思ったのだ。

当初から問題にぶつかるのを覚悟して、修繕と新しいシェラトン・ホテルの建設に七億ドルばかりを振り向けるつもりでいた。ホテル業の収益状況は好調のように見えた。ＩＴＴにはホテル建設に通じた人びともいて、必要な建設資金はほとんど一〇〇％借入金でまかない、かつ新しいホテルの収益から、それを返済していくことができるだろうという予想だった。しかし、そうはいかなかった。われわれはホテル建設に関して思ったより未熟で、銀行は一〇〇％の融資はしてくれず、また南米の新しいホテルの営業は好調だったが、西ヨーロッパの新しいホテルの収益は自算予測を深刻に下回った。何年にもわたって、経営は赤字だった。それは一九六〇年代を通じてわれわれが達成した誇らしい記録の一汚点だった。シェラトンにあとからあとから金を注ぎこむのを見て、際限のない浪費ではないかと危ぶむアナリストもいた。

われわれは試行を重ねた。社内にも、あきらめるように、シェラトンを売るように、忠告する人がいた。シェラトンの経営問題を検討する特別調査チームがつぎつぎにつくられた。そのホテルチェーンはキャッシュ・フローを阻害していた。われわれは会社と一緒に引きとった経営者層の人びとを入れ替え、エイビス・レンタカーを経営していた人物をシェラトンのトップに据えた。

エイビスは車を買い、それを走行マイル数で、のちには日数で、人に貸すのが仕事だし、シェラトンは部屋とベッドを買い、それを一晩いくらで貸すのが仕事で、両者は似ていなくもないという考えからだった。しかし、エイビスから移ったその人物は、シェラトンの問題を解決することができなかった。そこで今度は、金の問題をなんとかしてくれるだろうという期待から、財務部門のトップの一人と交替させた。

しかし、改善の効果は表れなかった。それから最後に、経験を積んだホテルマン、ハワード・ジェームズに交替させた。

ジェームズは普通に用いられるあらゆる経営テクニックを試みた後、基本に立ち返った。彼はシェラトンにかかわる問題の共通項をさぐった結果、新しい、想像力に富んだ、創造的な考えに到達した。ITTはマネジメント会社であって不動産会社ではない、とジェームズは指摘した。その〝事実〟をわれわれが受けいれたところで、ジェームズはホテル業のうちの〝煉瓦とモルタルの部分〟から完全に足を洗って、ホテルの経営だけに専心するように勧告した。われわれは彼に支持を与え、彼は不動産の所有に対して与えられる税制上の優遇によって利益を受けられる投資家たちに、われわれの古いホテルと、新しいホテルのITTの持ち分を売り払いにかかった。そして売買が成立すれば、以後、それらのホテルのマネジメント・フィーを受けとることになるわけだ。それはどちらの側にも好都合で、ジェームズの言い方を借りれば、「他人の金で成長する」ことを可能にしてくれた。

われわれがシェラトンを買収した時から、その経営を好転させるまでには八年の年月がかかった。今日では、世界じゅうにある第一級のITTシェラトン・ホテルは、年間に一億ドル前後の税引き後利益をもたらしてくれる。ホテルを売却したこととジョイント・ベンチャー方式によって、ITTのシェラトン・ホテルへの資本投資はほとんどゼロに縮減した。最近、ITTにシェラトン・チェーンを一〇億ドル以上で譲り受けたいという商談をもちかけられ、それを断った。ここまでくれば、もう、その経営は立派な成功だと胸を張って言うことができよう。

シェラトンと取り組んだわれわれは、ホテル・チェーンが持つ問題への解答を求めて、つぎつぎと可能性を試して、シェラトンを落ちこませているのは基本的には経営の問題であり、ITTのわれわれはそれを解決することができる、と私は信じていた。私はその考えに固い確信をいだいていたので、シェラトンがまだ赤字経営にあえいでいた一九七一年に、合衆国政府のアンチトラスト訴訟の和解の一条件として、一〇億ドル相当の資産を他に譲渡するように迫られた時にも、私はシェラトンを手放さずにエイビスを売ることを選んだ。その理由は、エイビスはすでにその発展の可能性をほとんどフルに実現している、と判断したからだ。したがって、その収益性からいって、売却するとなれば良い値段がつけられるだろう。ただし、現在以上に発展する余地はほとんどない、と。一方、シェラトンにはほとんど無尽蔵な発展の可能性があり、それを実現させるのが経営の仕事だった。

レヨニア社もまた、私が久しくいだいている（そして前にちょっと触れたように、職業人としての自分の道を切り開くために用いたことがある）もうひとつの経営原則の好例である。その原則とは、環境の問題を解決するのが不可能な場合には、環境を変えよということだ。極寒地での樹木の生育の限界を変えることは不可能だ。それは根本的な誤算だった。カルチェの工場に関しては他にも問題があって、足を引っぱっていた。だから、われわれは事業のその部分を売り払った。

「経営者は経営しなくてはならぬ」とは、経営者はすべての問題を解き、すべての目標に到達し、すべてのベンチャーを見事に成功させる全能者でなくてはならぬというのではない。スポーツの場合でも、どんなに強いチームでも全部のゲームに勝つことはできない。ただ、大部分のゲームに勝てなくてはならない。ビジネスにあっては、ただ競争相手よりまさりさえすればいい。競争相手よりどれだけまさるかは、きみが定める基準による。しかし、きみはその基準によって定まった結果を達成しなくてはならない。それは不可能だとわかったら、それもまた受けいれられる答えだ。もしそうだったら、環境を変えればいい。その事業を売り払って、なにかほかのことに身を入れるのだ。しかし、おなじ売り払うにしても、たとえそれがきみの基準には届かないにせよ、当然達成するはずの基準で売りつけなくてはならない。それが経営というものだ。きみがしてはならないのは、不十分な結果を受けいれて、それを弁解することだ。

どれほど論理的で理屈にかなっていようと、決定的にテストされるのは〝説明〟ではない。テストされるのは、きみがマネジャーとしてやれる限りのことをやり尽くさずに、不満な結果を満足なものとして受けいれるかどうかだ。「経営者は経営しなくてはならぬ」とは、読んで字のごとく、経営者は経営しなくてはならないことを意味する。まったく単純なことだ。

あるマネジャーと別のマネジャーとの重要な違いは、そのおのおのがどんな基準を定め、満足すべき経営というものについてみずから定めた条件を満たすためにどれだけのことをするかということだ。マネジャーとしての私が果たしたＩＴＴへの真の貢献は、今言ったようなマネジメント（経営者と経営）の基準を、たいていの人が可能だと思っていたより上へ押し上げたことだ。私が固執した達成の水準は、会社のあらゆる階層に浸透した。われわれは背伸びし、手がかりをつかみ、経営し、目標を達成した。「経営者は経営しなくてはならぬ」というその概念を全社に行きわたらせること――それがいわゆるリーダーシップというものだと私は思う。リーダーシップは単に経営すること以上のものである。

第六章　リーダーシップ

リーダーシップは経営の核心である。数字をいじくったり、組織図を作り替えたり、ビジネス・スクールで編み出された最新の経営方式を適用したりするだけでは、事業の経営はできない。経営は人間相手の仕事である。

もちろん、経営とリーダーシップとは分かちがたく綯《な》い合わされてはいるが、わかりやすく言うなら、経営というものは客観的なものだと私は思う。それによってある目的を遂げ、ここからあそこへ行こうとし、その成果は測定することができる。また、その仕事のために用いられる手段や方式をビジネス・スクールで教わることもできる。実際、そこでの全部の試験に合格すれば、〝マスター・オブ・ビジネス・アドミニストレーション（経営学修士）〟の称号が授けられる。しかし、毎年そうしてビジネス・スクールを卒業したコンピュータ科学で武装した軍団の若い男女は、どれほど優秀でも、せいぜい進んだ考えを持ったビジネス・アドミニストレーター（経営の管理人）であって、リーダーではない。リーダーシップとは、それとはまた別なものである。それは純粋に主観的な、定義しがたい、客観的に測定することがほとんど不可能なもので、野球のプレーヤーが手引書を読むことではカーブを投げられるようになれないのと同様、それを学校で教わることはできない。にもかかわらず、それは最高経営者と彼を中心としたトップ・マネジメント・チームの性格の反映として、どんな企業の中にもあって、それぞれの会社の個性をつくり出している。私の考えでは、リーダーシップの質こそ、企業の成功をもたらす処方に含まれる最も重要な成分である。

いうまでもなくリーダーシップとは、ビジネスであれ政治であれ戦争であれ、あるいはフットボールの試合であれ、共同の目的を遂げるために他の人びとをチームとして結束させ、自分のリードにしたがうようにし向ける能力である。だれもそれを一人でやることはできない。リーダーに他の人びとがしたがうようにしなくてはならない。世の中に天性のリーダーとして生まれついた人びとがいるという説に、私はかならずしも加担しない。どういうふうにと上手に説明はできないが、リーダーシップは学ぶことができるものだ。他の人びとを導き、奮い立たせる能力は、意図的なものというより本能的なものであり、各人の日常の経験を通じて身にそなわり、そのリーダーシップの究極的な性質と特色は、リーダー自身の内奥の人格と個性から出てくる。

ＩＴＴでの私のリーダーシップのスタイルは、定められた目標を達成するために意図的に計算されたものではなかった。実際、計算などぜんぜんしなかった。それはもっと本能的なものだった。会社としての高い挑戦的な目標を私は掲げたが、それはＩＴＴに着任した時の私がそういう種類の人間だったからだ。といっても、当時の私は、そんなふうに考えることすらしなかった。しかし今、反省してみてわかるのは、おそらくそれは私のサフィールド・アカデミーの生徒時代に由来するものだろうということだ。そのころ、私は意識して勉強にはげんだ。なぜなら、良い点をもらいたくて、悪い点をとるとおもしろくなかったからだ。自分の答案に先生が「おみごと！」とか、「おもしろい」とか書きつけくれるのが嬉しかった。私はサフィールドで、どんなものでも努力によって勝ち取らなくてはならないことを学ぶとともに、良い点をとることは私を良い気分に誇らしくさえさせることを発見した。そしてそれは、もっとよくやるように私を刺激した。その後、ワールド＝テレグラムの広告とりの仕事について、時間の見境なしに働いた時は、恐怖心からだった。働かないと安心していられなかった。失敗したくなかったのだ。ビジネスの世界では私は仲間と同じぐらい、またはそれ以上にうまくやってのけたくて、そのために努力することをいとわなかった。ビジネスの世界が突きつける挑戦は刺激的で活気に満ちていることを知り、とくに困難な仕事をやり遂げることで自分の期待をさえも凌駕した時には、たしかな手ごたえのある達成の喜びに満たされた。そんなわけで、私はＩＴＴで本能的に、それと同じ精神のようなものを、会社のマネジメントに吹きこもうとした。いつでも私は仕事をするのが楽しかった。実際、私はそれを仕事だと思ったことはなかった。それは生活の一部、私が住んで呼吸している環境の一部だった。私はしばしば同僚たちに、仕事はゴルフやテニスやヨット乗りやダンスや、その他どんなものにでも引けをとらないぐらいおもしろい、と言ったものだ。それから得られる喜びは、もちろんアイスクリームを食べる喜びとは違う。仕事は思考を刺激し、その滋養となる知的挑戦を提供してくれる。それは一噛みごとに、デザートのアイスクリームをむさぼり食うのに劣らぬ、それなりの味わいがあるばかりか、もっと長続きする。その甘い味わいは、より長く持続する。ビジネスはすばらしい冒険、おもしろさにあふれた、毎日待望すべきものたり得るのみか、それから得られる報酬はサラリーやボーナスをはるかに超えたものである。

私はそうした種類の、人を活気づかせる、挑戦的な、創造的な雰囲気をＩＴＴの中につくり出したかった。そこで働く人びとに、とても到達できないと決めこんでいるせいかもしれないゴールに向かって努力させてみたかった。不可能だと思っていることをなし遂げさせたかった。それもただ会社と出世のためばかりでなく、それ自体の喜びのためにそうするようにさせたかった。困難な仕事と取り組み、それを解決し、それからより大きな、より高度の、より困難な挑戦に立ち向かっていく過程を楽しむようにさせたかった。彼らが自己顕示のためではなく、より大きなチームワークの一部としてそれをやり、その中で各自がチームへの自分の貢献というものを認識し、自分が必要とされ認められていることを知り、ゲームに勝つようにプレーすることに誇りと満足を覚えるようにさせたかった。そして最高経営者としての私の仕事は、それらの人びとを不安のくさりで縛りつけている抑圧や恐怖から解き放つことだった。私はＩＴＴに成長と機会の機運を――各人が責任を分担したがり、私がせきたてるからではなく、仲間の圧力と誇りのために向上へと駆り立てられるような空気を――つくり出したかった。

私に固有のリーダーシップの感覚の傾向として、それをなし遂げる最善のやり方として選んだのは、ほかの人びとと一緒にボートに飛び乗り、オールをつかんで漕ぎ始めることだった。仮に名づけるなら、参加的リーダーシップと呼んでもよかろう。私はボートの後尾に座って自分は何もせず、部下たちにすべての仕事をするように説諭する船長になりたくなかった。また両手に大きな鞭を握って、奴隷たちを死ぬほどの恐怖に縮みあがらせる奴隷船の船長にもなりたくなかった。私はＩＴＴのだれにも劣らず、長時間、精出して働き、みんなそのことを知っていた。私は一日に一二時間あるいは一六時間働くこともあり、たびたびヨーロッパへ往復し、週末はいつも仕事の書類の詰まったブリーフケースをさげて家へ帰った。しかし、それは模範を示すためではなかった。私がそうしたのは、自分の仕事を十分に果たすにはそうせざるを得なかったからだ。しかし、それはしぜんに模範を――ごまかしのない模範を――示す結果になり、それはマネジメントの各階層に伝わって、全社の仕事に対する態度の基準を確立するためにもある程度役立った。なぜといって、私にそれができるのなら、ほかの人間にだってできるはずではないか。――自分の能力にすこしでも誇りをもつ人間なら。

余分に働くことの価値の理論的根拠は、私にははっきりしている。大体において同等の知能と能力をもつ二人の人間を想定してみたまえ。そして一〇年間、その一人は一日に八時間、もう一人は一二時間働き続けたとしよう。その一〇年の終わりには、一人は一〇年、もう一人は一五年に匹敵する経験を積んだことになる。きみが人を雇う立場だったら、その二人のどちらを雇う？　あるいはまた、ライバル同士の二人のビジネス・マネジャーか競争的な状況に置かれた二人の最高経営者がいて、それぞれ一人は一日に八時間、もう一人は一〇時間から一二時間働いていると仮定しよう。どちらのほうが他よりすぐれたビジネスマンになる可能性が大きいだろう？

実際的な面では、あらゆる最高経営者の第一の義務は会社の目標を定めることである。ゴールポストの方向を人びとに示し、どういうふうにしてそこへ達するかを指示するのは彼の責任である。彼はそれができる唯一の人間だ。それもまた、指導者としての彼の性格と個性から出てくる。もし彼が並の結果で満足するなら、それだけのものしか得られないだろう。鉄道会社では、第一の目標は列車を時刻表通りに運行させることかもしれない。公益事業会社では、電気やガスがとまったり、電話が不通になったりしないようにすることだろうか。しかしＩＴＴでは、私はもっと競争的かつ挑戦的な目標を定めた。——毎年連続して、どの年にも、一〇〜一五％の一株当たり収益の成長。われわれは一致団結して、五年間に倍増すべくスタートを切った。

私は緩めなかった。成長について、いかにしてわれわれはそれを達成しようとしているかを、そしてさらなる成長について私は説いた。ＩＴＴでの当初、くる夜もくる夜もわれわれのマネジメント・チームと、新会社をどんなふうにするかを語り合い、それをどんなやり方でするかを論じ合った。歳月が経過して、新しい会社を買収するたびに、われわれはその会社のマネジメントを歓迎の夕食会に招き、最低一〇％の年間成長率という目標について話し合った。——好況の年でも不況の年でも変わりはない。好況の年には容易に目標を達成できなくてはならないし、不況の年には必死に働かなくてはならないというだけのことだ。とにかく、毎年、目標を達成しなくてはならない。それがわれわれの趣意だった。そして新しい会社のマネジメントはわれわれを信じた。なぜなら、彼らはわれわれが本気でそう言っていることを知っていたからである。

ここで断っておかなくてはならないのは、われわれはそれらの人びとに、彼らの収益を毎年一〇～一五%増やせと命令していたのではないということだ。それをみんなで一緒にやろう、そして彼らがその目標を達成するのを、最高経営者を含む本社のマネジメント・チームが手助けしよう、と言っていたのだ。一口に言うなら、沈むにせよ生き延びるにせよ、われわれは同じボートに乗りこんで、今から必死に漕がなくてはならないが、最後にはきっと、全員にとってやるだけの価値があったことが証明されるだろう、ということだ。

よく組織された会社ならどこでも、そこに働くすべての男女に諒解された一種のバランスの感覚がなくてはならない。最もすぐれた人材を求め、その人びとが普通以上に――時には自分の能力の限界だと考えている線を越えるほど――奮励することを期待するなら、彼らに対する報酬もそれに比例しなくてはならない。私が着任したＩＴＴで、われわれが最初にやったことのひとつは、追い越し車線に移ることだった。われわれは見つかる限り最優秀の人材の雇い入れにかかった。ルックスや家柄の良さをせいぜい利用している、チャーミングで屈託のない人びとは敬遠した。かといって、あまりにも賢すぎて、われわれ凡人とはうまくやっていけない天才も欲しくなかった。われわれが欲しかったのは、熱意があり、物事を達成し、自分の人生をなにものかたらしめたいと欲求し、自分が求めるもののためには苦労することを恐れない、有能で経験を積んだ人物だった。もちろん、われわれが欲しいのは知能にすぐれ、知識と経験のそなわった人物ではあったが、そうした長所をそなえた候補者をさらに選考する条件として、私は働くことへの熱意という点で私と共通している人びとを周囲に置きたかった。

そうした種類のエグゼクティブをＩＴＴに誘引し、引き留めておくために、われわれは業界の平均より一〇％高い基本給を払い、加えるに気前のいい年末ボーナスと至当な昇給によってそれを補った。さらにまた、昇進も早かった。エグゼクティブたちに、年齢にも過去の経験にも関係なく、彼らが求め、かつ扱うことができる限り大きな責任を授け、それによって彼らは成長した。ＩＴＴは刺激に富む働き場所となった。

二、三年の間に、あれやこれやの理由から、われわれのペースについてこられないか、あるいはそうする気のない人びとは、自己の意思または要請によってＩＴＴを去った。しかし、まだ三十代でＩＴＴの子会社のどれかのマネジャーになった人びともいれば、四十代でいくつかの会社のグループ・マネジャーになった人びともいた。時がたつにつれて、経営層の陣容は安定してきたが、そうなると評論家や皮肉屋たちは、彼らがＩＴＴをやめないのは高い給料やエグゼクティブに与えられている特典のせいだと言い出した。これはまったく真実ではない。実績に裏づけられた職業経歴を持つエグゼクティブは、いわば優駿である。彼らはほとんど行きたいと思うどこにでも、高給と運転手つきの社用車を約束されている。われわれとともにとどまった人びとは、だれもがよく働き、絶えず挑戦に立ち向かい、正当に酬《むく》いられ、そして成長し続けることができるＩＴＴの環境の中で楽しくやっていけるから、そうしたのだ。むろん、安定と忠誠の感覚もまた、彼らを引き留めた要素ではある。

初期の時代にＩＴＴを去ったのは、不断のハードワークのペースに適応できなかった人びとが大半だった。しかし、のちには、よそからあまりにも好待遇で誘われたために、私としてはその人物のよりよき将来を祈って送り出さざるを得ない、といった場合が多くを占めるようになった。だれにせよ、特別にすばらしい機会をつかもうとしている人物を、私はけっして引き留めようとはしなかった。そんなことをするのはフェアでなく、したがって長いあいだには、その人物の信頼と忠誠心を失ってしまうのがおちだ。もちろん、どんな理由からでも、チームの良いメンバーを失うことを喜ぶ最高経営者はいない。しかし、理由として最悪なのは、報酬を十分に支払っていないために部下を失うことだと私は思う。

いったんしかるべき人びとがそれぞれの位置についたら、企業の成否の最も重要な要素となるのは会社の労働環境である。環境管理は最高経営者の手中にある。その場所の温度と空気の質を決めるのは彼だ。経験から私は、全社の個性を決定するのは最高経営者だということを知っていた。彼の下にいる人びとは彼の命令を遂行し、彼のスタイルを模倣する傾向がある。彼がやることとそのやり方は、一種のファッションとなって下の階層の人びとに模倣される。

私の考えでは、楽しい繁栄の雰囲気をつくるのに最も重要な要素は、経営組織の上下を通じて、開放的で自由で率直なコミュニケーションを定着させることである。われわれの頻繁な会議の背後にあったのはその考えだった。――ゼネラル・マネジャー会議、予算検討会議、問題解決のための会議、特別会議……。どのマネジャーも本社のトップ・マネジメントに直接に意思を通じることができた。われわれは階層に関係なくだれもが直接に意見を述べ合い、いかなる状況に関しても現実の事実に基づいて検討がおこなわれるように、全員を一堂に集めることによって経営階層のあいだの隔てを取り払った。

しかし、それだけではまだ事実の皮相を述べたにすぎない。その下には、お互いに、いつでも率直な意見を述べる義務があるという明確な諒解があった。人びとは私にでも、他のだれにでも反対することができた。彼らは私でも他のだれでも批判することができ、だれもその結果として迫害されることはなかった。批判を歓迎しようと私も努力した。当然のことだが、批判されるのが好きな人間はいない。批判を受けた場合、最初の反応は防御と反撃の衝動だ。しかし、それは各自がつとめて自制すべき種類の衝動である。

だれかが私と意見が合わない場合、私はキッとなるのを避けるために、意識的に後ろにもたれる姿勢をとるようにつとめた。私は自分が間違いを犯そうとしているかもしれない時には、だれかがそれを指摘してくれることをいつでも望んでいた。そうした人間を頭からしりぞけたことは一度もない。私は相手の言うことを聞き、見解を交換した。私が明らかな誤りを犯していたこともあれば、相手が間違っていることもあった。まれにではなく、両方が少しずつ間違っていたこともあった。しかし、ほとんどいつでも、新しい事実や新しい考えが湧いて出て、両者の応酬からどちらにも思いがけない、より良い進路が現れた。

だが、応酬そのものより重要だったのは、そうした会議で他の人びとがそれを見ていて、だれでも思っていることを口に出してボスに反対することができ、それがちゃんと聞かれるということが会社じゅうに知れわたることだった。批判に対して開放的であることには、通例、予期せぬ配当がついてくる。人びとはまた、自由に私なり他のだれなりのところへやってきて助けを求め、その場合もまた地位や格を下げられる恐れなしに、それを受けることができた。われわれ全員はひとつの目標に向かって力漕している、同じ救命艇の乗り合い仲間なのだった。それがわれわれの根底にある哲学だった。

自由で率直なコミュニケーションという、この政策を守るためには、いわゆる社内政略なるものをどんなかたちでも許してはならない、と私は考えた。私はその考えをはっきりした言い方で表明した。

――なんびとといえども、あとでお返しをするということを条件として、自分が推進したい計画を支持するように他のマネジャーを誘い、あるいは自分より下位の人間に、本人の正直な意見以外のことを言うように強制した場合は、職を失う危険があることを覚悟せよ、と。それは欺瞞行為だ。真実こそ良い経営の核心をなすものである。経営決定は事実の正直な検討に基づいてなされなくてはならず、地位の上下関係や脅迫や相互依存や友情その他を通じて他人の力を借りた一個の人間によって動かされるべきものではない。私はさらに、どんなふうにでもそうした依頼を受けた者は、その次第《しだい》を内密に私に報告するように訓告した。そうすれば私は彼を保護し、私みずから内密に事を処理すると約束した。

今でもはっきり思い出すことができるケースがひとつ起こった。ある副社長が私のところにやってきて、本社のある上席役員から、そのうちきっとお返しをするから、本当の意見を曲げてその上席役員の提案のひとつを支持するように頼まれた経緯を詳しく打ち明けた。入社して比較的日が浅いその副社長は、どうしたらいいのかわからなかった。私は彼が正直に打ち明けてくれたことに礼を言い、そのことは忘れてしまい、他には漏らさないように、始末は私がつけるから、と言った。それから私はその上席役員を私の部屋に呼んで、とっちめた。

彼が私のデスクの前にやってきても、私はいつもと違って、座りたまえと言わなかった。そのかわり、私は言った。「一言も口を利くなよ。もし一言でも言ったら、きみはクビだからね」。それから私は聞かされた話を、出所を明かさずに――きっと彼はほかの何人かにも、同じような働きかけをしたに違いないという確信があったので――詳しくなぞって聞かせた。「……というのが私の聞いた話だ。話の具合から、これは真実だと思う」。そして私は重ねて彼に警告した。「一言も言うなよ。答えは欲しくない。ただ、私が知っていることをきみに知って欲しいだけだ。それからもうひとつ、もしきみが同じことをもう一度して、それが私の耳に入ったら、私はきみをクビにするし、その理由を説明しもすまい。きみには理由がわかっているはずだからだ。一言も言いたもうな。さあ、もう行って、二度とお互いにこのことは論議すまい」。彼は回れ右をして、一言も言わずに出て行った。

その男は二度とそういうことをしようとせず、社内政略はITTから完全に一掃された、と言いたいところだが、そうはいかなかった。けれども、アメリカの大多数の会社に比べてITTでは、社内政略は最小限に抑えられたし、それも、なにも私の警告がそんなにひどく利いたせいではないと信ずる。社内政略が最もはびこって弊害をもたらすのは、停滞した会社においてである。ＩＴＴは非常に急速に成長していたので、その経営層の人びとには、人間関係にからんだパワープレーや、けちくさい策略を用いるまでもなく、会社とともに前進し成長する十分な機会があった。ただ、いかなるマネジメントにとっても重要なポイントは、社内政略というものは抑止しないと会社の士気と前進力を損なう不公正な自己権力拡大の一形態であるがゆえに、絶対に許すべきでないということだ。

人を解雇することは、おそらく会社のリーダーシップに課される最もきびしいテストである。だれが、なぜ、いつ――さらには、どんなふうに――解雇されるかは、会社とそのマネジメントとリーダーシップの性格の核心につながる問題である。組織に貢献していない人間、あるいは他の全員の努力を妨害している人間を取り除くのは、明らかにリーダー――工場長なりグループ副社長なり最高経営者なり――の責任である。遺憾ながら、ただもう働きたがらない人間はどこの会社にもいる。怠惰なのか、気がふさいでいるのか、気に入らないことがあるのか、それともほかのことに気をとられているのか、理由はともあれ自分のなすべき仕事をせず、したがりもしない。それからまた、特異な性格のために、上司や部下と円満にやっていけない人びともある。工場のアッセンブリー・ラインなどで、そうした人物は容易に見分けがつく。しかし、マネジャーの階層ではかなり見つけにくい。ではあるが、そうした人物の周囲の人びとはだれでも、彼（または彼女）がいかがわしい人間、あるいは食わせもの――ほかにも呼び方はいろいろあるだろうが――であることに気づいている。それでもたいてい、他の人びとはそのことを〝ボス〟には告げない。しかし、心の中ではその人物を監視し、審判している。そして、そういった種類の人物を見分け、なんとかするのはリーダーの責任である。そうした人物の弁解や、たくみなおしゃべりや、完全な嘘に気づくのは、かなり時間がかかるかもしれない。しかし、注意を怠らないリーダーならやがてそうした手がかりに気づき、事実を知ったら速やかに、断固として行動するだろう。そして彼はその時初めて、仲間の努力にただ乗りしていた人物を長いあいだ快く思っていなかった、勤勉で生産的な他の人びとすべての敬意を勝ち取るのだ。この意味で、人を解雇することもまた、マネジメントの建設的な役割のひとつだといえる。それは会社の空気を浄化し、環境を改善する。

人を解雇するのは、いつでも難しい仕事だ。それはビジネス・リーダーにとってひとつの正念場である。だれかを解雇するという問題に直面したリーダーは、そういう状況がもたらされたのはどこまで自分のせいかということを、ごまかさず、誠実に反省してみなくてはならない。――彼を解雇するのは、会社がコスト削減の必要に迫られているからか？　経済全般の状況のせいか？　それとも商況が悪く、市場での会社のシェアが落ちてきたためか？　もしそういった理由だったら、それは彼の責任ではなく、リーダーの責任だ。リーダーには、人を解雇せずに経済の悪状況を乗り切れるだけの強さと、新製品の開発競争や市場の傾向の変化に取り残されない賢明さをそなえるように、会社を経営する責任がある。

あるいはまた、その人物が仕事に不手際をしたために解雇しようとしているのかもしれない。本人さえそのことは認めているとしよう。しかし、リーダーは自問しなくてはならない。――彼がヘマをしたのは、助けがなかったためではないか？　彼には助けを受ける権利があった。彼が一人でその仕事をやれないとしたら、リーダーはそれを見抜いて助けの手を差し伸べるべきではなかったか？　彼だけの過失ではないかもしれない。そういう意味で、またしてもリーダーは過失を犯したのかもしれない。あるいはまた、彼が失敗したのは、その仕事に、ほかのだれでも解決できない難点があったためではないのか？　それとも不可抗力的な状況の犠牲になったのでは……？

中でもとりわけ困難なリーダーの仕事は、勤勉だし自己の最善を尽くしてはいるのだが、能力より自信のほうが勝ちすぎている人物を解雇しようとする時である。その仕事は、彼には荷が勝ちすぎているのだ。彼の判断――というより判断力の欠如――は経営の全体に重大な危険をもたらしかねない。そうした人間に、きみは無能だと言い渡すのはやりきれない思いだ。そこでクビにするかわりに、昇給させ昇進させるということを一〇年も続けてきた。その結果として、それこそどうにもならない荷を彼に負わせることになったのは、もとはといえばそのリーダーの責任だ。

あるいはまた、二〇年か三〇年、忠実に会社に奉仕してきたが、今や健康も能力もひどく衰えが目立つ人物を想定してみよう。彼はもう定年まで二、三年を残すのみだ。リーダーは彼をどうするか?

人を解雇するのに明快な公式というものはない。どんな方式を考案しても、かならず例外にぶつかるだろうし、例外があるのが当然だ。しかし、前記のようなケースをどう扱うかによって、彼がどんな種類のリーダーであるか、仲間からどれだけの尊敬を集め、またどれだけの尊敬を集めるにふさわしいかが決まり、そして究極的に彼が統率する会社の性格と個性もそれによって決定される。彼はそれらのケースに対処しなくてはならない。彼が定めた基準を達成するようにつとめ、おそらくはそうする能力あるいは熱意のない人間のおかげで余力の荷を担がされている人びとのために、邪魔を取り除いてやらなくてはならない。みんな、それを彼に期待しているのだ。

物理学では、どんな運動にも反動があることが知られている。最高経営者がある人間を解雇するなり昇進させるなり、また、その人物にとって有利または不利な、なんらかの処置をとると、社内の全体にわたって反応が起こる。反動は単にボスと、彼が対処している相手とのあいだにだけ起こるのではない。彼の処理の仕方の結果は、二人のあいだでの動と反動だけでは収まらない。それはラインに属する他の全員に余波を及ぼし、彼らはボスがやったことと、そのやり方に判定をくだし、それに基づいて反応する。

そういうわけで、彼は今挙げたような人びとを、全部解雇しなくてはならない。——定年間近の、最後の人物を別として。その人物はそれまでの在職中に、会社にとって多少迷惑ではあっても、残留させてもらう権利を稼いだのである。あるいはその人物を水平移動させて、それまでの部署を後進に譲らせるという手を打つのもいいかもしれない。彼は自分の置かれた立場を知っているはずだ。彼の周囲の人びとにもわかっているだろう。もし彼を解雇したら、どういううわさが広まるかはわかりきっている。——役に立つあいだはさんざんこき使っておいて、年とって使いものにならなくなったら廃品のように投げ捨てるのがこの会社のやり方なんだ……。そんな会社にだれが忠誠を捧げるだろうか？ それ以外の例に挙げた人びとについては、どんなに気が進まなかろうと、解雇するのがリーダーの義務だ。しかし、できるだけ紳士的に、本人にとって苦痛のすくないやり方をすることはできる。やる気はあるのだが荷が勝ちすぎているマネジャーには、本人の自信を打ち砕くことなく、もっと能力に適した再就職先を世話してやることもできよう。格下げして会社に残すことは、彼にとって（また会社にとっても）益より害のほうが大きいだろう。

最終的に、良いリーダーのやることは紳士的でなくてはならない。紳士的とはどういうことか、彼は知っていなくてはならない。ほかの者はみんな知っている。むろん、だれも自分のリーダーが、無知、不決断あるいは弱さから、無能を甘やかすことを望みはしない。弱いリーダーについていきたいとはだれも思わない。リーダーとして、弱いことは最低である。そんなリーダーの判断は頼りにできない。なぜなら、困難な状況にぶつかったら、どう変わるかもわからないからだ。困難で、不評判ですらある決断をすることを恐れない強いリーダーのほうが——ただ、目下の人間を扱うのに紳士的で公正で信頼できるということとが知れわたっている限りにおいて――ずっと多くの尊敬と忠誠を得られる。

ボートを漕がない人間を解雇するという、リーダーのきびしい役割について、最後にもう一言。――組織の中の他のみんなは、その人間のことをリーダーに告げ口しには来ない。しかし、いずれ、ほとんど本能的に、良いエグゼクティブは自分のために働いている人びとの長所とともに欠点にも気づくものだ。そして信頼できないとか、優柔不断だとか、我慢できないほど傲慢だとかいった欠点を持ったその人物に対するリーダーの反応は、ほとんどかならず、その人物と交渉のある人びとのそれと同じである。そしてリーダーがその人物に引導《いんどう》を渡してから初めて、他の人びとは彼についての意見を口にするようになる。彼らはみんな、いつになったらリーダーは真の状況に目覚めるのだろうかと心待ちにしていたのだ。

同じ理由から、良い人間が窮地に陥っている時（最優秀の人間にも、そういうことは起こる）できる限りその人物を支え、助けてやるのはリーダーの責任である。リーダーはその人物に忠誠を尽くす義務がある。なぜなら忠誠心は双務的なものだからだ。この場合もまた、リーダーの言動は会社じゅうに反響を呼び起こすだろう。

ＩＴＴの社長、ついでに会長として、私は外部からきびしい人間として見られた。ジャーナリズムはしばしば私をそのような人間として描いた。四半期の収益目標の達成のために、部下を酷使して早死に追いやる、気むずかしい苛酷な鬼経営者というイメージは、俗受けのする記事の材料としてもってこいだ。しかし、実際には、多年ＩＴＴにとどまり、私が退職したあと引き継いだマネジメント・チームは、われわれみずからがつくり出した速いペースと活動と成長を生き甲斐にしていた。近年、退職してから後、私はおおぜいの人から、ＩＴＴでの初期の、あの発展の年月は、生涯で最もスリリングな時期だったと告白する手紙をもらった。

ＩＴＴの二五〇のプロフィット・センターのマネジメントに徹底させた政策として、われわれはすべての子会社のマネジャーを独立の企業家として扱った。きびしい要求をしたが、紳士的だった。いつでも状況に関する事実がその当事者に対処を要求しているので、私（が要求しているの）ではない、ということを私はしばしば強調した。私は彼がやったことや、やるのを怠ったことを批判するかもしれないが、私の攻撃はけっして個人的なものではなかった。大小を問わずどんな会議でも、私はだれかの能力をけなしたり、脅かしたりしたことは一度もない。皮肉や個人攻撃はいかなるレベルでも慎むべきものとされた。論理的、啓発的な批判より、利口ぶった皮肉な言葉が、想像力に富む良い考えの芽を摘みとってしまうことが多い。開放的なコミュニケーションとは、だれもが言いたいことを言う資格を与えられることを意味する。私はみんなに、あらん限りの想像力と創造性を発揮してほしかった。なにかのことで、私がだれかを叱責する必要があると思った時は、他人のいないところでそうした。私がどう思っているかを知らせたのはその人間に対してであり、ほかの人たちではなかったからだ。

　良い考えというものは得がたいものであり、私は最高経営者として、想像力に富んだ考えを歓迎し、育成する責任があるといつも考えていた。最高経営者は、一見とっぴな考えに、率先して予算や資金を割り当てるリスクを冒せる地位にある。すくなくとも、そうあるべきだ。というのは、彼の下にいる人びとは、うまくいかなかったら自分の地位が危うくなるかもしれないようなことには、なるべく関係すまいと思っていることが多いからだ。しかし、財力の豊かなＩＴＴのような大会社にはそうしたリスクを冒す余裕がある。新しいベンチャーはＩＴＴの労働環境への良い刺激となった。中にはわれわれの期待をすら上回る成功を収めたものもあり、それはさらに未知の可能性をつかむわれわれの能力への自信を培う助けとなった。アメリカの多くの大企業に最も欠けているのは、想像力と創造性の二要素である。

マネジャーたちを、企業家として当然与えられるべき尊厳と敬意をもって遇するという原則にしたがって、私は事業部または子会社のマネジャーに、本人が納得できないことをせよとはけっして命令しないという基本方針を守った。最高経営者たるものは、みなそうあるべきだと思う。人に何かをするなと命じるのはかまわない。——会社で火事を起こすなとか、五億ドルの新工場を今年は建てるなとか。しかし、本人が納得しないことをさせたかったら、納得するまで説得しなくてはならない。それをしないで、強引にせよと命令したら、命令した人間がその決定の責任をとらされることになる。命令された人間は、後日、命令した人間のところにやってきて、こんなふうに言う権利がある。「ご命令の通りにやってみましたが、結果はごらんの通り、さんざんでした。しかし、これは私の責任ではありませんよ」。実際、彼の意識下では、相手の考えがうまくいかないことが、また自分が正しくて相手が間違っていたことが証明できて、ざまみろと言いたいぐらいの気持ちなのだ。

どうしても彼を説得できない場合はどうする？　そうしたことが起こるのは、まれではない。子会社の最高経営者が親会社の最高経営者と同じぐらいの自我と自信を持ち合わせていたとしても、べつに不思議ではないからだ。きみは彼にAの方法をとるように説得しようとする。しかし、彼はBの方法に固執する。そのことの当事者は彼で、それは彼の責任だ。そこできみは彼に、「オーケー、ジョン、(本社の)われわれはきみが間違っていると思う」と言い、その理由を説明する。「しかし、われわれのほうが誤りで、きみのほうが正しいという考えがまだ変わらないのなら、きみのやり方でやってみたまえ」。

そして彼のほうが間違っていたとわかった場合、きみとしては、そのことから彼がなにかを学んだことを期待する。それからまた同じようなことが起こって、彼が依然として頑固だったら、こんなふうに言ってやるのだ。「よかろう、当事者はきみなんだから、きみの思うようにやりたまえ。しかし、きみはその進行状況を絶えず（本社の）われわれに知らせるようにし、われわれもよく気をつけていて、気がついたことがあったらそのつどきみに助言するようにしよう。そしたら、きみはものがよくわかった人なんだから、われわれの言うことの中から、正しいと思うことと間違いだと思うことを取捨選択してくれたまえ。そしてどちらとも判断がつきかねる場合は、われわれに相談してくれたまえ。もしそれが五分五分の可能性をもったことで、われわれのどちらもがどうとも決めかねる場合は、きみが主導権をとりたまえ。当事者はきみで、われわれよりよく実際の事情を知ってるんだから。われわれはきみに、こうせよとは命令しないし、きみを裏切るようなことはしない。しかし、きみの思い通りにやるなら、日夜よく研究して、自分が何をやっているかを自覚してやりたまえ。けっして、やみくもに何かをやったりしないように。きみが困った立場になるのは、きみが状況に関する事実を十分に探求しなかったために物事がおかしくなったのだとわかった時だ。そういう諒解のもとで、やりたいようにやりたまえ」。敬意をもって人を遇するというのはそういうことだ。彼が間違っていると思っていても、なお彼が正しいことを願う。重要なのは、だれが正しいかではなくて何が正しいかだ。

　リーダーシップが発揮されるのは、言葉より態度と行為においてである。自分はチームプレーを、相互的な忠誠心を、労働の尊厳性を、公正な報酬制度を信奉する、と言うのはやさしいが、いったん問題が起こった時、そうした〝信条〟を貫き通す最高経営者がどれだけいるだろうか？　何人が、自己の職業的経歴を危険にさらしても、自分が統率するマネジメント・チームと労働者をかばってやろうとするだろうか？　あるいは逆に、〝ミスター・ナンバーワン〟のことを本当に気づかっている人間がどれだけいるだろうか？　マネジメントの階梯の上下を通じて、あるエグゼクティブがたった一度でも部下を裏切るなら――あることを言って、問題が起こった時にそれと違うことをしたら――彼はその部下の敬意と忠誠を永久に失ってしまう。そして話は遠く広く伝わる。その話を聞いた者はだれでも、こんなふうに思い、それはまた当然でもある。「一度そういうことをやったからには、またやるかもしれない。ひょっとしたらこのおれに対してだって。おれはそんな目に遭わないようによくよく気をつけるのはもちろん、もしかしたら転職を考えたほうがいいのかもしれない。なにしろ、この会社は急に安心できない場所になっちまったからな」

このことに関する限り、だれにもごまかしはきかない。私が働いたどの会社でも、下はエレベーターボーイや営繕係や掃除夫にいたるまで、会社の人間はすべて、最高経営者や副社長や直接の上司に対して確たる意見を持っていることを私は知らされた。ある会社で、私は二人のトップ・エグゼクティブについての意見を聞いて回ったことがある。

「××さんのことを、あんたはどう思うかね?」と私は聞いた。

「ああ、あの人は立派な人ですよ」

「それじゃ○○さんは?」

「あの人はまあ、とてもじゃないけど……(信用できませんね)」

「その二人のどちらかに、会ったことがありますか?」

「いや。でも、会わなくたってそれぐらいのことは……」

会わなくても、彼にはわかっているのだ。それは伝聞に基づいた彼の意見だが、間違っていることはめったにない。問題のエグゼクティブの近くにいる人びとは、各自の見解を裏づけるもっと多くの事実を知ってはいるが、見解そのものはラインの上下を通じて同じなのが普通だ。そしてそうした意見の集積が会社の風潮、雰囲気、意気を形づくるのである。それはまた、業績にも表れる。尊敬し崇拝しているだれかのために働くのは楽しく、くそいまいましい野郎のために働くのは最低だということはだれでも知っている。

だからして、私の見るかぎり、すばらしい業績を挙げられるように、最高経営者として人びとを鼓舞する最良の道は、行為と日常の態度によって、自分が心から彼らを支持していることをわからせることである。やるからには本気で、それとわかるように見せつけなくてはならない。心の深いところで、彼らはその支えを感じとるにちがいない。それがつまり、みんなが危機にある時、率先してオールをつかむということだ。ＩＴＴでの当初、私がつくった複雑な監視システム――詳細な報告書やら会議やらスタッフによる厳格な何重ものチェックやら――は、全部とはいわないまでも大半の子会社のマネジャーからいやがられた。だれかから、後ろ肩ごしにのぞきこまれて、自分のやっていることを検査されるのが好きな人間はいない。最初の反応は恐怖だった。われわれの監視システムは、彼らのライン業績がうまくいくように本社のわれわれが手助けできるように、また助けの有無にかかわらず、彼らが成功した時にはその業績が十分に認められるようにするためのものだということを、彼らが理解し、受けいれるまでにはある程度の期間が必要だった。彼らは私を吟味し、私の知能を、私の能力を、私の誠実さを、私の性格を、私が信頼できるかどうかを、ちょうど私が彼らをテストするのと同じようにテストしなくてはならなかった。しかし、時がたつにつれて、信頼と敬意と一種の同志の感覚と忠誠心が、われわれがともに達成しつつあるものへのある程度の誇りとともに生まれていた。

最高経営者の献身的な、揺るぎない支持は、彼のマネジメント・チームにとって、そればかりか会社の全員にとって、命綱か安全ネットのようなものだ。突然の解雇通告によって家族や大学進学志望の子供たちが困窮するようなことはけっしてないと彼らが信じて、安心して働けるためには、彼が信頼できる人間でなくてはならない。そうであって初めて、彼らは想像力や創造的エネルギーを発揮できる。そのためにはまた、誠意を尽くしているのに失策を犯した時には、不当な譴責を受けることへの恐怖なしに、そのことを認めることができるようにしなくてはならない。ITTでは、会社のある人間が私のオフィスにやってきて、自分がヘマをしたこと、そして会社に何百万ドルもの損をさせたことを認め、しかしつぎに、その状況を修正するプランを提示する、といったことが一度ならずあった。災厄を救済するプランを持ってくる限り、彼らは私の支持を与えられた。

前にも言ったように、真のリーダーは下の人びとに、どんな理由からであれ自分に近づくことを恐れさせないように、まがいものでない門戸開放政策を維持しなくてはならない。最高経営者に向かって、「これこれのことについて、あなたは完全な間違いをなさっていると思います。そしてその理由はこれこれです」と、だれでも気兼ねなく言えるようでなくてはならない。自己のエゴを克服している最高経営者は、そうした批判に耳を傾ける。なぜなら、たとえそれが間違っていても、なにか新しく得るところがあるかもしれないからだ。それからその彼（彼女）に、事実とまっすぐに対峙させる。そしてもしその彼（彼女）が正しければ、最高経営者は彼（彼女）に大いに感謝して、状況の改善にとりかかればいい。その処置についてのうわさはたちまち会社の隅々に伝わり、他の人びとも自由にものを言うように仕向けるだろう。だれがなんといおうと、どんな会社でもだれかが頭脳を独占する（したがってその一人の考えだけが正しい）などということはあり得ないのだ。

大会社の最高経営者に付与されている権限はあまりにも大きく完全で、彼の時間を要求することがありすぎるために、ややもすればそれと気づかずに、権威主義的なやり方で部下を従わせるようになりやすい。アメリカの大多数の大会社では、最高経営者は自分一人の世界に住んでいる。彼は本社ビルの上階の贅沢な社長室に隔離され、彼の言葉は法であり、だれもが彼にヘイコラし、彼の気分や性癖に追従する。彼は奥まった聖所《サンクタム》に居ながらにして会社を経営する。〝外の〟人びとは彼を見かけることもめったにない。報告書は何重もの経営層をくぐり、委員会または委員会の処理を経て彼のところへ届く。彼はそれに〈イエス〉または〈ノー〉と頭文字だけの署名を書きつける。彼は私がビジネス・リーダーシップについてこれまで述べたことの全部に賛成するだろうが、損益計算書には表れてこない、あの無形のものに注意を払う時間を見つけることができない。そして彼は微妙に変わっていく。権威主義者になるほうが楽だし、時間もとらわれずにすむ。彼はリーダーから司令官に変わったのだ。

リーダーは人びとを指導し、司令官は人に命令する。むろん両者のあいだには漸次移行部があるが、主要な特色として司令官は部下たちに、「これこれのことをいつまでにせよ。そして、もしできなかったたらクビだ！」という態度で接する。そしてその通りにする。失敗した人間はクビにされ、うまくやった人間は褒美として肩をたたいてもらったり、昇進したりボーナスをもらったりする。彼の部下たちは命令に服従する。彼は恐怖によって支配する。私の古くからの仕事上の友人の、ある最高経営者は三カ月に一回、自分の会社の各事業部マネジャーを見回って、彼らを〝腹の底から脅え上がらして〟やることにしている、と私に打ち明けた。そしてそのやり方は、どうやら通用しているようだ。彼の会社の損益計算書の数字はケチのつけようがない。

ビジネス司令官がそのマネジメント・チームの心に恐怖をたたきこむ程度に準じて、彼らはアメリカの企業の世界を、恐怖にとらわれた人びとが会社の中で自己の生存のために競争するジャングルに変えてしまった。長い目で見ると、それは反生産的なことだと私は確信する。まず第一に、脅えた人たちは社内政略に走る。彼らは問題がまだ解決可能な早期に、進み出てそれを認めることをしないだろう。最も有能で自立心のある人びとは、そうした状態のもとで働くことを不本意として去る。良い人びとはそうした会社には入らないだろう。初めはそれとわからないぐらいだが、やがてそうしたマイナス効果をもつ状態と態度は、互いに他をこやしにして増殖して、ついには最高経営者司令官とその取締役会が測ろうとしても測れないほど深い淵をつくり、会社はその中に沈没していってしまうだろう。

会社を統率する人間は、その会社の人びとが本当は彼のために働いているのではないということを認識しなくてはならない。彼らは彼と一緒に自分自身のために働いているのだ。彼らはそれぞれに自分の夢を、自己達成への要素を持っている。彼が自分のそれ（自己達成への要求）を満たすのを、彼らが助けてくれるのと同じぐらい、彼もまた彼らが自分たちのそれを満たすのを助けてやらなくてはならない。彼は自分が彼らと同じぐらい精出して働いていること、自分が有能な最高経営者であり、自分についてくれば崖から落ちたり路頭に迷ったりする心配はないこと、自分を信頼していればかならず各自が応分かつ公正な報酬を受けられること、そして自分が彼らの活動の報酬とともにリスクをも進んで分かち合おうとしていることを、彼らに証明してみせなくてはならない。

いかなる最高経営者も取締役会あるいは株主たちに対して、このリーダーシップというものが会社の損益計算書のトータル・バランスに（仮にいくらかでも貢献するとして）どの程度の貢献をするかを、明示することはできない。それは触知不可能なものだからだ。彼は自分のマネジメント・チームのメンバーたちのために、一見高い報酬と不安のない維持システムを要求することで、取締役会と揉めるかもしれない。しかし、リーダーシップというものは企業経営の最も重要な一要素であり、人びとに前進と上昇への熱意を起こさせる最高経営者の態度は、その会社の成功の八〇～九〇％の貢献度があると私は確信する。

最後に、私が初めに言ったように、リーダーシップというものは、だれからも教えてもらうことはできない。だれもが同じ本を読んでいるのに、あるマネジャーは自分のマネジメント・チームから四〇%の努力しか引き出せないのに対して、別のマネジャーは八〇%を引き出すことができ、そのどちらかはマネジャー自身と、その性格の顕現たる毎日の何百という小さなおこないにかかっている。どんな会社の体制にも微妙なバランスというものが存在し、そのバランスはよかれあしかれ最高経営者が本能的に、直覚的に、自発的に、あるいは経験からするあらゆる小さなことによって動揺する。リーダーシップというものは、人生と同様、歩みながら学ぶほかはないのだ。

第七章

エグゼクティブの机

勝手な言い方をさせてもらうと、エグゼクティブには二通りある。――一つは机の上がきれいに片づいているエグゼクティブ（以下、きれいな机のエグゼクティブと呼ぶ）、もう一つは机の上が散らかっているエグゼクティブ（以下、散らかった机のエグゼクティブと呼ぶ）だ。

ビジネスマン、なかんずくビジネス・スクール出身の人びとは、物腰やヘアスタイルやしゃべり方が、ある型に当てはまるように心がけることを学んでいる。しかし、そうしたビジネスマンがオフィスの机に向かって働いているところにぶつかった時、その机の上の状態は、ほかのことからではわからないことを知らせてくれる。通常、ある人の机の上がどんなふうかということから、その人の心的傾向について多くのことがわかる。

多年にわたる私の経験からいって、机の上になにも出ていない、きれいな机の主は、ビジネスの現実から隔離されて、それを他のだれかにかわって運営してもらっているのだ。もちろん、たいていの場合、本人はそうは思っていない。彼は会社の長期戦略を練っているのだ。経営を受け持っているのは社長で、その机の上にはさまざまの報告書や社内メモ類が山をなしている。もし社長の机の上もきれいなら、きっと執行副社長が一人で仕事を背負いこんでいるのだ。いずれにしろ、トップ・マネジメントのだれかが会社を運営しているはずだ。

私のこの意見に反対する人びとがおおぜいいることはわかっている。きれいな机は、その主であるエグゼクティブが〝組織化された頭脳〟の持ち主である証拠だ、とその人たちは言う。彼の書類はすべてしかるべき場所にファイルされており、ブザーを押して秘書に言いつければ、たちどころに必要な書類をとり出してくれる。そして彼の一日はというと、午前一〇時にはある問題を、一〇時半にはつぎの問題をと言ったふうに、処理すべき案件ごとにこまかく整然と分割されている……というのだ。ばかばかしい！　と私はいいたい。

トップ・マネジメントに――いや、ミドル・マネジメントにでも――属する人間にとって、当然なすべき程度と水準の仕事をしながら、同時に机の上をきれいにしておくなど、実際からいって不可能である。どんな時でも、たとえば中ぐらいの規模のひとつのプロジェクトと取り組んでいる時でも、そのプロジェクトについて同時に考慮しなくてはならない角度――その過去と現在と未来に向けた観点――はたくさんあって、一日のあるタイムスポットにきっちりはめこめるものではない。電話は鳴るわ、重要な手紙は届くわ、非常事態は発生するわ……本当に仕事をしているエグゼクティブのスケジュールには、あらゆる種類の物事が割りこんでくる。重要な新しい情報が、定期の予定を外れて到来することもある。普通、一時にひとつのプロジェクトどころでない、たくさんの案件を抱えているエグゼクティブは、ある程度の量の情報しか頭の中に納めておくことができない。そこでその情報に関係のある、机の上の報告書に手を伸ばす……。

いくつかのプロジェクトの〝第一線〟でリーダーシップをとっているエグゼクティブであれば、八、九通もの書類が机の上に、さらに一〇通がすぐそばの床の上に、別にまた八通が後ろの戸棚に載っているといった状態を現出せざるを得ない。電話がかかってきたり、忙しさを縫って会議に出ようというような時、必要な情報をすぐ手にできなくてはならないからだ。だから、それは机の上になくてはならない。ほかにしようがないのだ。秘書を呼んで、一通の報告書と二つのメモを、あれとあれだと説明をして出させるなどという悠長なことはしていられない。腕を伸ばせば届く、そこにあるようにしておきたいのだ。いわば、机の上すなわちファイル戸棚のようなもので、買収関係の書類は右手の向こう隅に、予算関係のものは左側手前に、報酬と人事関係のものは予算関係の右側に……といった具合に配置されている。そしてなにかが見つからなければ、見つかるまでその辺をひっかきまわすのだ。それはたしかに科学的とはいえないが、なんとかやっていける。

　私は現在、必要な書類は自分のオフィスに――重要なものは机の上に、そして一部は床に、一部は背後に、一部はいくつかの特大のアタッシェケースに入れて――置くようにしていた。何がどこにあるか、自分で置いたのだから私にはわかっていた。個人的な便宜上、私は毎日の終わりに、窓の下枠とサイドテーブルの上にならべてある一五～二〇のアタッシェケースの中にしまった。そして退社する時、あるいは旅行に出かける時には、そのアタッシェケースの中の三～四個（時にはもっとたくさん）を持って出た。それはいわば〝コンテナ化された〟私のオフィスだった。それはどこへでも持って行けたし、実際にも持って行った。そのおかげで私は週末に家で仕事することもできれば、いつ、どこででも、電話の用談中にされる質問に答えることもできた。私はいつもオフィスを持ち歩いているようなものだった。ヨーロッパへの毎月の往復旅行には、頼りになるアタッシェケースを傍に侍らせて、会社の自家用飛行機の機内が私のオフィスになる。そこで仕事は平常通りはかどる。

　私の書類保管方式は、いくらか特異かもしれない。現在用のあるものは机の上もしくはアタッシェケースのどれかに入れて、身辺に置いてある。それは純粋に必要からだ。ある報告書なり書類の用が済んでしまうと、私はそれを秘書に下げ渡す。秘書はそれを三カ月保存する。しかる後に、彼女はそれを自動的に捨ててしまう。そのやり方は私のオフィスの保管書類の量を最小限に保ってくれる。九〇日以上たったどんなものも、私には必要ない。ラインとスタッフの両系統の人びとが毎月報告をしてくれるし、その報告書にはそれぞれ前月〝赤信号がついた〟未解決の書類が、その後の経過を補足して記述されている。私は後戻りをしてもとの報告書を読む必要はないし、それらを会社の古文書として永久保存することに私はなんの意味も認めない。私にとってビジネスとは前向きの、生きたプロセスなのである。

私の机の上は散らかっているが、それは私が前進する会社の事業に没頭しているからである。私はたいていのエグゼクティブは他の人びとに権限を委譲するが、私はそれをせず、何でも自分でやった。手紙の文も秘書や他のだれかに書かせるよりはむしろ自分で口述した。スピーチの原稿もその道の専門家任せにせず、自分で書くか、あるいはすくなくとも概要を指示した。だから私の手紙の文もスピーチの言い回しも、専門家のようには洗練されていなかったが、私が言いたいと思うことを、私自身の口調で伝えることができた。また外からかかってくる電話のうち、どれを私に取り次ぎ、どれを取り次がないかを秘書の判断にまかせることはしなかった。どの電話もインターコムまたはメモで知らされ、どの電話が緊急、重要あるいは重要でないかを決めるのは私自身だった。比喩的な言い方をすれば、私のオフィスのドアは、私に会う必要があると思う社内の全員に対して開け放されていた。そうする時間が私にできるまで待たなくてはならないかもしれないが、態度としては、私はだれの言うことにでも心を開いて耳を傾けるつもりだった。私の貴重な時間に割りこんで邪魔になるのではないかと遠慮するようなことは、だれにもさせたくなかった。むろん、時間は私にとって貴重だった。しかし、人が私に話したいと思うのは、たいてい重要なことだということを私は知っていた。頭がおかしい人間でもない限り、ただ暇つぶしのために、あるいは個人的な点数稼ぎのために、最高経営者に話を聞いてくれと申し入れたりはしない。

きれいな机のエグゼクティブは、前記のようなことはすべて貴重な執務時間の浪費だと考えるであろうことは疑いもない。彼はいわゆる合理化されたオフィスの擁護者である。彼はこれも委譲し、あれも委譲する。およそ委譲できるかぎりのものを委譲して、自分の職域では組織化が行き届き、むだのない運営がおこなわれていると自賛する。だが、私は反問したい。――なんのための組織化なのか？　どんな種類のむだが省かれたのか、と。

自分の机にやってくるものはなんでもかんでも脇へ委譲してしまう（そしていつでもそこがきれいになっているようにする）ということは、自分の役割を交通巡査のそれに縮小してしまうことになりはしないだろうか？　自覚していようといまいと、彼が実際にやっていることは、書類の流れを整理して、他人がした決定にゴーかストップかのサインを出しているだけのことではないのか？　交通巡査の役を務めること自体は、なにも悪いことではない。ただ、それでトップ・エグゼクティブのサラリーをもらうというのはどんなものだろうか？　ただの業務管理者なら、トップ・マネジメントに支払われるサラリーとボーナスの何分の一、何十分の一で雇うことができよう。

前にもそれとなく言ったように、会社を経営する責任を、そこに何が含まれているかをよく知らずに委譲してしまうエグゼクティブは、自分を無用化するという大きな危険を犯しているのだ。彼は私が〝マークシート・マネジャー〟と呼ぶものに成り下がってしまうかもしれない。彼の補佐者たちは彼に、いくつかの決定案が書きつけられたマークシートを手渡し、彼はその中のひとつにマークをつける。しかし、本当に決定をおこなっているのはだれか、会社の人びとはみんな知っている。いつでも採用されるのはだれの〝提案〟か、みんな知っている。本当に会社の実権を握っているのはどのドアの向こうにいる人間か、だれでも知っている。

責任と権限を、そこに含まれているものをよく知らずに委譲することの真の危険は、それを委譲された人間が失敗するかもしれないところにある。そうしたことが起こっても、最高経営者にはそれを救済するのに十分な知識がない。彼にできるのは、だれかを雇ってその仕事をやらせることだけだ。もしそうだとすると、堂々たる肩書、立派なオフィス、そしてきれいな机の持ち主であるにもかかわらず、彼は無能だということになる。

他方、彼の副社長たちが全員、それぞれの仕事を難なくやりこなしている場合には、彼を最高経営者にしておく必要はまったくないということに、いつかだれかが気づくにちがいない。そして取締役会の要請があれば、部下たちの中のだれでも、喜んで彼に取って代わるだろう。

断っておくが、どんな最高経営者でも、ある程度の責任委譲をしなくてはならないことはいうまでもない。私とて、ＩＴＴの二五〇にならんとするライン・オペレーションを一人で経営できる道理がない。各子会社のマネジャーは実質上の自治権と、それに伴う責任を付与されていた。ただ、そうした責任を委譲するにあたって、私は自分の当然なすべきこととして、その責任に含まれる事業のことを十分に知っていなくてはならなかった。なぜなら私は最高経営者として、ＩＴＴの子会社の全部の総和に関して、取締役会に対して責任を負っていたからだ。さまざまの報告書も予算の検討も、すべてそのためのものだった。自分の職責を果たすために、私は電話交換装置の最新技術からこみ入った保険数理の仕組みまで、われわれの事業活動のあらゆる面の概要を心得ていなくてはならなかった。新たに会社を買収するたびに、私と私のスタッフはその会社のマネジメントからその事業に関する包括的な解説をしてもらった。そうして初めてわれわれは彼らがやっていることを理解して、それに判断をくだし、必要な場合には、彼らの知識の蓄えにわれわれのレパートリーにある専門知識を追加してやることができた。前にも述べたように、われわれの仕事は経営することだった。そのためには、マークシートに書きつけられた摘要にではなく、深く広い知識に基づいて選択をしなくてはならなかった。

一口に言うなら、エグゼクティブとしてすることになっている仕事を本当にやっているなら、彼の机の上は散らかっているのが当然だということだ。なぜなら、エグゼクティブの職業生活そのものが〝散らかった（雑然とした）〟ものだからである。

なにかの理由から、自分はのんびりやっているのだとか、もう半分は引退したようなものだとか、時節を待っているのだとか自認している人物が机の上をきれいにしているのなら、私にもうなずける。会社を創立して成功させ、それから重要な経営決定は他人任せにすることにして、自分は取締役会長に自適してしまった何人かの人を私も知っている。しかし、そうした人はごくまれだ。もっとよく見かけるのは、きれいな机にほかの理由をつけるプロフェッショナルマネジャーである。そのひとつのタイプは、自分はトップにのし上がるためにさんざん働いてきたが、どうやらもう安泰と見きわめがついたので、他人がかわりに仕事をやってくれるのを楽しんでいるのだ、と認める人たちだ。しかし、そういう誤った安定感は長続きすまい。それよりもっと多く見かけるのは、自分はもう、会社を経営していくうえで日々に起こる雑多な問題にかかずらうばかりが能の、世俗的な次元の人間ではないと思いこむようになった人たちである。そして自分は、明日の世界で新しいすばらしい高みへと会社を導く遠大な長期戦略を編み出すために、机の上と頭の中をクリアにしておかなくてはならないのだと主張する。自分は会社のオペレーション・ラインで働いている平凡な連中の頭ごしに遠方に目をやって、未来の計画を練っているのだ、と。そして彼らは本気でそう信じてもいる。

きれいな机のエグゼクティブの心的状態と態度は、机の上よりずっと先まで押し広げられる。覚書や報告書は簡潔でなくてはならないと主張し、どんなに複雑な主題に関するものでも一ページ半か二ページぐらいに収めることを彼は要求する。委員会の会議の議事日程は厳密に定められていなくてはならない。日程に載っていない事項は持ち出してはならない。議事に費やす時間もきっちり定められていなくてはならない。議事3号は一〇時三分に、4号は一〇時一三分に、5号は一〇時二二分にそれぞれ上程され、一一時三〇分に閉会といった具合に。むろん、時として議事は割当時間を超過し、閉会時間が遅延することさえ間々ある。そしてそのエグゼクティブも、時間表はなかなか正確には守られないものだという現実をしぶしぶ受けいれる。しかし、私に言わせれば、そもそも会議を厳密な予定にしたがってやろうと試みること自体が反生産的なのだ。なぜなら、それは会議に参加する全員を、拘束衣を着せられたような窮屈な気分にさせるからだ。ベルを鳴らして議論を制止するまでもなく、そこにいる全員が、時間に制限が設けられていることを承知している。なにかを言い出そうとして、その問題に割り当てられた五分間か一〇分間かがもう過ぎてしまったのを見てとって、口を開くのをやめてしまう人もいよう。彼が言おうとしたことは、みんなに聞かれずに終わり、会議で取り上げられなかったことは知られずに終わってしまう。そのために、もしかしたら会社のマネジメントは、なにか重要なものを取り逃がしてしまったかもしれない。それからまた、創造性の素材となるものをつかみ損なったかもしれない。たまたま初めに出てきた考えを聞くだけでは、最もすばらしい宝石のような考えを選びとることがどうしてできよう。

散らかった机のエグゼクティブも、会議に出席する時には議事日程をたずさえてはいるが、彼にとっては時間表より、会議で思いがけなく起こったりすることのほうがよほど重要である。その会議を通じて最も重要な事項は、主題に割り当てられた時間が終わる間ぎわに出てくるかもしれない。そしてそれは五分間どころか二時間の討議に値するかもしれない。彼はその概要をつかむために二五分間、議論が進行するままに任せ、それからつぎの会議であとを続けるために、その事項のフォローアップをだれかに命じるかもしれない。いずれにせよ彼は、ただ時間がきたというだけの理由で、だれかをさえぎることはしない。むろん、本筋からの逸脱や同じことの反復やもったいぶった遠回りには容赦なくストップをかけ、会議が渋滞なく進行するように調整することは差し支えないし、またそうすべきである。しかし、それと同時に、議論をやめさせるべきでない（やめさせないほうがいい）時には、そのことを、ちゃんと見抜けなくてはならない。なぜなら、何が重要で何が重要でないか、彼が指摘するまではだれも確信がもてないからだ。それから初めて、その問題はメリットに相当する十分な時間を与えられることになる。

そうした種類の会議は――エグゼクティブの机の上がゴッタがえしているのと同じ理由から――たいてい遅くまでかかる。それは定刻に終わるように会議を運営するのと、想像力と創造的な考えを封殺したり、空中にひらめいた機会を取り逃がしたりしないように会議を進行させるのと、どちらが大切かという価値判断の問題だ。良い会議では、参加者の関心が高まるとともに、新鮮なアイデアの自発的な交換から生じるはずみというものがあり、そのはずみは参加者に許された自由と柔軟性に根ざしている。思うに、それが良いマネジメントの本質であろう。その逆のやり方はマネジメントへの単調で義務的なアプローチを招き、結果を生むのが仕事のマネジメントが、千篇一律の繰り返しを生むだけにとどまってしまう。

自由で柔軟性のある会議のために支払わされる代価といえば、いつもではなくてもたいてい、それが遅くまでかかってしまうことだ。それは私の最悪の欠点のひとつでもある。私は自分のオフィスで人びととつぎつぎに会議をし、その会議のそれぞれが予期したより長くなるので、一日の終わりには、人びとが――たいていはスタッフ系の人びとが――列をなして私に会う順番を待っているという状態になってしまう。そのことは気になってはいた。しかし、スケジュールに忠実であるより、やるべき仕事をやることのほうが重要だという考えでいる限り、そればかりはどうしようもなく、またどうにかするつもりも私にはなかった。

私とよく接触する人たちはたいてい、私が彼らにしばしば不便を味わわせることを気にしていないわけではないことを理解してくれていた。自分たちが待たされている時には、自分たちと同じぐらい重要な仕事に私が没頭させられていることを、彼らは知っていた。それからまた、順番さえくれば自分もまた私から、他に注意をそらさず無制限に相手をしてもらえることを知っていた。

実際、私は現在、目前の問題に集中するあまりに時間のことを完全に忘れてしまい、そしてなぜか最も興味のある観点あるいは新しい考えは、ほとんどかならず会議が終わりかけた時に生まれてくるのだった。私のオフィスにいる人数が二人だろうと一〇人だろうと、そろそろ終わりにしようとしている時に、だれかが、「そうだ、そういえば今思いついたんだが……」と言い出し、その会議を通じて最も重要なポイントが示唆される。そうなっては、話をそれで打ち切りにするわけにはいくまいではないか。

きれいな机の上、議事日程や面会の厳守などは、ある種のビジネス・エグゼクティブの心的傾向の象徴であると同時に症候でもある。彼は几帳面な、強迫感にとりつかれたタイプの人間で、しばしば自分はビジネスをひとつの科学として把握していると揚言する。そしてどちらかというと、科学的経営の霊気に心酔したビジネス・スクール出身者である場合が多い。彼は自分のオフィスのどこに何があるかを心得ているのと同じように、ビジネスがどこへ向かっていこうとしているかを正確に知っていると思っている。この態度は彼のすることとなすことのほとんどすべてに浸透している。彼の十八番《おはこ》は――といっても、たいていの場合、本人がそう自称するというだけのことだが――科学的に将来の計画を立てることにある。それは会社を買収する時の彼の方法に、最もはっきりと表れる。

彼は俗に〝狙撃方式〟と呼ばれるやり方をとる。それにはまず経済の大勢を研究し、将来繁栄しそうな産業に、さらにその中でも最も有望な業種に、それからいくつかの会社に、最後に最も有望な環境にある最良の業種の最良の会社に目標をしぼり、その会社を買収しようと決める。それからその目標に〝一発必中〟の狙いを定める。

実際にはどういうふうになるのかって？　さよう、まず彼は上層の人びとからなる戦略グループを編成し、彼らに「現在、世界で最も重要なものは何か？」と自問させる。だれかが、「エネルギーだ」という考えを出し、ではそれにしようということになる。エネルギーに関連したものは何か？　油田で使われる機械はどうだ？　彼らはその分野に属するいくつかの業種を検討し、油井掘削が最有望だという結論に落ち着く。なぜか？　それは資本集約度が過度に高くなく、高度に精密を要する事業で、たいていの油井掘削会社は大きな利益を挙げている。

そこで彼らは油井掘削会社のリストを作り、そうして見るとたしかにそれらの会社はいずれも好収益を挙げている。それは秘密でもなんでもない。それらの会社の株は、すでに収益の一〇～一五倍の値をつけている。戦略家たちはその価額の大きさにちょっとひるむが、結局、それだけの値打ちがあるのだと判断する。それは大きな未来を約束された輝かしい分野で、だからこそそんなに高い株価がついているのだ。戦略家たちはリストを検討して、X社を選択する。それはその分野で最良の部類に入る年率二〇％の成長を続けており、だからこそ収益の一五倍もの値をつけているのだ。その高い買収価額を収益で相殺するには、かなり長い期間がかかるかもしれないが、それはその分野の優良会社であり、したがって良い買いものだ。そこにいたるまでの一歩一歩は、調査や報告書や覚書でしっかり固められている。誤りはあり得ない。

しかし、交渉に乗り出してみると、他の会社の戦略家たちも同じ思考過程をたどって、やはりX社を買収にかかっていることがわかる。そこで買収価額は、たとえば収益の一五倍の一億六五〇〇万ドルから二〇倍の二億二〇〇〇万ドルへとつり上げられる。それは買収価額の償却に予定していたよりさらに長い期間がかかることを意味する。しかし彼らは、そんなに価額が高いのは、X社がどれほど優良な会社かをだれもが知っているからで、自分たちの会社の株主たちはその買収が良い選択であることを認め、その取引のために必要な借入金の利息より収益が上回るようになるまで、すこし長く待つことに反対はしないだろうと推量する。そこで彼らはX社を買収し、高い買いものではあったが、すばらしい取引をしたということに全員の意見が一致する。

それからどうなるだろう? 買収の時点では、だれにもわからない。問題はそこだ。どんなに厳密な〝狙撃方式〟による計画でも、将来の環境の移り変わりを予知したり、その責任をとったりすることはできない。しかし、ありそうという以上の確率で、仮のほかのことは全部順調にいったとしても、その新しい買収を黒字にもっていくには、予定の五年ではなく九年ぐらいかかる公算が大きい。つまり九年間は収益なしの、相当の負債状態というわけだ。概して物事は戦略家の製図台の上で計画されたようには運ばないものだ。実際、もっとずっと悪い成き行きになる可能性だってある。

世界的な石油不足のことを覚えておいでだろうか? 買収戦略家たちは石油会社——とりわけ未開発の地下油源を持っている石油会社——はすばらしい買いものになると考えた。全部の戦略家が同じ理由から同じことを考えた。巨大科学会社は巨大石油会社を買収し、鉄鋼会社も石油会社を買い、石油会社も石油会社を買い、いずれも最高の代価を支払った。なぜなら、買うことのできる者はだれでも、石油産業に進出しようとしていたからだ。それから何が起こったか? 石油不足は解消してしまった。石油は供給過多になった。ほんの二、三年前に石油会社を買収した人びとは、今にいたって、買収しなければよかったと悔やんだに違いない。そうした買収の元をとるには長い年数がかかる。しかし、誤りは石油の供給の多少を予測できなかったことにあるのではない。それは未知の将来を予測する間違いようのない戦略を編み出す方式とされているものに、あまりにも依存しすぎたことにある。それはよくありがちなことだ。そうしたやり方は功を奏さない。というのは、戦略家たちはみな同じ教育を受け、同じ情報を研究し、同じ結論に同時に到達するからだ。彼らの勧告は一種の流行のようなものをもたらす。それにしたがって航空会社が競ってホテルを買収し、巨大通信会社が競って書籍出版社を買い、書籍出版社が競ってペーパーバックの出版社を買い、だれもが競ってコンピュータ会社を買おうとするといったことが起こる。

油井掘削の分野のX社買収の〝狙撃方式〟とは対照的な架空例として、ハイスクールしか出ていないトラック運転手として出発し、ひとつの工作機械会社を築き上げた、散らかった机のエグゼクティブを想定してみよう。彼はシカゴの西方にある物置場を、その所有者の息子である顧客から、父親が売り払ってフロリダに隠居したがっているという話を聞いて関心をそそられる。その機会がおとずれるまで、彼はくず物置場を買おうなどとは夢にも思ったことがなかった。しかし、彼は出かけてその場所を検分する。そして大市場のシカゴに到達する前のスクラップ金属をそのくず物置場に集荷すれば、運賃が二、三ドル節約でき、それを流通させればシカゴの業者より多くの利益を挙げることができるという計算を立てた。それはきわめて合理的なことのように彼は思えた。そこで彼はそのくず物置場を買う。時代の脚光を浴びた買収取引とは違って他にはだれもそんなものに狙いをつけている者はいないので、売値は妥当だった。それでどんなことが起こるか？　そのスクラップ集積場からは始業第一日から利益が挙がり、やり方を改良すれば前の所有者より多くの利益を挙げられるようになるかもしれない。多くのビジネス戦略家がしばしば見過ごしがちなのは、くず物置場が稼ぎ出す一ドルも、石油会社やコンピュータ会社が稼ぐ一ドルとまったく違いがないということだ。
この散らかった机のエグゼクティブがやったことは、本質において、おとずれた機会を認め、前にだれもやらなかったやり方でその機会を生かそうと考えたことだ。その態度ゆえに、即座に行動する柔軟性が彼にはあった。これに対して、きれいな机の上のエグゼクティブがやったのは、きたるべき市場で最大の投資収益をもたらすはずの買収に先見的な狙いをつけることだった。それによって彼は買収に最高の価額を支払うように自分を追いこんだばかりでなく、選択をしぼることに時間と努力を集中していたために、その間にほかの買収の好機があったのに目を向ける余裕がなくなっていたかもしれない。ここで忘れてはならないのは、彼は会議の議事日程をあまりにも固守するために、新しかろうが古かろうが、どんなアイデアもとらえそこねたエグゼクティブと同一人物だということである。

私が挙げた例は、あるいは極端すぎるかもしれないが、ある程度まで、この種のことは実際のビジネスの世界で常に起こっている。産業のあらゆる分野に、売りに出され、または買収に応じようとしている会社は常時何十もあって、あるものは優良、あるものは不良、またあるものは危っかしい。他の会社を買収しようとしているエグゼクティブは、こちらへ向かってくるあらゆるものに対して、常に柔軟で開放的でなくてはならないように私には思える。報酬に対するリスクの総体的な関係を評価するにあたって、最も重要な事実は売りに出されている会社の歴史には書きこまれていない場合がしばしばある。その会社の前歴はもちろん重要ではあるが、それよりもっと重要なのは、自分自身と自分のマネジメント・チームと将来への自分のプランが、その買収に何を寄与できるかということである。その会社の歴史に対して正当な代価は支払わなくてはならないが、将来の利益は自分と自分のマネジメント・チームがその合併にもたらし得る付加価値から出てくるのだ。〝狙撃方式〟による買収では、このことが往々にして見逃されている。

どちらかというと、目標とされた会社は買収される時すでに収益力の頂点に達していて、買い手の会社がその価値に付加できるものは皆無といわないまでも、きわめて僅少である場合のほうが多い。

最後に、私が反対するのは、きれいな机のエグゼクティブのオフィスの様子とか机の上の状態よりむしろ、彼の心的態度に対してである。きれいな机は科学的経営への、ビジネス・スクール仕立ての方式への、データの整理保存への、過度に厳格な時間の配分への、機構化した権限委譲への、そしてまた未来が自分のプラン通りのものを生み出すという当てにならない確信に基づいた無保証の自信と独りよがりへの固執を象徴している。そんなものを、夢にも信じてはならない。

そういう私がもしかしたら感服するかもしれない、ただ一種類の〝きれいな机のエグゼクティブ〟がいる。それは——人から聞いた話だが——オフィスに一人でいる時は机の上に書類を山のように積み上げて仕事に没頭しているが、だれかが入ってくる直前に、一片の紙きれも残らないように真ん中の引き出しの中にさらいこみ、きれいになった机とくつろいだ態度と、いかにもしぜんな微笑をもって相手を迎え、その客が帰ったとたんにありったけのものをまた机の上に出して、仕事に立ち戻るエグゼクティブだ。しかし、私はまだ実際にはそういう人物に会ったことがない。

時どき、やってみようかな、と思うことがある——が、いつも忙しくて、そんなことをしている暇はあったためしがない。

第八章

最悪の病——エゴチスム

現役のビジネス・エグゼクティブを侵す最悪の病は、一般の推測とは異なって、アルコール依存症ではなくエゴチスムである。

過去一〇年か一五年のあいだに、企業のエグゼクティブに関するひとつの問題が明るみに出てきた。それ以前には（私が記憶する限り）昼食後まともに仕事ができなかったり、信用できなくなったりする飲酒家のことは、せいぜい同僚のあいだでヒソヒソうわさされるぐらいのもので、一般にはつとめて秘密にされていた。とりわけ、その人物がそれ以外の時間には有能で人好きのする善人である場合には、だれもそのことをとりたてて問題にしようとはしなかった。酒を飲み過ぎることは、時たま仕事に支障を生じさせはするが、迷惑なのはその時だけの、個人的な問題と見なされていた。同僚たちはできる限り彼をかばい、めったに〝ビッグ・ボス〟に知れることはなかった。

人びとは自分たちの周りにいるアルコール依存症者と、彼らが会社の正常な機能に及ぼす人間的、経済的問題について語ることをためらう。ではあるが、すぐれた能力と性格の持ち主でありながら、アルコールの影響によってそれらが崩壊をきたしているように見える人びとをどうするかという楽しくない問題を、企業はしだいに意識するようになってきた。彼らの末路は概して悲惨である。自分がどういう問題を引き起こしているかを、犠牲者が悟るのはいちばん最後だ。しぜんの傾向として、ほかの者は憐れみをもって彼を遇し、酒のために無能になっている彼を避けて働くようになる。

常軌を逸した者から比較的軽度の者まで、長年のあいだに私が遭遇したいくつかのアルコールがらみの企業内問題のうち、いちばん強く記憶に残っているのは、私の責任のもとに置かれるようになった、ある大きな子会社の財務部長に関係したものだった。その男の飲酒癖は、かねてから久しく問題になっていた。部内の者はみんなそのことを知っていて、昼食時間後は彼のところへ重要な用件はいっさい持って行かないようにしていた。その時間の彼は、とんでもない決裁をする恐れがあった。そればかりか、用心しないと、昼食後の彼に近づくことは、職を失うような結果を招く危険すらあった。それでも彼と一緒に、また彼の下で働く人たちは彼の酔態を大目に見ていた。というのは、酔ってさえいなければ、彼は正当な努力によってその部で占めている現在の地位に上りついた人物にふさわしく、人並み以上に有能な財務マンだったからである。

私はその会社に入って、まだあまり日にちがたっていなかったが、その部の業務処理状況があまりかんばしくないことに注意を引かれた。そして彼の下で働いている人びとのやりにくい立場がわかると、私は彼と二人きりの直接対決のかたちで、一回ならず三、四回も彼の飲酒のことを問題にした。しかし、彼はその悪習をやめようとしてもやめられなかったのか、とにかくやめなかった。どうすべきか私は悩んだ。彼は長年会社にいて、過去には貢献も多かった。人間としては私は彼を好きで、気の毒に思った。そのうちに、ある日、突然立ち直ってくれるかもしれない、とも思った。しかしとうとう、我慢しきれなくなって、私は彼を解雇した。

のちに知ったことだが、それからの彼は、そうした場合のおきまりの道をたどった。新しい仕事口は見つからず、彼は酒を飲み続けた。妻は家を出て行き、彼には家庭生活というものがなくなってしまった。貯金はみるみる消えていった。彼はますます沈淪《ちんりん》していき、それからようやくどん底まで落ちてしまったことを自覚した。それは回復のための必要過程であったかのように見える。というのは、彼の中にはまだ自分をとり戻し、自分の問題を認め、助けを求めるだけの正気が残っていたからである。彼は禁酒同盟に入会し、妻と家族と一緒の生活を再建し、会社へやってきて仕事を、どんな仕事でもいいからさせてくれと頼んだ。彼は本気で働きたがっていた。そして財務の分野での多年の経験にもかかわらず、与えられたのは人事部のあまり重要でない仕事だった。

それから彼は私に会いにやってきた。そして自分をよく解雇してくれた、と礼を言った。私はびっくりし、当惑した。だれもが自分に何度も〝もう一度だけチャンス〟をくれるので、自分の問題に本当に直面せずにすんでしまっていたのだ、と彼は説明した。あなたが自分を解雇してくださったのは、何よりありがたいことだった、と彼は言った。彼の妻も電話をかけてきて礼を言ってくれた。

数年後、この人物は不治のガンに侵されていることを知らされた。それでも彼はなお何カ月か、二度と出てくることのない病院に入る二、三日前まで、職場でがんばった。もし酒を飲むべきいわれのある人間がいるとしたら、彼こそはまさしくそうだったが、その間ずっと彼は一滴の酒にも触れなかった。それは、もしガンに侵されていなかったらどうしようもない人間として抹消されていたかもしれない人びとが秘めている、一種奇妙な強さの証《あかし》として、私を感動させた。

アルコール依存症のために輝かしい経営者としての経歴の中途で挫折し、あるいは破滅した例を、いくつも私は見てきた。初めはやさしい慰め手だったアルコールが、やがては猛威を振るい、そのために〝最もすばらしき友〟だっただれかれが路傍に倒れていった、というのは、人からもよく聞かされる話だ。どこから見ても非の打ちどころがなく、最高経営者への直線コースを歩いていて、自分は酒好きだが、アルコールのためにだめになったりはしないぞ、と意気込んでいたある人物のことを私は覚えている。危ない時期には、彼はアルコールを受けつけなくなる薬を飲んだ。昼食の前に一日の仕事をやってしまえるように、朝の出勤を早めた。休暇中は禁酒をした。しかし、結局、アルコールが勝った。マルティニ三杯つきの昼食の後、恐ろしい癇癪を起こして人に当たり散らし、みんなから忌み嫌われるようになった。そして最高経営者になるかわりに、ある日あっさりとクビを切られてしまった。

たいていの人はそうした実例のいくつかを強く印象にとどめているが、それ以外にも、もっと目立たないかたちで、アルコールの鈍麻作用のために達成と成功への熱意と精力を徐々になくしてしまった人びとの例はどれだけあるかしれない。もうろう状態でうろうろしていた人たち、判断力を失った人たち、アルコールへの密かな依存のために自信をなくした人たちを私は見てきた。解雇されるまでにはいたらない者もおおぜいいるが、マネジメントの上層部では使いものにならなくなってしまう。アルコール依存症は白か黒かというふうに、いつでもはっきり見きわめがつくとは限らない。時としてその影響力は、ぜんぜん気づかないほど緩慢である。その犠牲者はすさまじい地響きを立てて倒れるとは決まっていない。苦悩を隠しながらのたうちまわっている場合もしばしばある。

ＩＴＴにおいても、アルコール依存症は個人的なもしくは会社と無関係な問題ではないことに気づいた私は、古い友人で、ジョーンズ・アンド・ラフリン社から連れてきた会社の医務部長ジョン・ラウアー博士に、状況を検討してもらってわれわれに何ができるかを考えてくれるように頼んだ。ラウアー博士はゼネラル・マネジャー会議の席上、アルコール依存症は治療の対象とすべき病気であるという政府と医学界の公的見解に基づいて、会社としてのアルコール依存症診療プログラムを確立すべきだと勧告した。ラウアー博士の対アルコール依存症プログラムは一九七三年に発足し、以後、アルコール依存症のみならず薬物の誤った使用、夫婦間ならびに家庭内の不和、さらには経済的な困窮など、あらゆる個人的な問題をカバーする従業員援助プログラムへと発展した。そのプログラムが適用される基準は、本人の仕事ぶりが正常に反応していないと認められた場合だったが、それ以外でも、だれでも自発的に援助を求めるのは自由だった。聞くところによれば、近年はそのプログラムの適用を受けた男女の八九％までが救済されて、解雇されずに職場にとどまっており、過去一〇年間に六五〇〇人以上の従業員とその家族の力になったＩＴの援助プログラムは、多くの他の会社の模範にされているという。

アメリカ企業にとってアルコール依存症による〝損失〟がいくらぐらいになるかを算定することはきわめて難しいが、合衆国政府はそれを金額にして年間三三〇億ドルはそのために生じた生産性の低下、一四〇億ドルは健康保険と福祉給付の増加によるもの――と推定している。しかし、実際の損失ははるかに莫大だと私は思う。アルコール依存症による欠勤のために失われる労働時間数を数えるのも一つの方法ではある。しかし、アルコール依存症のエグゼクティブによっておこなわれた当を失した経営決定と、それによって失われた機会、さらには彼らのために生じた職場の紀律や勤労意欲の低下や転退職の代価は、政府の推計には算入されていない。

しかし、どんなに大きく見積もろうとも、アメリカ企業がアルコール依存症のために負担させられているコストは、エグゼクティブのエゴチスム（強い自己愛を含んだ自己中心的な態度）という現象のために支払わされている代価の大きさとは比べものになるまい。それはアルコール依存症と同じぐらい古い、そしておそらくは心の深みにある不安という同じ根から生じた問題である。エゴチスムは直接に各人の健康を損ないはしないが、企業とそれに属する人びとの安寧と、さらには波及効果によって国全体の生産性にまで影響を及ぼすことは間違いない。潜在的には、それは企業の安寧にとってアルコール依存症よりずっと危険だ。にもかかわらず、アルコール依存症と違って、エグゼクティブのエゴチスムは今なお押し入れの中に―だれもが知っている秘密として――押しこまれていて、そのことを口にする人はほとんどなく、それをどう取り扱ったらいいのか、ほとんどだれもわからずにいる。

ミドル・マネジメントでもトップ・マネジメントでも、欲しいままに放任されたエゴチスムは、周囲の現実をその本人に見えなくさせる。彼はしだいに自分自身の幻想の世界に生きるようになり、しかも自分は絶対に誤りを犯さないと本気で信じているために、下で働く人びとを困らせる。そうした態度と行動が企業あるいはビジネスに影響を及ぼす場合、彼をどう扱うべきかの問題は、アルコール依存症のそれとまったく同様に深刻なものとなる。エゴチストは歩くのもしゃべるのも笑うのも普通人と変わらない。それでも彼はアルコール依存症者がマルティニに酔っているように、ナルシシズムに酔っている。そして自分の心の中にある先入見または自分自身のイメージに反する情報は受けいれたがらない。企業の中の強度のエゴチストは、自分は周囲のだれよりも賢く、なぜかあらゆる物事に対する答えがわかるように天から定められていて、自分こそ支配者であり、他の者はすべて彼に奉仕するために存在するのだと信じている。

この種のエゴチスムは、なにごとかを達成したことのある人ならだれでも密かに抱懐している正常なプライドもしくは自負心とは非常に違ったものだ。適度の自負心と自信は、企業でも他のどこでもリーダーたるべき人間には不可欠なものだ。企業のリーダーは、正しいにせよ誤っているにせよ、自分の目に正しく見える目的に向かって人びとを動かすために自己の人格的魅力を発現させなくてはならないからである。しかし、物事を動かす彼のリーダーシップは、常に修正の対象となる。彼は誤りを認め、他の見解に耳を傾けなくてはならない。心理学者の意見を聞くまでもなく、正常な人間ならだれでも、自分の若いころの卑小さや過去に犯した誤りを覚えていて、批判に対して（たとえそれが気に入らないものであっても）素直であろうとつとめるものだ。そしてできるだけ現実的な態度で、最善の答えへと自分を導く事実を求めようとする。どれほど自分で自分を賢いと思っていようとも、間違いを犯すことも、疑惑や不安に襲われることもあることを承知しており、他人がアイデアや示唆や情報を提供してくれるのを歓迎する。そして自分の周囲で進行していることに、常に知覚と感覚を働かしている。それが正常というものだ。

私が知っているたいていのエグゼクティブは、エゴチストにならないように、またそんなふうに見えないように努力している。たいていのマネジャーが前面に押し立てようとしているのは論理、目的、客観性といった諸資質であり、良い経営というものはそれらの要素の上に立っている。良いエグゼクティブは自分の行動に個人的偏見や虚栄がすこしでも交ざらないように注意を払う。彼は会議の時、どこに自分の席が設けられているかとか、自分が入って行くのを人びとは起立して迎えたかどうかといったことは、あまり気にしない。しかし、自分のかわりに先頭に立って進むことは、だれにも許さないだろう。なぜなら、彼は自分の地位が要求する役割を果たし、軟弱なリーダーと見られないようにしなくてはならないからだ。それは多分に自己同一性の確立に関わっている。自分が何者であるかを認識することは、称賛や追従《ついしょう》を求めることとは大いに違う。もちろん、人はだれでも称賛されるのが好きだし、批判に対しては自分を守ろうと身がまえるものだ。部下と意見が合わない場合、時には私も自分の主張を通そうとするあまりにわれを忘れたこともある。しかし、自分が間違っているとわかったら、人前でなり二人きりでなり、こちらから進んで非を認め、将来にかけてその誤りを訂正する処置をとった。自己認識とエゴチスムとのはっきりした差異は説明しにくいが、それぞれの場合に関わりを持つ人たちは、だれでもその違いを感じとる。

正常なプライドとエゴチスムを見分けることは――その症状が初期の段階にある時はとくに――むずかしい。同じことはアルコール依存症についてもいえる。昼食の時、気分をほぐすために一杯だけ酒をたしなむぐらいではアルコール依存症にはならない。では、二杯だったら彼はすでに忘我への道を歩き出していることになるのだろうか？　そして三杯となったら、もはや札つきということにされてしまうのか？しかし、もしかしたら、彼が三杯も飲むのはそれが最初で、また、一回きりかもしれない。問題なのは数ではなくその背後にある事実——行動のパターンである。

努力によって昇進してきたエグゼクティブは、設備の整ったオフィスや、自分専用の会社の車または運転手つきの高級車を持つことを誇りにする。そのことはなにも間違ってはいない。会社の自家用飛行機は彼の貴重な時間とエネルギーを節約してくれる。また、自分または自分の会社の業績が新聞や週刊誌の記事になっているのを読むのが楽しくなかったら、その人物はいささか異常というべきだろう。そうしたことはすべて、ちっとも間違ってはいない。

しかし、立派な大人が、自分のオフィスのカーペットの色合いや、窓からの眺めが気に入らないからといって、完全に取り乱し、まるでヒステリーのようになるのを私は見てきた。マネジメントの第二あるいは第三ぐらいの層にも、そういう人間はいた。虚栄とエゴチスムは最高経営者の専売特許ではない。もちろんトップレベルでも、専用の高級車の長さや型で人と張り合おうとする最高経営者がいるのを私は知っている。会社の自家用飛行機の中で現在ステータスシンボルとされているのはガルフストリームⅢ型機である。その飛行機が会社の本当の必要に適合しているかどうかにはおかまいなく、ガルフストリームⅢ型機を使うことは〝企業イメージ〟のためとして擁護される。実際、中には収益や市場占拠率や株価の維持向上に向けるのと同じぐらいの力とエネルギーを〝イメージ〟の競争のために傾注する会社もある。その目的はエゴを満たすことだけだ。私はある最高経営者が、自分よりほかの最高経営者のほうが良い扱いをマスコミから受けていると不満を漏らすのを耳にしたことがある。また、ニューヨーク・タイムズに載る自分の会社の記事の、内容より分量を気にする人たちを私は知っている。中には、そうした記事の分量を他と競うことと、最高経営者のエゴをくすぐったりそそのかしたりすることでその地位を保っている広報担当副社長もいる。

報道媒体から意見や専門的見解や、あるいは自分の領域での時事問題について何かを求められ、あるいはまたお瀝々《れき》の会合で演説をしたり、経験によって培った知恵を分け与えるように誘いを受けて、嬉しく感じるのはしごく当然である。大企業の社長ともなれば、ある程度の公共奉仕を期待されるのはいたしかたない。彼は自分の時間――本当は会社の時間なのだが――をあれやこれやの奉仕的な目的のために割くことを要求される。われわれはみな、社会の福祉に対する義務を負わされている。それを提供できる者はそうすべきである。しかし、そうした貢献の本当の出所は会社であり株主であることを忘れてはならない。エグゼクティブが公共のために提供する時間は、本来なら会社の仕事のために費やされるはずの、株主から報酬を受けている時間の一部なのだ。演説をするのが昼食時間中であろうと会社の定時後であろうと、プロフェッショナルマネジャーは午前九時から午後五時まではなく、全時間に対して報酬を受けているのだ。演説にせよ募金にせよ社会奉仕事業にせよ、うまくやり遂げるにはイベント自体より準備と計画に多大の時間を要するものだ。重ねて言うが、そうした貢献のコストについて現実的な態度を持する限り、なにも間違ったところはない。要するに、各自の共同社会に対する義務を果たすことと、個人的な名声や満足のためにそうした活動をやりすぎることとは、まったく別だということである。

近年、ビジネス・エグゼクティブの間に、仕事をないがしろにしてまで、ほかのことで認められようと競争する傾向がますますさかんになってきた。それらはエゴの発散競争と化している。拍手喝采の快い音のために、賛辞や個人的に認められることのために、多くの企業エグゼクティブは〝決まりきった〟仕事の責任を他人に委譲して、法外な量の時間を外部での活動に注ぎこんでいる。彼らのエゴが、彼らの第一の責任は自分に報酬を支払っている会社に対するものだという現実を見えなくさせているのである。

ある大企業の社長を約二〇年務めて、自分自身の成功と科学的経営の効能に有頂天になってしまい、その二つのテーマについて国じゅうを演説して回ることにおびただしい時間を充てるようになった人物を私は覚えている。彼は新しい科学的経営の時代の先駆的スポークスマンとしてマスコミに広く取り上げられた。しかし、陰では、会社の内外を通じて笑いものにされた。なぜなら彼は講演をして回っているあいだ、肝心の会社を経営していないことは明白だったからだ。ついには会社に出ているより多くの時間を、講演をすることに費やすようになった。おそらく彼はエゴに圧倒され、何が起こっているかわからなくなっていたのだろう。揚げ句の果てに、彼は会社からお払い箱にされた。もちろん、解雇理由はほかのことになっていたが、彼の場合はあまりにも見え見えなので、だれもだまされはしなかった。

エゴの膨張が会社にかけるコストと被害のうち、労働時間の損失などというものは、ほんの一小部分にすぎない。それはアルコール依存症のコストを欠勤率で測るようなものだ。マネジメントのレベルでは、アルコール依存症者は家で寝ているよりずっと大きな害を、仕事のうえで及ぼす危険がある。エゴチスムについても同じことがいえる。運転手つきの社用高級車の快適な乗り心地、会社の自家用ジェット機内での浮かれ騒ぎ、新聞や雑誌の記事の切り抜きの収集、不必要な講演など、エゴを肥えふとらせるそうしたもろもろの活動は病症をつのらせ、そのことを除けば完全に有能な、すばらしいとさえいえるエグゼクティブだった人物を、いろいろなかたちで会社を悩ます厄介者にしてしまう。

真の害悪は、酒がアルコール依存症を引き起こすのとよく似た行き方で、抑制されない個人的虚栄心が高進すると、その本人が自分自身のエゴの餌食になってしまうことだ。彼はやがて自分自身がおこなった新聞発表や、部下のPRマンが彼のためにこしらえた賛辞を信じこむようになる。そして自分自身と虚栄心の中にのめりこんで、他人の感情への感受性を失ってしまう。常識も客観性も失われる。そして意思決定の過程を脅かす厄介者となる。しかし、こうした経過は、すぐ目に見えてはこない。エゴチストはつまずいて机の上の物を払い落としたりはしない。発音が不自由になることもないし、舌がもつれたりもしない。それどころか、ますます傲慢になり、中にはそうした態度の底にあるものを見通せずに、その傲慢を力と自信の表れとして受けとる人たちもある。

しかし、周囲の人びとを長くあざむき続けることはできない。その独りよがりな傲慢は、彼と接触しなくてはならないすべての人に腐食的な効果を及ぼす。アルコール依存症者の窮状に対しては、人びとは憐れみと同情をそそられる傾向があるが、自分たちの周りにいるエゴチストのボスに対しては、それと反対の感情をいだく。冷淡で、超然として、自分はなんでも知っているといった態度のボスを、彼らは憎む。彼らは陰で彼をばかにし、彼を迂回して仕事を運ぼうとする。彼らは彼の真の姿を見すかし、彼にそなわっているのはポーズだけで、本当のリーダーたる資格はないと見きわめをつける。いったんそうなると、マネジメント・チームの組織全体のはずみはおろか、会社全体がばらばらに分解し始める。しばしばエゴチストのボスはなにか様子がおかしいことに気づくが、その原因にはけっして気づかない。そして部下たちに尊敬と追従をますます強要し、強要すればするほど尊敬されなくなる。かくして、彼の要求はいっそう傲慢な、虚偽に満ちたものになる。人びとはますます彼を憎悪する。状況は時とともに悪化をたどる。そしてマネジメント・チームが敵同士のいくつかの陣営に分かれると、ボスは追従屋ばかりで側近を固めるようになる。彼にはもうイエスマンしか我慢できないのだ。

こうした種類の態度が会社全体に影響を及ぼすのには、長い時間はかからない。そういった種類のエゴチズムは会社のマネジメント・チームの総力を低下させ、破壊する。人びとはそうしたボスに、どんな種類のものであれ、悪いニュースをもたらすことに気が進まなくなる。そんなことをしたら、彼はその人間を射殺しかねない。ひいては、それは社内の自由なコミュニケーションに恐ろしい作用を及ぼす。意識的に、あるいは無意識に、そんなボスとはだれも、論争はもちろん、協議もしたがらない。自制心がなく、わめいたり怒鳴りちらしたりすることにかけては、アルコール依存症者とこと変わらない。何をやらかすか、だれにもわからない。よく使われる言い方をすれば、彼は権力に酔い痴れているのだ。彼の思考は硬化してしまっている。おまえではなくおれがボスだ、おれは世界一利口な人間だ、だからおれが何をすると決めたらそれが正しいのだ、というのが彼の態度だ。彼は経営決定をおこなうが、それらは決定というより宣言だ。「われわれはこれをやり、あれをやる。それは間違いだなどと言うなよ。なぜならおまえたちにはなにもわかっていないが、わたしにはわかっているからだ！」。明らかにその男は、アルコール依存症者と同じように現実との接触を失った自己中心狂になってしまったのだ。そして人生におけると同じくビジネスの世界においても、人びとはやがて真実に気づく。

エゴチストのエグゼクティブは、アルコール依存症のエグゼクティブよりずっと始末におえない。部課のマネジメントのレベルでなら、あるいは事業部のレベルでもまだ、だれかが介入して、そうしたはた迷惑な傲慢を鎮圧できるかもしれない。しかし、それより上の権力の廊下では、抑制を知らぬエゴチスムに対処するのは極度に困難である。部下たちはそうしたボスを慎重に〝扱う〟ことでそれに立ち向かうしかない。彼と平和にやっていくために、彼らは自分の革新的なアイデアを押し殺す。どんな問題についても、できる限り穏当な意見しか述べない。彼の気まぐれに迎合し、彼に賛同し、彼を褒めそやす術を覚える。彼がおこなう決定は現実と客観性と事実よりも、彼の個人的な考慮に基づいていることを、彼らは知っているか、あるいは察している。彼の気に入ったプロジェクトばかりが優遇される。ほとんど履行不可能な決定が下達され、ラインの人びとはどうしてそんな決定がなされたのか理解に苦しむ。そうした状態に彼らはしんから厭気《いやけ》がさす。上層部に――最高経営者であれ取締役会の中のだれかであれ――途方もないエゴの問題がわだかまっていることに、人びとはたいてい気づいているが、どうしてそれを吟味し、あるいはそれと太刀打ちすればいいのかわからない。

ある大きな合併の交渉で、ある人物のエゴが会社にとって一億ドル以上にもつく結果となった実例がある。交渉チームを率いるその人物が、傲慢と無神経から他の人びとを無視して取引を進めたために、買収価格が至当な値段より一億ドルも高くなってしまったのだ。チームのだれもが――というのはその人物一人を除いてだが――何が起こりつつあるかに気づいていたが、彼は最高経営者だった。それでも、彼がやったことの不当さは、計量することも証明することもできなかった。エゴを理由として人を解雇することはきわめて難しい。その男の取締役会に対する説明は、いちおう筋が通っていた。彼は相手側のわけのわからなさに罪を押しつけていた。おそらく取締役会のメンバーの中には真相を察している者もいたろうが、だれも表立っては彼の合併での扱いを問題にしなかった。ところで、もしその男が酒に酔っていたために判断を誤り、会社に一億ドルあるいは五〇〇〇万ドル、いや二五〇〇万ドルでも損害をかけたのだったら、即座に解雇されていたろう。しかし、だれがエゴを問題にできるだろうか?

これは極端な例のように見えるかもしれない。しかし、同種のことは絶えず繰り返し起こっており、それにもかかわらず、ある人物の肥大したエゴのために失敗した取引の数や、まるで自分は神様だとでも思っているような人物を、外部の人びとが忌避したために失われた取引の量が、金額にしたらどれくらいになるか、なぜかだれも計算しようとしない。ある会社が達成したことに対して達成す**べきだった**こと、そしてその失われた可能性のうちどれだけが、自己愛にくるまれた人びとの盲目的な、とざされた人格に起因するかを計測する合理的な方式を、まだだれも考案してくれない。

症状が相当に進行してしまうまでは、エゴチストはなかなか正体を現さない。アルコール依存症者と同様、彼は自分が属するレベルのエグゼクティブたちの正常なやり方とされている行動様式にしたがうことによって、自己の秘められた悪徳を隠し、本心をいつわる術に長《た》けているのが普通だからだ。しかし、前にも述べたように、真実はいつか表れる。ついには、それは彼が管掌する部、事業部、あるいは会社の実績に表れる。かならずそうならざるを得ない。なぜならエゴチストはマネジャーとして、判断力において、他人との関係において、機能する能力において、正常性を損なわれているからである。

一般的にいってエゴチスムは、同程度のアルコール依存症より、人びとから寛大に扱われているように私は思える。なぜかといえば、それがどれぐらい高価についているか、人びとにはまったく見当がつかないせいだ。私もそれを測る方法は知らないが、個人的な観察に基づく結論を言わせてもらうなら、どんな会社、事業部あるいは部においても、エゴチストのエグゼクティブの気まぐれと気ままのためにそれぞれの業務遂行、生産性、収益に生じるロスは、すくなくとも四〇%近くに及ぶものと推察される。言い換えれば、もしその機能不全の、破壊的なエグゼクティブのエゴチスムがなかったら、四〇%の全面的改善が期待できるということだ。業務遂行のうえにそれが引き起こすロスの代価は甚大である。

人びとがエゴチスムを病気と見なすようにさえなれば、それに対してもっとなにかの手が打てるかもしれない。しかし、ナルシシスト的性格というあいまいさと、その害悪の計測法の不在が、ビジネスの世界で、失格経営の原因が究明されないロスとして放置され続けるのを許している。今後もそれは甘やかされ続けそうだと私には思われる。

過度のエゴチスムはしばしば、失敗への極端な恐怖に根ざしている。たいていの人は自分が〝失敗〟と見なすものに対して自分を守る能力を身につけることに多大の時間を費やす。私の考えでは、たいていの人はただ失敗したくないと思うだけで、それが何を意味するかを本当には知っていない。だが、人びとその職業的生涯は、失敗より成功によって〝破滅〟させられることが多い。人びとがその職業的生涯のどこかで一度ならず失敗し、それからまた立ち直って、かつて夢想もしなかった大成功を収めるのを私は見てきた。

人は失敗から物事を学ぶのだ。成功からなにかを学ぶことはめったにない。たいていの人は、〝失敗〟の意味を考える以上の時間をかけて〝成功〟の意味を考えようとはしない。完全に正常で分別のある謙虚な人びとが、それまで経験したことのない大きな権限を伴った地位についたとたんに〝狂って〟しまった例を私は見てきた。そうした人びとは、本当は新しい地位の出発点に立っただけなのに、ゴールインしたと錯覚してしまったのだ。彼らは前進するのをやめ、いい気分で日なたぼっこを始めてしまう。残念ながら、企業環境の中では、トップ・マネジャーの業績は一年や二年、あるいは三年ぐらいでは評価できない。その間、そういう人物は、いわゆる大局的な構想や理論や講演のアイデアを練ることに憂き身をやつす。もし彼が定年に近ければ、業績を採点される前に自分はそこを去ってしまっていることを知っている。だったら、なにをあくせくすることがあろう？　競争者はいないのだ。そこで彼は自分のイメージを守ることを本分と見なし、自分のことが書かれている新聞記事の切り抜きを信じ始める。

そんなわけで、しかるべき地位についた各人が、基本的な心がまえとして自分に問うべきことを整理すると、つぎのようになる。――おまえは成功を上手に扱うことができるか？　エゴチスム・ビールスに対して自分を守ることができるか？　追従者のへつらいや称賛を、適切な距離をもって眺めることができるか？　会社でのおまえの地位の快適な面を、おまえが直面させられている、不快かもしれない、より現実的な問題のために放棄することができるか？

成功は失敗よりずっと扱いにくいもののように私には思える。なぜなら、それをどう扱うかは、まったく本人しだいだからである。

第九章

数字が意味するもの

数字はシンボルである。それは言葉によく似て、ひとつきりでは固有の単純な意味を持つだけだが、関係のある他の数字と対照したりつなげたりされると、はるかに複雑で意味深長なものとなる。子供はまずアルファベットを、つぎに字をつなげて語を、語をつないで文をつくることを学び、やがてものを読んだり書いたりして、言葉の真の意味はしばしば行間にあることを知るまでに成長する。

“cat”という言葉は子供には子猫を、猫を飼っている人にはシャム猫やペルシャ猫を、ハンターには虎を意味する。また、「テーブルの上の籠に、リンゴが五個ある」と言ったら、どういうことがわかるだろう？　それは文字通り、籠の中にリンゴが五個あるというだけのことだ。しかし、前には六個あったということを知っている人間には、それはだれかが一個失敬するか食べるかしたのだということを意味する。

ビジネスの世界では、数字は個々の企業または企業の集合のさまざまな活動を計測するのに役立つシンボルである。全部の数字を足して引くと、損益計算書の〝ボトムライン（総計数字）〟が出る。それは“cat”という言葉を綴るような、単純なことだ。家計の切り盛りといった程度のことには、そうした基礎算術だけで十分だろう。——今年は使ったお金よりたくさんの収入があったか？　と。それはそれで結構なことだ。だが、もし自分の会社がその年三〇〇万ドルの利益を挙げたら、それはよいことか、あまりよくないことか？　それはその三〇〇万ドルの他との関係によって異なる。前年の収益は二〇〇万ドルだったのか、それとも四〇〇万ドルだったのか？　また四〇〇〇万ドルの売上げに対して三〇〇万ドルの利益を挙げたのか、それとも四億ドルの売上げに対してか？

数字の意味は、言葉のそれと同様、相互の関係において初めて理解される。垂直的にであれ水平的にであれ、一連の数字を読む時、私は自動的にそれらを意味のあるパーセンテージの対比に翻訳する。たとえば、五億ドルの売上高が五〇〇〇万ドル減少すれば、売上高が一〇％減少したことを私は知る。もし他の事業部の五〇〇万ドルの売上高が一〇〇万ドル減少すれば、二〇％の減少だと私の頭脳の目は私に告げる。そしてその事業部が失った金額は最初の金額より小さいが、私の頭の中では、その事業部は売上高が五〇〇〇万ドル減った事業部より深刻な問題を抱えているのではないかという推測が即座に働く。実際には、そうした数字はもっとずっと多くのことを私に告げる。そしてそうした数字の背後に分け入り、何が起こっているのか調べるように私を促す。

ＩＴＴのようなアメリカの大企業は数字によって（非情に）経営されている、という誤った考えを持った人びとが非常に多い。これは、たいていの人にとって数字より言葉のほうが読みやすいことから生じる誤りだ。彼らは、ヘンリー・ジェームズやジェームズ・ジョイスやマルセル・プルーストの複雑な小説は理解できるのに、ずらりと並んだ数字にぶつかると、見たこともない難解な言葉の集合に出合ったように心もとなくなってしまう。企業の中で進行していることのシンボルとして、数字は企業活動そのものではなく、その測定値を表す。超現実派の画家ルネ・マグリットはパイプの絵を描いて、その傍に「これはパイプではない」と書き添えた。その通りだ。それはパイプの絵だった。そこで私もいちおう、――数字は企業ではなく、企業の絵にすぎない、と。

それはそうだが、いかなる企業もそれなしではやっていけない。数字は企業の健康状態を測る一種の体温計の役をする。それは何が起こっているかをマネジメントに知らせる第一次情報伝達ラインとして機能し、それらの数字が精密であればあるほど、また〝揺るがすことができない事実〟に基づいていればいるほど、情報は明確に伝わる。

その年の予算を作成するマネジャーは、一連の期待を紙の上に数字で表現しているのである。それにはありとあらゆる製品の諸コスト——設計、エンジニアリング、資材、製造、労働力、工場、マーケティング、販売、流通などのコスト——とマーケット・シェア、繰り越し注文、在庫等に基づいた予想収入が包含されている。それらの数字は空中から取り出されたものではない。また、気まぐれや希望に基づいたものでもない。それは会社の第一線の人びとによって蓄積されたものであり、可能な限り最も良質の事実と数字に基づいている。そしてひとつの会社または事業部に関するすべての数字が集約されて、その予算ができあがる。前にも言ったが、ITTには二五〇のそういったプロフィット・センターがあり、数字がぎっしり詰めこまれたその年次予算は、書類にして立ち並べると書棚の幅一〇メートルを占領した。

その会計年度が進むにしたがって、日々の業務活動を表す一定の方式にしたがった数字が会社に流れこみ、それらは週または月単位で集積され、照合され、報告される。そうすることで、実際のコストと実際の売上げと実際の利潤マージンと収益を予算の予測と比較することができる。——一方の一組の数字は、もう一方の一組の数字と合致するか？　現実は会社の期待より上か下か？　もしそのどちらかだったら、それに対してどういう処置をとるか？

それらの数字に表れる、期待と市場で現実に起こっていることとの格差は、行動へのシグナルである。そして数字を見るのが早ければ早いほど、それだけ早く必要な処置がとれる。どの製品かが期待以上によく売れていれば、ただちにその製品の生産を増やそうとするかもしれないし、しないかもしれない。また、もっとよく起こることだが、ひとつかそれ以上の製品が期待したほど売れていなければ、その売れ行きを向上させるなんらかの方法を見つけるか、あるいはそれに関連したコストと支出を減らすことを考えねばならず、そうするのは早ければ早いほどいい。しかし――そしてこれは最も重要なことなのだが――数字自体は何をなすべきかを教えてはくれない。それは行動へのシグナル、思考への引き金にすぎない。それは水脈のありかを指し示す占う棒に似ている。実際に水を得るためには掘らなくてはならない。企業経営において肝要なのは、そうして数字の背後で起こっていることを突きとめることだ。

　数字が示すあたりを掘り始めた時、その人は初めてビジネスの真髄に触れる。もし売上げが不振なら、それは製品の設計上の欠点だろうか？　コスト高が原因か？　問題はマーケティングにあるのか？　流通にか？　財務にか？

　問題点は何だ？　探求は会社のトップのみならず、現実のレベルでもおこなわれる。ここでまた自由なコミュニケーションということに話は戻る。それらはマネジャーたちの、そしてラインとスタッフの会議で検討されるべき事柄である。問題の源を突きとめたら、その問題に対する最善の答えを発見することに頭脳集団――最高経営者とそのマネジメント・チーム――の総力を発動させるのだ。経営者は経営しなくてはならないという至上命令は、この段階でこそ貫かれなくてはならない。数字を操作して、売上高や受取勘定をある四半期から別の四半期に移すといったことで表面をつくろってはならない。真実はかならず追いついてくるのだ。そういうやり方は、病人のかわりに体温計に処置をほどこすようなものだ。体温計の目盛りが三七度以上を示していることは、その人間に熱があることを意味する。彼は病気なのだ。しかし、どこが悪いのかはわからず、ただどこかに異状があることがわかるだけだ。体温計をコップの中に漬けるか、水を張った浴槽に病人を押しこめば、体温計の目盛りは下がるだろう。しかし、それでは病気を治すことはできない。経営においても、経営し管理しなくてはならないのは損益計算書の数字ではなく、企業そのものの諸要素である。数字はただ、その企業がいかにうまくいっているか（あるいはうまくいっていないか）を反映するためにあるだけだ。

この考えはすこしも特異でもなければ異常なものでもない。しかしながら、よく管理されている会社とあまりよく管理されていない会社との差は、数字に――その企業の体温表に――対して払われている注意の程度である。――数字はどれぐらいの頻度で命令系統をさかのぼって報告されてくるか？　それらの数字はどれぐらい正確か？　予算の予測と実際の結果とのあいだに、どれぐらいまで格差が許容されているか？　際立った格差に注意が向けられ、処置がとられるのにどれぐらいの時間がかかるか？　その答えを求めて、マネジメントはどれぐらい深く問題を掘り下げるか？　等々。

ＩＴＴでは、数字はきわめて真剣に取り上げられた。予算は二月、三月からその年を通して検討が続けられ、きわめて慎重に練り上げられる。最終的な予算は翌年に期待される成果への固い誓約と見なされた。各事業部のコントローラーとスタッフからは毎週、マネジャーからは最低月に一回、報告が送られてきた。月例ゼネラル・マネジャー会議では、各月についての予測と結果との格差に焦点がしぼられた。

ＩＴＴの報告システムは、数字による早期警報ということに眼目が置かれていた。われわれは〝驚かされること〟を欲しなかった。なにがおかしいのか、あるいはおかしくなりかけているのを見つけるやいなや、われわれは故障個所を修繕し、変化する市場に対応できる技術革新をおこない、問題の解決にあらゆる手段とあらゆる努力を傾注した。その結果として、われわれは状況を掌握しているという自信をもつことができた。だれもが人生で遭遇する、予期しなかったショックや驚きが、われわれにとって管理可能なものとなった。

時がたつにつれて、われわれはビジネスの数字を解釈し、自分たちが動員できる資源によってできることとできないことを将来にわたって予測することにますます熟達していった。その中には設備投資、新製品、生産増強をはじめ、あらゆることが含まれていた。その特殊技能は、われわれの会社は複雑な大企業なのに、細密なレベルのことまで管理できる能力に根ざしていた。それが企業を経営する唯一の方法である。オムレツを管理することはできない。できるのは一時に一個の卵を管理することである。

数字を十分に真剣に取り上げない企業がすくなくない。事業部が報告書を提出するのは毎四半期という会社もあるが、それでは早期警報に役立たない。また、予算の予測と市場の現実との、どちらかというと大きい格差に慣れっこになってしまっている会社もある。数字が低下すると、彼らは漠然たる希望と販売部の約束に望みをかける。時には販売促進によって数字が回復することもある。しかし、しばしば彼らは数字が上がったり下がったりした真の理由を知らず、数字のシグナルをおろそかにすることは、有効な処置をとるのに間に合わなくなることにつながる。そうなると、やることが支離滅裂になって、重大な危局を招きかねない。

数字には数そのものと同じぐらい重要な個性がある。数字には正確なものとあまり正確でないもの、精密なものとおおよそのもの、詳細なものや平均的なものや漠然としたものがある。数字が持つそうした性質は、通常、その会社の最高経営者と、彼が部下たちから何を期待しているかによって決まる。もし彼が一株当たり収益を確認する以外、細密な数字にはあまり関心が払わなければ、ほかのだれもそんなもののことを心配しはしない。彼らは自分たちに責任のある数字を切り捨て、均らし、あるいはコストを少々削り、利潤マージンを高めるためにいくらか付け加えるかもしれない。そうした慣行が事業部から事業部に伝播するにしたがって、精密さを欠いた、ぼやけた、そしてつぎには単に不正確な数字の集積が、大混乱を惹起するかもしれない。

たとえば、ある会社の生産担当副社長が社長に、その年の〝工場コスト〟は一二〇〇万ドルだと報告したとしたら、それは何を意味するだろうか？　工場コストには人件費、材料費、そして経常費が含まれていることぐらいはだれでも知っている。しかし、なんらかの意味をなすにはそれでもまだあいまいすぎる。だが、もしその社長が副社長を信用していれば、その統計数字を受けいれて、それ以上詮索せずにすませてしまうかもしれない。それは会社全体の中では比較的小さな数字で、そんなささいなことにかかずらわっている暇はないと社長は思っているのかもしれない。しかし、物事が悪いほうへ向かい、その事業部が欠損を出し始め、他の事業部も欠損を出し始めれば、その社長は解雇されてしまう。そして新しい社長が着任して、その同じ数字を見ると、その副社長を呼んでたずねる。「この工場コストというのは何かね？これにはどういうものが含まれているのかね？」。

「工場の人件費と経常費です」と副社長は答える。「それ以上こまかい区分はしていません。大部分は人件費です」。

「ちょっと待ちたまえ」と新社長は言う。「この数字はきみの事業部の生産に対して高すぎる。この工場コストというやつには何が含まれているんだ？　わたしはそれが知りたいんだよ」。

「ははあ、ごらんになりたければ、給与明細をお見せしますが」

「いや、そんなものは見たくない。みんなはそこで何をやっているのか、どういう仕事に対していくら払っているのか、どれだけの時間をかけているのかといったことを知りたいのだ」

「しかし、そういう記録はとっておりません」と副社長は言う。

そこで新社長はそれぞれの職種によって異なるコードがつけられていて、交替時間ごとに自動的にパンチが入れられるタイムカードを使ったタイムカード・システムを採用する。そしてそれによって〝工場コスト〟の構成要素を検分すると、人件費は実際の生産にたずさわっている約三〇〇人と、約一〇〇人の監督者、それにまた別の約一〇〇人のメンテナンス要員に対するものから成り立っていることが簡単にわかった。

「これは正常じゃない」と彼は副社長に言う。「行って、監督者とメンテナンス要員が何をやっているのか見てきたまえ。三人の作業員について一人の監督者の必要はないよ」。

これは数字の背後にある事実に迫るということの簡単な一例である。副社長は修正できるさまざまなことを発見するだろう。工場で、もう使われていない工具を研《と》いでいた工員を見つける。なぜなら、彼らは仕事をつくらなければ職を失うからだ。彼はまた監督者たちのあいだでもむだな仕事がおこなわれているのを発見するだろう。彼はそうした工場の高いコストの原因を発見し、新しく発見された問題をどう解決するかは、彼がどの程度すぐれたマネジャーであるかを示す試金石である。

その間に新社長は会社のすべての事業部から入ってくるすべての数字を綿密に検討し始める。その探求が進むにつれて、ほとんど感知できないほど徐々に、会社を良い経営がおこなわれている企業に変える物事の流れが起こる。彼はそれを休まずに続けなくてはならない。さもなければ、物事はまたスリップし始めるだろう。会社を経営するのは雪の上に字を書くようなものだ。書いた字が消えないようにするには、新しい雪が降り積もるたびに何度でも根気よく書き直さなくてはならない。しかし、その報酬として、同じ過程を繰り返すたびに、そのやり方に上達していく。

ビジネスにおける状況の〝転回〟の要件は、最高経営者に報告される数字の質（クオリティ）である。ある最高経営者が財務管理にあまり熱心でないために、重要な数字がその関心を引かずに経過すれば、また別の最高経営者が交替して、何よりも重要な利潤マージンを生み出す、売上げに対するコストの適正な関係を再確立するために、コストを減らしにかかるだろう。

前述の例のあとを続けるなら、新社長は何より優先する自分の職務として、個々の数字をではなく、それらを全体的な相互関係において眺めようと努めながら、会社の数字を注意深く調べていく。彼は何が起こっているかを教えてくれる傾向と流れをさぐっているのだ。数字には、全体をつくりなす数多《あまた》の個々の事項の量的効果を総合する働きがある。しかし、いったんその主流をつかんでしまうと、それを念頭におきながら、今度は全体的平均の背後にあるこまかい数字を検討し始め、とくに最も自分の関心をそそる数字――売上げ、コスト、収益、マージン、マーケティング、資産投資、負債と利息、その他何でも――に焦点を合わせる。

ある事業部のひとつの要素を表すものとして、4という数字（それは四〇〇万ドル、四〇〇〇万ドル、あるいは四億ドルを表すものかもしれない）に彼がぶつかったと仮定しよう。その4を分析した結果、それは2＋2あるいは3＋1を表しているのではないことを発見するかもしれない。ビジネスにおいては、4という数はプラス12とマイナス8の和を表していることがしばしばある。プラス12という数字にはすこし掛け値があるかもしれない、と彼は思うが、それよりもまずマイナス8のほうに注意を集中し、それがプラス5とマイナス13から成り立っていることを発見する。それから彼はそのマイナス13を掘り下げて、おそらく、それがおそろしく旧式で売れていない一連の製品がもたらした損失を表していることを発見する。その一連の製品の生産を中止することで彼は13の損失をセーブすることができ、その結果をその事業部の総和の4という数字に適用すると、新しい総和は17となり、それは新しい体制の健全な利得となる。つまり彼は数字の背後にあるものを変えたのである。

会社の報告書や帳簿を読み進むうちに、おそらく彼は自分が必要とし、欲しいと思う情報が欠けていることを発見するだろう。それから彼はかつて収集されたことのない数字を要求し、それらの数字によって会社のさまざまな活動に、より緊密な統制を維持することができるようになる。会社なり事業部なりの統率者が、とくに関心を引かれた要素についての数字を要求するのは当然である。彼はA工場で毎月消費される石炭の量を知りたがるが、煙突から出るフライアッシュの量は知りたがらないかもしれない。ところがある日から、消費する石炭の量の二%以上のフライアッシュを出す工場に対して、環境保護局が毎日一〇〇〇ドルの罰金を科することになった。そのため、会社が毎月三万ドルの罰金を払っていることがわかると、彼はフライアッシュについての毎月の数字に関心を持つようになった。今やそれは彼にとって重要なものだった。

しかし、時には個々の企業の力ではどうにもならない外部の出来事が、どんなに質の高い数字による早期警報システムをも無効にしてしまうことがある。エネルギーコストの突然の高騰、相当規模の国際的事件、国の経済全般の景気後退への突入などは、どんなによく練られた計画をもぶちこわしにする力を持っている。そうしたことは自動車産業に、鉄鋼産業に、そしてITTの一部の子会社にも起こった。

たとえば、年間に約四〇〇〇万ドルの売上げがあり、好調な利益を挙げている会社があったと想定しよう。やがて売上げは年間六〇〇〇万ドルに伸び、利益もそれに伴って増大する。さらに売上げは年間八〇〇〇万ドルに増え、利益もそれに比例して伸びる。それからサイクルが変わって、経済は沈滞し、顧客は突然買うのをやめ、年間売上高はもとの四〇〇〇万ドルの水準に後退する。しかし、今度は、その売上高では欠損が出る。——何が起こったのか？　どうしたらいいのか？　あちこちですこしずつコストを削るぐらいでは、とうてい窮地を打開することはできない。ある者は腕をこまねいて言う。「売行きが回復するのを待とう。八〇〇〇万ドルの売上げがあった時にはうんと儲かっていたんだから、またああいうふうになるさ。とにかく景気が復活するのを待つんだ」。それはあくまでも希望である。他の者は言うかもしれない。「だめだ、何もかもめちゃくちゃで、絶望的だ。あの事業部は処分して、苦境から脱出しよう」。

ＩＴＴでは、外部の出来事に足を引っぱられて、ほかにはどうしようもない場合、われわれはその会社が新しい環境に対応できるように、それを〝再編成《リストラクチャー》〟した。経済の変化が自分たちを助けてくれるのをただ待つことは、解決策として受けいれがたかった。また、逆境にあるからといって会社を売却するのはわれわれの主義に反した。再編成にあたっては、会社の中で何がおこなわれているのかを知らせてくれる数字が大きな役割を果たした。われわれはあらゆる業務活動に関するあらゆる数字を検討して、それが四〇〇〇万ドルの売上げで利益を挙げていた規模まで縮小した。かつては必要と見なされていたあれほど多くの支出が、非常時となると贅沢のように見えてくるかは、ただもう驚くばかりである。また、会社が売上げ四〇〇〇万ドル時代の姿に合うように、工場施設と人員も減らした。それと同時に、売上げをほんのすこしでも――五％でも一〇％でもいいから――増やそうと絶大な努力をすることを大方針として採択した。言い換えれば、まず会社の構成を四〇〇〇万ドルの規模に戻し、つぎにその売上げを四二〇〇万ドルないし四四〇〇万ドルに増やそうと試みたのだ。われわれはそれを〝ワンツー・パンチ作戦〟と呼んだ。重工業用の電気式コネクターをつくっているキャノン・エレクトリック社は、ＩＴＴの子会社として景気後退期に再編成され、その後今日までに、かつての最盛時の三倍の規模にまで再建された。その会社の数字をしっかりつかんでいなかったら、とてもそんな芸当はできなかったろう。

日々の業務に関する数字に加えて、いかなる会社でも、その安泰を保証するために、慎重に定期的にモニターされなくてはならない一組の数字がある。〝バランス・シート〟の数字は会社の総資産と株主の投資と未払い債務を反映し、会社とそのマネジメントと取締役会の哲学を表現している。たとえば、その会社が債務を慎重に扱っていることは、株主の投資に対して最大限の収益を挙げようと努力していることを表す。

一般的にいって、会社はなるべく自己資本に対する負債の割合を三〇％ないし四〇％にとどめようと努める。三〇％の負債比率の企業は、他の条件がすべて同等の会社の中で、最高のＡＡＡの信用格づけが得られる。四〇％となると格づけＡＡに落ちる。借入金に対する利率は、その企業への信用格づけの高さに反比例する。もちろん、負債比率をもっと低く抑えようとする会社もあれば、たとえ妥当な利率でも借金は絶対にしないという主義の会社もある。しかし、それはビジネスに対する非常に保守的な態度である。

成長が必然的に制限されるだろう。自己資本の三〇％に相当する借入れをして、その余分の資金を適切に投資する会社は、自明のこととして、その生産・販売能力を、まったく借入れをしない同じ規模の会社より三〇％よけいに増やすことができるはずだ。ただし、借入金の利息分だけよけいに収益を増やさなくてはならないことはいうまでもない。それができるかどうかは、コストや売上高や収益や在庫回転率や受取勘定回転率、そして究極的には正味のキャッシュ・フローによって決まる。これらの数字はすべて相互に固有の関係があり、それぞれのそれぞれに対する比率をどのように保つかは、マネジャーの経営哲学によって異なる。もしできるとしたら、現在の事業の拡張あるいは別の会社を買収するために、会社の正味資産価値の三〇％、四〇％あるいは五〇％までも借入れをおこなうべきだろうか？　いっそのこと五五％ではどうか？　それは無謀だろうか？　それとも勇気があるというべきか？　それはすべてその会社の生産高と売上高、製品に対する実需、市場の状況、一般経済、そして自分自身への、自分のマネジメント・チームへの、自分の会社への、さらに何十もの、それどころか何百もの変数へのマネジャーの確信によって決まる。

どんなコースを選ぶにせよ、マネジャーは自分が導いた環境において、会社が十分に機能できる確信がもてなくてはならない。もっと借入れをし、翌年も、そして翌々年も成長を続ける能力を含む、あらゆる正常な必要を満たすのに十分な流動性を、会社がそなえていることを確信できなくてはならない。資産とキャッシュ・フローに対して大きな割合の借入れをすればするほど、営業をおこなっていくうえでの支出は大きくなり、リスクが高くなればなるほど信用格づけは下がり、そうなると将来借入れをする場合、あるいは現在の借入金の再借入れにあたって、より高い利息を払わなくてはならなくなる。負債を支払い、または期限がきた時に再借入れができる能力は絶対不可欠である。ビジネスにおいて修復不可能の失敗は、キャッシュが尽きてしまうことである。それ以外なら、ほとんどどんな失敗でもなんとか回復の道がある。しかし、キャッシュが尽きてしまったらゲームはそれで終わりだ。

考え方としては、これまで述べてきたことは、ビジネス・スクールを出た人びと、あるいは多少とも自分で事業を経営したことがある人びとの目には、ばかばかしいぐらい単純なものに映るだろう。にもかかわらず、毎年何千もの企業が倒産し、他に何百もの企業が経営不振から他と合併したり吸収されたりしており、それらの窮状のほとんどすべての根は、数字への注意不足につながっている。ある者はそれらの数字のメッセージを読みとるのが遅すぎた。数字はバランス・シートや予算や、週間または月次の業務報告書の中に孤立してあるものではない。それはすべて相互に関連したものだ。バランス・シートの健康状態は業務報告書に表れる利益と損失に依存し、そうした業務報告書の価値は報告される数字の質にかかっており、あらゆる数字はその会社の工場で、販売部で、市場で起こっていることの反映以外のなにものでもなく……そして究極的に、その会社の安泰は彼らが送ってよこす数字とそのメッセージに対してマネジャーが払う注意に依存しているのである。

そんなわけで、数字はシグナルを出しながら、メッセージを送りながら流れこみ、家計の切り盛りにあてられる小切手帳は、その月の収入より支出が多かったこと、あるいはその逆のことを知らせ、個人のバランス・シートは本人に、現在と定年になった時にどんな経済状態にあるかを教えてくれる。家庭の財政も、考え方においては企業のそれとあまりはなはだしい違いはない。しかしながらプロフェッショナルマネジャーは、ひとつのではなく多数の、それも相互関係のある企業をカバーするおびただしい量の数字を相手にしなくてはならない。彼の仕事は単に市場で売れて利益を生むひとつの製品を生産することではない。彼の技量はいかにうまく競争に勝ってそれをやってのけられるかにかかっている。それは彼が多数の製品に関連のある広範な活動をにらみ合わせながら、いかにうまくコストを切り下げ、最大限の利益をもたらし得るかにかかっている。私の考えでは、その技量は、会社じゅうから集まってきて彼の机を通って流れ過ぎる数字によって提供される早期警報システムを理解し、それに対応する彼の能力に依存するところがきわめて大きい。

プロフェッショナルマネジャーの数字の理解力は、それらの数字が代表する事柄を、彼がどれだけコントロールできるかのひとつの尺度である。彼はすばやく行動して予測とのずれを修正できるように、さまざまの変数の意味を読みとることを経験によって学ぶ。彼はいかなる企業も完全には免れることができないショックの回数と程度を最小限にとどめるだろう。彼はキャッシュが尽きるような状態は招かないだろう。彼は会社の団結を保ち、良い経営をおこなうだろう。

しかし、そのためには支払わなくてはならない代価がある。数字に注意を払うことは単調で退屈な、決まりきったことの繰り返し——苦行である。会社のことをもっとよく知りたければ、それだけ多くの数字を相手にしなくてはならない。それらの数字の上澄みだけをすくい取るわけにはいかない。それらは読まれ、理解され、考えられ、その日、その週、あるいはその年のもっと前に読んだ他の数字の集合と比較されなくてはならない。そしてプロフェッショナルマネジャーはそれを一人で、それ以外ならほとんどどんなことでもずっと刺激的だとわかっていても、まったく一人きりでやらなくてはならない。もし会社がうまく経営されていれば、たいていの数字は予期した通りのものだ。そのことはそれらをいっそうありふれた退屈なものにする。それでも飛ばしたり、集中力を緩めることを自分に許すわけにはいかない。それらの数字はいわば会社の操縦装置であり、疲労のために頭がくらくらしてくるか、それともある数字はまたは数字の集合が、他の中から抜きん出て注意を要求し、そしてその要求が満たされるまでは、読んで読んで読み続けなくてはならない。

彼が追求しているのは数字の含蓄――それらが意味するものである。それを成就するには、数字が持つ意味の絶えざる暴露、絶えざる反復、過去に読んだものの記憶の保持、そして数字が代表する実際の活動への親近によるほかはない。その過程を加速化することはできない。含蓄は浸透の過程によって頭脳に染みわたり、彼は徐々に数字とそれらが真に代表するものの相手をすることが苦痛でなくなる。数字と事実で自分を飽和状態にすることは、初めのうちはどれほど迂遠に感じられようとも、かならず含蓄の理解をもたらす。なぜともなく、ばらばらだった断片がひとつに組み合わさり始める。それは彼がビジネスの世界でだれよりも賢い人間であることを意味するものではない。ただ、反復こそ含蓄の理解の秘訣だというだけのことだ。私が毎月ある企業の数字を読み、そのマネジャーと問答をしていると、何が起こっているかの基本的理解に双方がなにかを付け加え、問いも答えも前月とはかすかに違ったものになってくる。

数字相手の苦行は、じつは自由への過程なのだ。くる週もくる週も、くる月もくる月も、そうした数字の行列と付き合っていると、記憶とそれらへの親近度が増進され、その会社で起こっていることの生き生きとした構図が、前に起こったことと——そしてさらに重要なこととして——将来起こる可能性のあることと重なって、頭の中で合成されてくる。そして自分はしっかり物事を管理している、予測との格差にも気づいているという自信が、それがなかったら不可能なことを自由におこなえるようにしてくれる。恐れることなく進んで新工場を建設し、リスクを蔵した研究開発に資金を注ぎこみ、あるいは他の会社を買収するなど、それを確信をもってやることができる。なぜならそうしたニューベンチャーが、予測される各事業部の活動にバックアップされて、バランス・シートの全体図にどんな影響を及ぼすかを計算することができるからだ。長い単調な苦行から得られた、数字を相手に仕事をする経験と技量が、自分自身だけでなく銀行や証券アナリストや株主たちからも現実的なものとして信用される未来への計画を描いてみせることを可能にしてくれる。数字をマスターしてしまえば、それを読むことはもはや普通の字や文を読むのと変わらなくなる。つまり、しぜんに意味が読めるようになるのだ。目は数字を見ていても、頭は〝市場〟や〝コスト〟や〝競争〟や〝新製品〟を読んでいるのだ。数字を通して読むことを学びさえすれば、現におこなったり計画したりしているあらゆる物事が、見ようと努力しなくてもひとりでに見えてくる。だが、そうなるまでには、さんざん苦労しなくてはならないではないか、と言われるかもしれない。しかし、それはなにをマスターするにも必要なことだ。

個人的な立場から、不必要な謙遜のふりをせずに一言言わせてもらうと、二〇年以上にわたるＩＴＴの目覚ましい不断の成長——その間に三〇〇以上の企業が吸収、合併されて、全世界にまたがる統一された会社が形成された——を可能にした大きな理由は、ＩＴＴの特色として喧伝される緊密な財務管理方式に加えて、それらを〝通して〟読み、そうした数字が何を意味し何を要求しているかを考えるわれわれの能力だった。数字の徹底的検討は、われわれが自由に勇気をもって行動できるようにしてくれた。拡張や買収のための資金を借りるのに困難したことはなかった。銀行その他の金融機関は、強力な財務管理の真の意味を固く信奉しているわれわれを認めてくれた。したがって、われわれはキャッシュ枯渇の危険にさらされたことはまったくなかった。私が社長として在任している間、ＩＴＴは同じ規模の他の会社より急速に、また成功を収めながら成長した。なぜなら、われわれはみずからの数字を知っているおかげで、恐れずに前進できたからである。

実際、しっかりした管理方式——会社のどの部分かが期待通りのことをやっていない時は、そのことを遅滞なく、十分に詳しく知らせてくれ、それに基づいて自分が数字の背後に回って、どこをどうしなくてはならないかを正確に分析できるようにしてくれる管理方式——を確立できさえすれば、だれでも会社を前進させ、成長させ、利益を挙げる経営ができないはずはない。

事実を正確に伝える、上等な数字がそうさせてくれるのだ。

第十章　買収と成長

〝コングロマリット〟という呼び名は一九六〇年代の末から七〇年代の初めにかけて流行語になった。最初は理解不足のために、コングロマリットというのは飽くことを知らぬ食欲を持ったある種の会社が、合併また合併によって、無関係の他の会社をつぎつぎに併呑《へいどん》できる新しい事業の方策というふうに考えられた。たとえば、靴をつくる会社と銀行と材木会社と婦人服会社と、ほかにもさまざまな会社がひとつの親会社の屋根の下に雑居している状態をどう考えたらいいのか、当時、たいていの財務分析家には測りかねた。実際には多くの大企業が、ずっと前から〝コングロマリット〟だったことに、ほとんどの人が気づいていないように見えた。ゼネラル・エレクトリック（ＧＥ）社は発電機、トースター、機関車、冷蔵庫、航空機のエンジン、それに電球といった多種目の製品に手を広げていた。しかし、ＧＥは長年かかって徐々にそうなったのだ。新しいコングロマリットも、やろうとしていることは同じだが、やり方が急だった。

一九六〇年代の株価の急激な高騰は、本質的な価値とのあいだに混乱を生じさせ、株価が他の株の値上がりのペースについていけない会社がとくに狙われ、過去のいつよりも多くの買収合併がおこなわれた。実際、中には会社の実質から遊離して過度に膨張したペーパー・バリューを利用した、悪辣な取引としか思えないケースもあった。そして本質的にはキャッシュと資産の証明書である株券を交換することで、小さい会社が大きい会社を吸収合併した。そして人びとは、コングロマリットは一種の信用詐欺ではないのかという疑いを持ち始めた。

ウォール街にはいつでも一攫千金《いっかく》を狙っている悪漢がいて、コングロマリットの中には、そうした連中が手がけた合併による危なっかしいものもあったが、この時期におこなわれた合併の大半は、まともな価値と価値とが取引されて、その結果としてより大きな、より強力な、よい経営陣をそなえた会社ができるという、完全に合法的な商行為だった。にもかかわらず、すべてのコングロマリットが十把一《じっぱひと》からげにされて、なぜか邪悪なものという汚名を着せられた。たとえば著名なユーモア・コラムニストのアート・バックウォルドは、そうした一般の思潮を代弁して、コングロマリットが互いに食い合いをして、最後にはひとつの巨大なコングロマリットとアメリカ合衆国政府だけが残るという未来図を描いてみせた。また、リベラル（穏健進歩派）の人びとのあいだでは、コングロマリットはもっと深刻に受けとられた。私が受けた印象では、一部の人びとは本気で、もし放任しておいたらコングロマリットは、ひょっとして世界を制圧してしまうかもしれないと考えていたように思われる。なるほど、企業の合併はアメリカだけでおこなわれているのではなかった。それは世界のあらゆる産業界で起こっていた。

ＩＴＴが最大のコングロマリットとして台頭したのは、まさにこの時期だった。われわれは台座の上に祭り上げられ、ある人びとからは称賛され、別の人びとからは糾弾された。しかし真実は、ＩＴＴがコングロマリットになったのには、きわめて至当な理由があった。――われわれが成長する道は、それ以外になかったのである。

私がＩＴＴ社長に就任して間もない一九六〇年、最も高収益を挙げていたわれわれの子会社、キューバ電話会社がフィデル・カストロにより接収された。それは一九二〇年にソスシーンズ・ベーンが創立したインターナショナル・テレフォン・アンド・テレグラフ・カンパニーの核となった会社だった。カストロ政府はわれわれに一セントの賠償金も支払わなかった。それは当時としてはひどい打撃だったが、今振り返ってみると、本当は祝福しなくてはならない事件だったのだ。その財産の接収は――それに対してわれわれはハーグの国際司法裁判所に提訴する以外、なんらなすすべもなかったが――ＩＴＴが抱えていた真の問題を結晶化させる一助となった。

あまりかんばしくない総合収益（七億六五六四万ドルの売上高に対して二九〇三万六〇〇〇ドル）のことを別にすると、われわれの真の問題は、その収益の八〇～八五％が国外からのもので、それぞれの国によって独自の経済事情と政治情勢の影響を受けることだった。第二次大戦後、東欧の共産主義国の、われわれの六つの電話会社が収用されていた。また、西欧諸国の通貨がアメリカ・ドルに比べて弱いことは、そこでのわれわれの収益の価値を不安定なものにした。そして中南米では、〝ヤンキー・ゴー・ホーム〟のモットーに代表される政治的感情が、投資のリスクを大きくしていた。それらのたいていの国々で、われわれの電話サービスを維持するのに必要な料金値上げの要求をずっと却下され続けていた。実際、われわれはやがてブラジル、ペルー、メキシコ、チリの諸国で――これらの場合、多少の賠償は支払われはしたが――われわれの電話会社を失うように運命づけられていた。

われわれが生き延びたければ、合衆国における収益の基盤を強化しなくてはならないことは明白だった。われわれはアメリカ人の所有する会社だった。当時八万八〇〇〇人の株主の九〇％がアメリカ人だった。その株主たちに配当を支払う能力を確保するためには、合衆国内での収益をもっと増やす必要があった。これならまず安全という目安として、ＩＴＴの年間収入の――当時の一五％ではなく――五〇％が国内の売上げから生じるようにしなくてはならない、とわれわれは計算した。国外からの収益に頼ることには、とにかく、不安定要素がありすぎた。

当時の状況を説明するために、仮にＩＴＴの株を買おうか買うまいかと思案している、典型的な投資家の立場に身を置いてみよう。その架空の投資家は、カンザス州のウイチタ銀行の信託業務の責任者だったとする。彼は信託された人たちの資金を、諸外国に事業が分散した会社に投資するだろうか？　そうするとは私には思えなかった。自分の仕事はＩＴＴの事業をアメリカへ引き戻すことによって、それを真に〝インターナショナル〟な会社にすることだ、と私は思い定めた。言い換えれば私は、ウイチタ銀行のその投資責任者が将来への不安なしにその株を買うことができる会社、彼自身も彼に財産を預けた人たちも、その株を貸金庫の底にしまいこんで、眠っていてもＩＴＴの株は価値を増すと安心していられる会社を建設しなければならなかった。会社の取締役会は即座に賛成してくれた。――ＩＴＴは合衆国内で成長しなくてはならない。そこで初期のころ、われわれの前に据えられた問題は、そうするためにはどの会社を買収すべきかということだった。

当時の国内事業は、ほとんど全部が国防省の発注による軍の電気通信機器関係のものだった。私が着任する前にＩＴＴがおこなった電気通信以外への拡張の試みは、はなはだ危険な性質を蔵していた。現業部門の人びとと古参のエグゼクティブたちは、自分たちの知識分野の中にある会社だけを買収しようとした。その線に沿って最初に買収したのはジェニングス・レディオ、ナショナル・トランジスタ、ゼネラル・コントロールズ、キャノン・エレクトリック、ジルフィランの各社だった。それからわれわれは合衆国で三番目に大きい電話会社、カンザス・シティのユナイテッド・テレフォン社と合併しようとし、価額の主張をあと一〇分の一だけ譲れば折り合いがつくところまでいった。もしその合併が成立していたら、ＩＴＴは電話機の製造と電話サービスを専門とする会社――事実上、公益事業会社になってしまっていたろう。ユナイテッド社は一株対一株の取引を主張した。われわれは〇・九対一の取引を提案していた。その交渉が物別れに終わった時、私は胸をなでおろした。私はＩＴＴが電話公益事業会社になりそうなことを、あまり喜んでいなかった。――もしそうなれば投資コストは大きく、流動性のない資産を抱えこみ、収入は規制され、おまけに国じゅうの全部の電話の九〇%を支配するベル・システム社と競争しなくてはならない……。

どの分野に拡張すべきかを取締役会と討議する準備として、私はそれぞれの業種を他の業種と比較した場合のプラス面とマイナス面を一枚の紙に書き出した表を作った。グラフ用紙のいちばん上に、横へ、市場、収益率、資本投資金の借りやすさ、経営に要求される責任(もしくは経営が果たす役割)の重さなどの項目を書き並べた。それから左端に、縦に業種を書き並べた。そして、明らかになったことは、電話会社のような公益事業の特徴は、収益は常に増収するが、そのスピードが遅いこと、市場が固定していること、容易に融資を受けられること、経営の良否はほとんど問題にならないこと、投資収益はかなり良好なことなどだった。公益会社は法的に保護された独占事業だ。われわれのケーブル会社も電話会社と同じプラス面とマイナス面を持った半独占事業だが、ただ、市場は開放されており、経営にかかる責任はやや重かった。それから合衆国内での最大の事業である国防関係事業では、経営の果たす役割がきわめて大きかった。ひとつひとつの契約にかならず入札をしなくてはならず、契約の継続期限は限定され、利益率は当時きわめて低く、労働と経営のコストが高かった。

私は取締役会に、国防関係事業は拡張しない方針をとろうと提案した。そのかわりに、私はリストに業種をひとつ――金融を――追加しておいた。その業種では経営への依存度は低く、資本投資も労働コストも低く、市場は開放的で、経済のサイクルから比較的自由だった。そのうえ、比較的高い収益はキャッシュのかたちをとるのが普通だった。

電話と無関係の最初の買収対象として、私がＩＴＴの取締役会に提案したのは、エトナ社というセントルイスの個人金融会社だった。取締役会は私の提案に肝をつぶした。

どうして私はその業種を、そしてその分野の中でもとくにその会社を選んだのか？　それは他の何より、直観と個人的経験からだった。私はシカゴで働いていた当時、市街電車の車掌が創立したという会社の話を聞いたことを思い出した。彼は市街電車の終点駅を根城にして仲間の車掌たちに――つぎの給料日に利息をつけて返済するという条件で――金を貸すことからスタートした。その小さな発端が合衆国で最大の、最も成功した個人金融会社のひとつ、ハウスホールド・フィナンス社へと発展を遂げたのだ。その話を聞いてから何年も後、ＩＴＴで、私はそういった事業を物色し始めた。エトナ社はセントルイスに、チャールズ・ヤレムという名の歯科医によって創立され、私が目をつけた時は、「自分の会社は貧しい人びとの財務コンサルタントだ」という考えのデーヴィッド・コーウィンという人物が経営者になっていた。銀行から借りることができず、当時横行していた多くの悪質な金融会社の餌食にされかねない貧しい人びとに、妥当な条件でローンを用立てることで、彼はエトナ社に品位と実意のある目的を付与した。私は彼とその会社が気に入り、買収後も彼に経営者として留任してもらうつもりでいた。

私の提案に対してＩＴＴの取締役たちは、それがＩＴＴの名声にまったくそぐわないものとして、拒絶反応を示した。彼らは個人金融会社を質屋と同等、売春宿より一階級だけ上のものとしか見ていなかったのだ。翌月の取締役会に出席する時、私はその見方に対する反論を用意していた。その席で取締役会の各メンバーにライフ誌を一冊ずつ配ったが、あらかじめそれに掲載されている九つの大きな広告に付箋をつけておいた。それらはＧＭアクセプタン社とかＧＥのクレジット会社とか、それらに似たり寄ったりの分割払い貸付会社など、いずれも大きな、きわめて世評の高いクレジット会社の広告だった。

「みなさん、こういったクレジット会社がやっていることと、私がやろうと提案していることと、どこが違うんです？」と私は質問した。それからしばらく活発な議論がおこなわれた後、われわれの最初の、本業とは無関係な会社の買収案は承認された。われわれはエトナ・フィナンス社を現金ではなく、三九五九万一〇〇〇ドル相当のＩＴＴの普通株と優先株で買った。その日以来、エトナ社は成長することをやめなかった。昨年（八三年）だけで、同社はその税引き後買収価額の三倍の収益を挙げたが、それはアメリカ第二〇位の銀行のそれに匹敵し、一九八五年にはさらに高い年間純利益を挙げるものと予測されている。

買収時のエトナ社は非常に小さい会社だったので、われわれはさらにウィスコンシン州にある一、二の小さな個人金融会社を買い足すことができた。しかし、司法省のアンチトラスト法の解釈が、われわれが同一業種の会社を一つか二つ以上は買うことを禁じていたので、その分野では、それ以上はあまり拡張することができなかった。そこでわれわれは他の分野で、他の買収対象をさがさなくてはならなかった。

ある時の休暇を、例によってニューイングランドで過ごしているあいだに、私は小さなポンプ会社の所有者と知り合い、彼は私に、なぜ、またどういうやり方で、ほとんどのポンプ会社が利益を挙げているのかを説明してくれた。それはポンプがほとんどあらゆるものの製造工程の基本部品で、液体をある場所から別の場所へ移す手段として、新品でも再組立品でも、常に需要が絶えないからだ。そこで会社に戻ると、私はポンプ会社に注意を向け、その大部分が個人所有で、比較的小さく、新しい方式から見るとあまりうまく経営されていないことを知った。そんなわけでわれわれはポンプ会社を、それからバルブ会社を――ポンプとバルブは互いに補い合うパートナーのようなものなので――買収し始めた。その結果として、今日、ＩＴＴはおそらく世界最大のポンプメーカーとなっている。それらは派手な会社とはいえないが、かつてニューイングランドで知人となった人物が言ったように、時節のよしあしにかかわらず、良い〝稼ぎ手〟だった。時がたつにつれて、しばしば部分品のほうが、それを使ってつくられる最終製品より利益性が高く、広い安定した市場を持っていることをわれわれは学んだ。そこで今度は電子部品に矛先を転じたが、それは経済の中で最も成長の急速な分野のひとつとなった。

部品というものへのわれわれの考え方に沿って、またヨーロッパにおける電話部門での政府発注への過度の依存から脱却を図るため、一九六七年に、われわれはドイツの自動車部品会社、テフェス社を七五〇〇万ドルで買収した。翌年は合衆国の自動車部品会社、トムソン社がシェラトン・ホテル・チェーンの子会社としてわれわれの傘下に加わった。これらの場合についてもまた、陳腐な仕事だと大多数の人が考えるものが、実際には成長する市場を持った、安定した利益性の高い事業であることを発見した。こうして買収したものを基礎として、今やITTの自動車部品部門は年間二〇億ドルの事業となっている。ヨーロッパでつくられるどの自動車にも、かならずどこかにITTの部品が使われていると私は人から聞いたことがある。

私が着任した時のITTは、電気通信用の電気機械式交換装置を専門とする工業会社の性格が強かったが、その後、厄介な電気式装置から電子式、そして今日の精妙な高速デジタル・システムへと進歩を遂げたその分野とともに成長した。たっぷり二〇年間というもの、われわれは研究開発予算の七五%を、われわれの技術者と科学者が〝電気通信の将来〟として夢想したものに注ぎこんできた。彼らはおびただしい種類の新式の電子部品を生み出したが、それらを使った完全製品はまだ発明されていない場合が多い。最近ようやく、長距離電話用の新しいITT〈システム12〉の開発によって、そうした初期の研究開発の産物が市場化されるにいたった。

しかし、まだ会社の国内での収益を増やそうと奮闘していた一九六〇年代の末から七〇年代の初め、われわれは消費製品とサービス産業の分野に目を向けた。それは当時、最大の成長の可能性を秘めた分野であるように見えた。サービス経済に向かう国内の趨勢に気づくのが早かったといえる。消費製品の分野の会社も買収するのに、ほとんど競争に出合わなかった。

買収する会社をどのように選択したのかとたずねる人びとに、私はよく、買える会社を買っただけだと答えたものだ。あるいは、これは単純化しすぎたきらいがあるかもしれない。われわれがやったのは、売りに出ているか、あるいはＩＴＴと合併するのを望んでいる会社を、個別的に考慮することだった。大げさな作戦などなしに、それぞれの会社がそなえている合理的条件を検討した。——それは消費者が必然的に買い、将来も買い続ける製品またはサービスを提供しているか？　それは良い製品か？　その生産に注ぎこまれる労力に対して、収益は良好で安定しているか？　その会社の将来の可能性はどうか？　その市場は成長に向かっているか、それとも衰える傾向にあるか？　そして最後に、ＩＴＴのわれわれは自分たちの経営技術と、より大きな資金力によって、その会社に相当ななにかをプラスすることができるか？　買収した後、われわれはその会社が成長するのを助けることができるか？　ある会社がＩＴＴの経営システムに適合するかどうかの見きわめをつけさせてくれたのは、そうした単純な問いの積み重ねだった。

むろん、われわれはバランス・シートの数字の検討もした。そしてその会社のマネジメントの意見と、それが現在抱えている問題と、それらの問題を解決することがわれわれにできそうかどうかといったことを、はっきり表面に持ち出して吟味し、それから行動した。その過程には、科学的なところはぜんぜんなかった。買収は主として直観と経験と、そしてＩＴＴのわれわれはその会社を前よりうまく経営するのを助けることができるという自信に基づくものだったと思う。たいていの場合、もとのマネジメントを留任させ、彼らをＩＴＴ式の営業計画と細密な予算と厳格な財務管理のシステムに、そして全員が顔を合わせるゼネラル・マネジャー会議に参加させた。あれやこれやとわれわれがめぐらす考えの背後には、無からなにかを始めるより、すでにあるものを引き継ぎ、それを発展させるほうが良策だという認識があった。

エンジニアリングと製造・加工への依存から脱却するための多角化を代表する消費製品とサービス産業への進出の一環として、一九六五年にエイビス・レンタカーを、六六年にAPCOA空港駐車場を、そして六八年にシェラトン・ホテル・チェーンを買収した。大量取引ベースで買うかリースするかした車を小売りベースで、走行マイル数あるいは使用日数によって賃貸するエイビスの仕事は、財務管理を慎重にしさえすれば基本的に良い商売で、安定した利益とその成長を期待しないほうが無理なぐらいだった。われわれはエイビスをヨーロッパ市場に進出させ、やがてそちらのほうが主体といえるほどの利益を挙げるようになった。シェラトン・ホテル・チェーンを買収したのも同じ理屈からだった。ビジネスと楽しみのために旅行するアメリカ人がますます増える傾向を受けて、ますます多くのホテルやモテルを建設・経営する——ということは、ベッドを買って、それを宿泊日数によって賃貸することにほかならなかった。

非常に知名度の高い〈ワンダー〉パン、〈ホステス〉ケーキ、〈トゥインキーズ〉などを売り出しているコンチネンタル・ベーキング社の買収は全国消費市場への本格的な進歩の動きだった。それによって全国の食料品店でITTの製品が売られることになった。われわれが一九六八年に一億八一〇〇万ドル相当のITT株で買収した時、コンチネンタルはアメリカ最大のベーキング会社だった。その前年の同社の年間売上高は六億二一〇〇万ドルだったが、以後、ITTの傘下にあってコンチネンタルの売上高は、一九八二年、その二倍以上の一五億ドルに達した。

進むにしたがって、われわれは消費市場の一群の他の会社を買収した。——化粧品、電球、図書出版、金物、そしてざっくばらんにいえば合衆国での収益を増やすものなら何でも。六〇年代中期の最も有望と思われた買収のひとつは、業界屈指の、最もよく知られた低コスト住宅の建設業者のひとつ、レヴィット・アンド・サンズ社だった。第二次大戦直後、ニューヨーク州ロングアイランドに、そっくりひとつの地域社会を形づくる〈レヴィットタウン〉と名づけられた低廉な住宅群を建設する仕事でスタートしたその会社は、着々と成功と利益を収めているばかりでなく、国外に広大な分譲地や地域社会をまるごと造成するという想像力豊かな計画を持っていた。その想像力に富む計画に必要な巨額の資本投資をわれわれは提供できると考えた。将来の成長への熱い期待に燃えながら、レヴィット社を九一六〇万ドルで買収したが、結果的にそれはわれわれが犯した最大の過誤のひとつとなった。われわれの経営哲学はその事業とうまく噛み合わず、住宅市場は急激に不振に向かった。

六〇年代は株式市場の高度成長期であると同時に、急激なインフレ期でもあり、したがってドルの価値が低下の一途をたどった時期だった。この悪性インフレに対してみずからを守るために、天然資源に目を向けた。この場合もまたわれわれは、インフレが高進し続ける合衆国で、再生可能なものとそうでないものとを問わず、天然資源は価値を増すばかりだということに、他に先んじて着目したのだった。

アセテートとレーヨンの主成分である木材セルロースの世界有数のメーカー、レヨニア社は、天然資源の分野でわれわれの買収のとびきり重要な収穫だった。一九六八年にわれわれが二億九三一四万五〇〇〇ドルで買収した時、それは低収益の、どちらかというと沈滞した会社だった。カナダの子会社売却問題などで買収は失敗といわれたこともあった。しかし、ITTの資本と経営の導入に加うるにインフレの作用を受けて、レヨニア社はITTの資産として一〇倍近く——現在の推定価額二五億ないし三〇億ドル——に価値を増した。さらに二カ月後、今度はガラス並びに肥料や農薬の製造に使われるシリカの大手生産者、ペンシルヴェニア・グラス・アンド・サンド社を一億一二五〇万ドルで買収した。その会社を買う決断をするのに、二〇分もかからなかったことを私は覚えている。すべての事実と数字は、それが良い買いものであることを指し示していた。創立者たちは引退するためにそれを売りたがっていたのだ。条件はただひとつ――創立者の一人の息子が自動車事故による負傷のために療養中だったが、回復したら経営者としてその会社に復帰させてくれ、ということだった。私はその条件を呑み、以来、その人物――ヘイル・アンドルーズが経営の任に当たり、良好な業績を挙げている。われわれはまた、天然資源の分野でのＩＴＴの地歩を補強するために、石油とガスと石炭の、比較的小さな会社をいくつか買収した。

忘れないでいただきたいのは、一九六〇年代のわれわれのこうした買収の目的は、もっぱらＩＴＴの大きな将来という観点から、全収益の五〇％を国内で達成することにあったということだ。この目標に達するためには、単に早く成長するだけでなく、ヨーロッパ子会社の拡張より早い速度で成長しなくてはならなかった。ヨーロッパ会社もテレビやラジオ、電子機器などの消費製品の分野への進出のための資産の取得に忙しかった。われわれは一日にひとつの割合で会社を買収したこともあった。一九六八年だけで、レヴィット、レヨニア、シェラトン、ＰＧＳのほかに一〇社の会社を買収した。

われわれは買収を、キャッシュではなくＩＴＴの普通株と優先株でまかなった。ここで指摘しておかなくてはならないのは、非友好的な仲介者によってお膳立てされた買収はひとつもなかったことだ。われわれは売りに出ているものだけを買った。買収の大半、中でも大きなものは、とくにフェリックス・ロハティンという人物によって代表されるラザール・フレールという投資銀行を通じて話が持ちこまれた。彼はその投資銀行の共同経営者の一人で、のちにニューヨーク市を破産の瀬戸ぎわから救ったことで名を上げた、聡明で勤勉な人物だった。不動産業者が買い手にいくつかの物件を見せて、その中から選択させるように、ＩＴＴがどういうものを求めているかを知っているロハティンは、より大きな、資本集約度の高い会社との合併を望んでいるか、すくなくとも関心をいだいている適切な会社を紹介してくれた。そうした提案の中から、さらにわれわれ自身が選択をした。

気に入った会社が見つかると、ほとんどいつでも、相手の言い値か、それに近い代価を支払った。その結果として、われわれは気前のいい買い手として知られるようになった。合併されることを望む会社は、他のどこより先にわれわれのところへ話を持ってくるようになり、しばしば最初に付け値をする機会を与えられた。会社を買収する場合、その会社にはこれだけの価値があると先方が考えている価格を――たとえそれが簿価または市場株価を上回っている場合でも――提示すべきだというのが私の信条だった。そうでなければ合意の商談は成立しない。私は売り手に、われわれは他のどこよりも良い条件を提示していると思われたかった。そして買い手である私は、その会社が持っている成長の可能性が、将来われわれが手に入れるものによって、現在支払おうとしている価格を結局は安いものにしてくれることを確信できなくてはならなかった。その取引を双方が喜べるのでなければならなかった。というのは、その会社の成長を可能ならしめるために、その後も両者が共同して働くことになる場合のほうが、そうでない場合より多かったからである。

時には帳簿を一〇分か二〇分検査しただけで、会社を実際には見もしないで買ったこともあった。それは一見して明らかに業績が良好で、われわれの助力でさらに良くできると確信できた会社の場合だった。O・M・スコット・アンド・サンズ社はその種の買収の代表的な例だった。その話が持ちこまれたのは一九七一年のある夜だった。その最主要オーナーのポール・ウィリアムズが病後の身で、それを売りたいというのだった。私はその会社のバランス・シートを見、言い値を聞き、一五分もたたないうちに承諾の返事をした。芝生と肥料の主要メーカーのスコット社は、その年、六四〇〇万ドルの売上高と二七〇万ドルの純利益を挙げていた。言い値は七七〇〇万ドルで、われわれはそれを支払った。一〇年後、ＩＴＴの子会社として、スコット社の売上高は二七〇％増して二億三五八〇万ドルに、純利益は四〇〇％増の一三六〇万ドルに達した。

買収のために支払う価格に対して、ウォール街ではしばしば取り沙汰された。しかし、必要とあればわれわれが買収しようと思う会社に資産価値以上の価格を払うことができた。なぜなら、当時、ＩＴＴの株価収益率は二〇倍にも達していたからだ。そこで株価収益率が一二〜一三倍の会社を買収するのに、収益の一四〜一五倍、あるいは一六倍でも提供することができた。それは金額としては高くても、買収した会社の収益をある程度増やすことができれば、それはわれわれの一株当たり収益の中に適当に落ち着いた。一九六〇年代に、われわれの株価は他の株と並んで一部の人びとから膨張していると見られた。しかし、私の考えでは、株価はさほど膨張したものではなかった。というのは、価格は、その株が将来持つようになる価値への投資家の期待の表れだったからである。ＩＴＴ株の価値は堅固だった。（会社の）売り手たちは自分たちの株と引き換えに、喜んでそれを受け取った。われわれが買収の代価として本当に支払っていたのは、それまでわれわれが勤勉と良い経営によって、ＩＴＴ株の内に築き上げた価値であった。

しかし外部からは、コングロマリットは一般的になお懐疑をもって眺められ、収益を〝買って〟いるのだという疑いを持たれた。言い換えれば、買収が一段落すれば、現在のような収益を維持していくことはできないというふうに思われたのだ。しかし、ＩＴＴの場合はそうではなかった。一九七二年、フォーチュン誌はＩＴＴが所有する会社の徹底調査をおこない、われわれの買収した会社はもとから所有していた会社とだいたい同じペースで成長し続けていることを発見した。「調査の結果、総じて買収された会社の収益は年率一二・五％の成長を遂げてきた」とフォーチュン誌は結論したあと、つぎのように付け加えた。「一九六〇年代の〝基礎〟会社についても、まったく同率の成長が認められた。……一口に言って、ＩＴ

Tは買収した会社と過去から受け継いだ会社の両方を、すばらしいペースで成長させる能力を証明してきた」。

その年――一九七二年に、私は一九五九年に七億五〇〇〇万ドル以上の売上高を挙げた五〇社近くの会社について独自の調査をおこない、以後それまでの一株当たり収益の成長においてITTを上回るのはIBMだけだということを発見した。われわれは買収によるばかりでなく、内からも成長していた。私が一九七七年にITTの最高経営者を退いたあとで、われわれがおこなった買収した株価数を集計してみると、当時の市価で約六〇億ドルに相当する九六〇〇万株のITT株を発行していることがわかった。今日では、買収したそれらの会社の市価は約一二〇億ドルに達するものと見積もられる。おまけに、株の取得に用いられる〝プール会計〟方式にしたがって、買収した会社は簿価約四〇億ドルとして扱われたので、これを加味したITTの資本利潤は八〇億ドルということになる。今はすっかりITTの組織の中にとけこんだこれらの子会社は、全社の総利益の約四分の三に達している。

われわれがおこなった何百もの買収に関して、私が最も満足感をもって回想できるのは、おそらく、一九六〇年代初期に〝おこなわなかった買収〟であろう。人生においてある道をとらないことは、別の道をとることと同じぐらい重要性がある。コンピュータが未来の波と見なされた一九六〇年代初頭、ITTの多くの技術者――とりわけヨーロッパITTの技術者たちは、その新しい画期的な分野に進出したがっていた。コンピュータの開発で他からはるかに抜きん出ていたドイツ会社は、入札でIBMを蹴落としてエール・フランス社のコンピュータ予約システムをつくる契約を獲得したが、その契約でわれわれは一〇〇〇万ドルの損失を出した。私はそれ以上のコンピュータの開発にストップをかけた。その部門の技術者たちはこれに異議を唱え、私が彼らの研究開発の継続を許さなければ、現在進行中のコンピュータ関係のプロジェクトを放棄して辞職すると脅迫した。彼らはその技術をさらに究め、その最先端に立ち続けたかったのだ。コンピュータの研究開発は最初から技術者の喜びであり、未来の夢だった。しかし、事業家である私にとっては、それは巨額の投資と、経営への重圧と、遠い未来でなければ見返りを当てにできない超ハイリスクを伴う悪夢だった。かなりの数の技術者がコンピュータを開発している会社に新天地を求めて去った。コンピュータ技術者は時代の寵児だった。会社に残った技術者たちも、こっそりコンピュータの開発を続けていた。それを知った私は二人の非常に有能な技術者を雇い、それから何年か続くことになった特別の任務を授けた。それは世界じゅうにあるエンジニアリングと新製品の研究所を自由に歩き回って、どんなコードネームで呼ばれていようと、内密でおこなわれている汎用コンピュータに関連したプロジェクトを残らずさがし出し、中止させ、根絶する仕事だった。それでももし面倒が起こったら、本社のわれわれに通報すれば、われわれが出て行ってそれを揉みつぶすという手はずになっていた。

当時、ＩＴＴでの汎用コンピュータ開発に対する私の初期の禁令は多大の抵抗に出合った。技術者のみならずわれわれの投資に関する助言者たちもコンピュータ開発に乗り気だった。コンピュータの分野に進出する力のある者はすべてそうしている、と彼らは言った。そして、やると発表するだけで、株価は上昇するだろうと保証した。しかし、私は断固として踏みこたえ、それ以来ずっと、他の会社がコンピュータに対してとった態度を、ある程度の関心をもって観察し続けてきた。技術部門担当のトップ・エグゼクティブの一人は、世界を一変させるにちがいないコンピュータによってもたらされる未来への自分の夢を私に押しつけようとした。私が考えを変えようとしないのに業を煮やして、彼は辞職してよその会社に移り、その会社はコンピュータ開発で一億二〇〇〇万ドルに及ぶ赤字を出した。それから彼はまた別の会社に、やはりコンピュータ事業部長として移り、その会社は後に約五億ドルの赤字を出してコンピュータ事業の継続を断念した。ＧＥ、ＲＣＡ、ハネウエル、スペリーといった著名なアメリカ会社、またヨーロッパでもジーメンス、フィリップスなどの会社が、挫折したコンピュータ開発計画のために——すべてわれわれがＩＴＴで遭遇したのと同じ技術者たちの夢と野心が原因で——何十億ドルのうえにさらに何十億ドルもの投資を消却せざるを得なくさせられた。

これらの巨額の損失に対して、技術者たちを咎めるべきではない。彼らは自分の専門の立場から、コンピュータが生活と市場に及ぼすに違いないインパクトをきわめて正しく予想しただけだ。誤りを犯したのは、自分を偉大な戦略家と見なしたトップ・マネジメントの人びとである。自分は部屋の中に居ながらにして、二〇年先に何が起こるかを予見できると思うことができる人びとだ。それはすばらしいビジョンだった。その知識と戦略的思索によって、彼らは未来のコンピュータ市場のシェアをつかむ計画を立てることができた。難点はただ、大作戦にはいつもつきもののことだが、他のだれもが彼らと同じものを見、まったく同一の戦略を思いつくことだった。その結果として、彼らはみな、その巨大市場のシェアをめぐって、トップメーカーのＩＢＭと戦うことになるだろう。これまで生き残ってきた会社は、今なおその市場で利益が出るだけのシェアを求めてＩＢＭと戦っており、長い間にはほんの二、三の会社しか生き残れないだろう。繰り返して言うが、私はＩＴＴで汎用コンピュータ関係の買収をしなかったことに、特別な意味の喜びを覚える。その経営決定は会社に、すくなくとも五億ドルのあり得べき損失をかけずにすますことができたのだ。

企業の多角化とコングロマリット構造の利点は、なかなか認められなかった。この国の伝説はいつも変わることなく、「靴屋よ、靴づくりに専念せよ」と教えていた。自分の専門領域から敢えてはみ出そうとする者は、ことさら災いを招こうとしているのだとされた。その論法を押し進めれば、多種多様な分野で急速に成長している企業は、深淵の上に架け渡された綱の上で曲芸をしているようなもので、かならず墜落せずにはすむまい。――今日でなければ来年、来年でなければそのうちいつか。コングロマリットは能率的であるには大きすぎ、一人の人間あるいは本社チームによって経営されるには多角化しすぎているという議論の根底にあるのはその種の考え方だった。実業界の一部の人びとはなおそう信じているが、その数は過去のいつよりもすくなくなっていると思う。

コングロマリットは単一製品、もしくは同じ業界のいくつかの製品に固執している会社（たとえ同じ規模の会社であろうとも）に比べて、はっきりした重要な利点がある。ジョーンズ・アンド・ラフリン社で働いた経験を通じて、鉄鋼業がそのことを私に教えてくれた。鉄鋼への需要が減退した場合、それはなんら建設的になすべきことを知らない。ただ炉の火を落とし、従業員を一時解雇し、自分たちに不利な経済のサイクルが通り過ぎるのを待つだけだ。本質的に単一製品しか扱っていないどんな会社あるいは産業についても、同じことがいえる。これに対する救済策は、私が見てきたところでは、会社の事業を多角化し、いくつかの異なる種類の製品を生産することによって、ある製品の需要が低下したら、需要のある別の製品にその資産を振り向けることができるようにする以外にはない。

広範な経済活動分野をカバーする多業種、多種製品会社は、この意味で経済的不況に対する保険をかけているようなものだ。カバーする範囲が十分に広ければ、その会社のある製品には、他の製品が不況に見舞われている時も、なお需要があり、よく捌けていくだろう。どんな業種にもサイクルはある。それは潮のように上げ下げするが、ただ潮よりもずっと予測しがたい。そんなわけでＩＴＴでは、電話交換機器への需要が低い時、消費者志向の子会社が当たり年を迎えているということもあり得た。そしてひとつの会社としてのわれわれの共同の資産と努力を、有利な機会に遭遇している製品や業種に集中させることができた。その間、一時的不振に陥っている子会社については、忍耐心を奮い起こし、できるだけ倹約に努めるなどして、ビジネス・サイクルの影響を最小限にとどめようとした。言い換えれば、時の勢いに乗っている仲間を後援し、押し立て、早く大きく成長するように促すいっぽうで、足を踏んばり、弱った仲間に肩を貸しながら進み続けたのだ。そしてビジネス・サイクルが変わると、元気を取り戻した仲間をもり立て、新たに弱ってきた仲間を助けるためにわれわれの資産の割り振りをし直した。実際には、需要の多い製品の売上げの伸びる速度は、下降期にある製品の売れ行きが落ちる速度よりかなり早いことをわれわれは知った。そこで勢いに乗った製品の生産拡張を促進することによって、その売上げを倍増するあいだに、他の子会社の売上げ減退は二五％にとどまるといった場合が多かった。そうしたわけで、多角化した企業のある製品の売上げが上昇し、ある製品のそれは下降するという現象が、大体において平均的に起こるとすれば、なおコングロマリットには有利な面が保留されていた。全般的に不況な年でも、よく働くことによってＩＴＴの収益はなお一〇％の成長を維持し、良い年にはその半分の努力で一五％の成長を達成することができた。

懐疑論者が間違っていたことは、時が証明したと私は思う。コングロマリットは自然の理法に反するものではなかった。もちろん、それは経営可能なものだった。それには単一製品会社を経営するより精力的に働かなくてはならないかもしれない。しかし、重ねて言うが、コングロマリットにはいくつかの有意義な利点があった。たくさんの自治的なプロフィット・センターを持つ会社では、それぞれが独自の責任において営業をおこなっているので、垂直的に積み重ねられた会社に見られるような責任の拡散ということがない。かつてジョーンズ・アンド・ラフリン社で、なにかの故障が起こった場合——それが炭鉱、コークス炉、あるいは製鋼工場のいずれで起こったことであっても――責任の所在をめぐってはげしい争いがおこなわれたのを私はよく記憶している。しかしITTでは、良いことであれ悪いことであれ、プロフィット・センターの中で起ったことについては、子会社のマネジャーが全責任をとった。またITTが買収した新しい会社には、それぞれ新しい頭脳集団、新しい観点、それまでわれわれが持っていなかったなんらかの専門知識が付随してきた。社長室には、巨人も天才もいなかった。われわれはみんな力を合わせて、精力的に働いた。それぞれの新しい子会社のマネジメント・チームは、その事業を本社のわれわれが理解し認識することができるように、自分たちの仕事の基本をわれわれに教えてくれた。われわれは毎日、異なる種類の仕事のさまざまな面について学んだ。われわれの事業は国民経済の広範な領域をカバーしていたから、普通よりずっと、世界じゅうの全般的な経済事情に通じるようになっていたと私は思う。それはわれわれを、フォーチュン誌五〇〇社リストにある平均的な会社のビジネスマンより識見の豊かな、幅の広いビジネスマンにしてくれた。

コングロマリットは大きすぎて経営しにくいという考えを曲げない人が業界財界に多くいるのに対して、政界では主としてリベラルに属する人びとの間から、コングロマリットは大きいから、より小さい企業との競争に絶対有利だという非難が起こった。コングロマリットは大きすぎ、成長の速度が速すぎ、そしてビジネスの世界では、大きいことは本質的に悪いことだ、と彼らは叫んだ。それはやがて同志を糾合しようとする叫び――「大きいことは悪いことだ！」という標語あるいはスローガンになった。しかし、どんな法的意見に照らしても、ある特定の市場の五％以上を支配するようにならない限り、コングロマリットにはなんら独占的なところはなかった。どのコングロマリットも――ITTもテキストロンもリットンもリング・テムコ・ヴォートもガルフ・アンド・ウェスタンも、ほかのどの会社も――法と法廷が独占的と見なすように市場を支配してはいなかった。しかし、政治の場ではネオポピュリスト（新大衆主義者）たちが声を大にして、コングロマリットは目に入るあらゆるものを呑みこみ、いよいよ大きく、いよいよ強力になり、あれやこれやで、より小さい企業を不当に圧迫している、と叫びたてていた。それは正確な事実の叙述というより政治的信条の吐露だった。事実、たいていのコングロマリットはさまざまの事業分野に進出してはいるが、それぞれの分野で市場のほんの一小部分を占めているにすぎなかった。彼らは競争を圧迫するよりはむしろ、長年のあいだに緩慢に停滞してしまった会社によって独占されている市場に、経済的影響力を伴った真の競争をすこしばかり導入したものというべきだった。

ＩＴＴはまず一九六五年のＡＢＣ（アメリカ放送会社）との、つぎに一九六八年のハートフォード保険会社との合併の企てを通じて、すべてのコングロマリットの生存のための試練の場を提供することになった。それらは政府対自由企業の聖戦となり、経済的というよりはずっと政治的な性格のものとなった。しかし、これはあとから考えて言えることである。当時の私としては、どちらの合併も純粋なビジネスの取引だと考えていた。

われわれのＡＢＣとの合併の話は厳密にビジネス——両社の適合性に基づいた提案——として始まった。ＩＴＴの創立者ソスシーンズ・ベーンも、かつて合併の構想を持ってＡＢＣに近づいたことがあったが、その時の交渉はかたちをなさないでお流れになってしまっていた。一九六〇年代の中ごろ、テレビは白黒からカラーに移行する間際の、なお発展途上にある産業だった。しかし、ＡＢＣは新しいテクノロジーに歩調を合わせていくのに、キャッシュ不足に苦しんでいた。その放送網は、ＮＢＣとＣＢＳに大きく後れを取り、テレビ事業では欠損を出していた。そして社長のレナード・ゴールデンソンは、非友好的な乗っ取りを恐れ、ＡＢＣの保全と自主性を尊重してくれる会社との合併に関心を持っていた。

私はゴールデンソンに会い、われわれは評価額約二億ドルの株の交換と、合併後も彼とそのスタッフがＡＢＣをＩＴＴの完全所有の子会社として自主的に経営し続けることを条件に、合併に合意した。ＩＴＴにとって、それはきわめて利益性に富む拡張分野のように思われた。われわれはＡＢＣが必要としている資本投資を供与することができ、そうなればＡＢＣは他の二大放送網と互角に競争することができるだろう。その合併はわれわれを、主要な競争相手のひとつであるＲＣＡのそれとよく似た立場に置いてくれるはずだった。ＮＢＣがＲＣＡに提供しているキャッシュ・フローは、当時われわれの垂涎の的で、目の前にあるその実例から、やがてＡＢＣがＩＴＴのためにしてくれることを想像して、われわれは期待に胸を躍らせた。

一九六五年一二月に合併が発表されると、反ビジネス・グループからの抗議の叫びがワシントンにこだました。その合併は放送史上最大のものとして、それは非常に大きく、したがって非常に悪いことだというほのめかしをこめて喧伝された。間もなく、問題はもはや、どの政府機関が――ＦＴＣ（連邦取引委員会）とＦＣＣ（連邦通信委員会）と司法省アンチトラスト部のうちのどれか――調査に乗り出すかということだけだった。司法省は躊躇し、ＮＢＣとＣＢＳを相手に競争することがアンチトラスト法に触れるおそれはまったくない、と顧問弁護士たちがわれわれに保証してくれているあいだに、ＦＣＣが管轄者として名乗り出た。

ＦＣＣの公聴会は一九六六年に開かれた。――ＩＴＴがニュースを支配または操作する恐れがないか？その合併は公共の利益になるか？　ゴールデンソンも私も合併の正当性について詳細に弁じた。放送網を現代化し、カラーテレビに移行するための資本注入の必要について、またＩＴＴとＡＢＣのニュース放送との間隔を置いた関係についての両者の合意について、われわれは証言した。ＦＣＣは四対三で合併を承認する票決をくだした。反ビジネスの執念に凝り固まった人びとは、今度はＦＣＣの公聴会の公正さに疑念を投げかけ、もっと時間をかけてもっと多くの証拠を提出するように要求した。そこでＦＣＣは第二次の公聴会を招集し、それは第一次のそれより長く、悪罵じみた意見の表明の多いものとなった。しかし、今度も四対三で合併を認める票決が出た。だが、われわれの勝利は短命だった。ＦＣＣの決定をくつがえし、その合併を阻止するために、司法省がＩＴＴを相手取ってアンチトラスト訴訟を起こしたのだ。

顧問弁護士たちの説明をいくら聞いても、私には司法省のアンチトラスト訴訟の理論的根拠が理解できなかった。私にわかったのはただ、司法長官がニコラス・カッツェンバックからラムゼー・クラークに代わったことと、クラークは企業に対して個人的、政治的な偏見を持っていることだけだった。われわれがＡＢＣとの合併を発表してからすでに二年が経過していたが、この訴訟はまだあと五年ぐらいかかるかもしれないというのが弁護士たちの意見だった。弁護士たちの見通しでは、最後には勝訴するだろうということだったが、ＡＢＣがわれわれのものになるかどうかわからず、その会社はわれわれのものだという保証つきでＩＴＴの金をＡＢＣに投資することができないままに、五年間もＡＢＣを中途半端な状態にしておくわけにはいかなかった。そのうえ、弁護士の意見によると、ここで新たな買収をすると、現在のＡＢＣの訴訟事件でわれわれに不利な影響が出てくるかもしれないという。またその訴訟はわれわれが他の会社を買収することをも妨げる恐れがあった。そこでレナード・ゴールデンソンと協議した後、一九六八年の元日、われわれは合併を断念すると発表した。

その年、一九六八年の末、業界第六位のハートフォード保険会社が、乗っ取りを恐れているマネジメントによって売りに出されるかもしれないという話を、フェリックス・ロハティンが私のところへ持ってきた。同社は二〇億ドル近い資産を有し、その年の保険料収入も九億六九〇〇万ドルに上っていたが、それでも過去四、五年の巨額の保険金支払いのために、保険事業では欠損を出していた。その株価は低く下がっていて、買収の見地からは誘惑的だった。保険金請求と法廷の判決と示談の増加のために、火災・災害保険業は全体的にしばらく低調に陥っていた。しかし、収益のグラフを見ると、ハートフォード社は保険事業では欠損を出し、利益と損失は年によって大きな変動があったが、保険料の投資は――とくに一九六〇年代の上向き市場にあおられて――ずっと好収益の上昇線を描いていた。良い企業と悪い企業を分類する私の考課方式によれば、ハートフォード社はＩＴＴの多角化の最初の段階で買収した個人金融会社のエトナ社が持っていたすべての長所をそなえていた。

われわれから打診を受けたハートフォード社のマネジメントと取締役たちは、コングロマリットの意図に対する漠然とした疑惑から、合併に気が進まない態度を示した。保守的なマネジメントの目には、コングロマリットというものはまだ胡散《うさん》くさい印象を伴った存在だったのだ。われわれは説得の努力を積み重ね、ほとんどまる一年かかって、ようやくハートフォード社を経営する人びとの不安を取り除くことができた。われわれは時価四七ドルだったハートフォード株に六八ドルの買値を提示し、ハートフォードの株主たちは圧倒的に合併を承認した。われわれはハートフォード株二二〇〇万株に対して一五億ドルをＩＴＴ株で支払った。それは多くの人びとから高い代価だと受けとられたが、われわれの考えではそれだけの価値があり、ハートフォードの市場株価はその会社の真の価値を反映していなかった。その合併はつぎに、穏健進歩派の民主党員ウィリアム・コッターが委員長を務めるコネチカット州保険委員会の承認を受けなければならなかった。

州の公聴会で、ＩＴＴは非難と疑惑と要求攻めにされた。――ＩＴＴはハートフォード社からキャッシュを引き出し、抜け殻にして放り出すつもりでいるのだ。ＩＴＴはきっと本社を移転させ、市は公共・社会活動団体へのハートフォード社の援助を失うことになるだろう。地方経済が打撃を受ける。失業者が出る等々。ハートフォード社の合併は政治的な大事件になってしまい、中でも最も大声ではげしい反対を唱えたのは消費者運動の唱道者ラルフ・ネイダーだった。自分はコネチカット州ウインステッドの生まれだから、この問題には個人的にも関心があるのだ、と彼は強調した。侵略者としてではなく、友人としてコネチカットに入りたいわれわれは、あらゆる非難と疑惑にできるだけ懇切に答えようと努めた。そしてわれわれは「ハートフォード保険会社を裸にするどころか、むしろ逆に、追加投資をしようとしている」「ハートフォード社の自治を保証し、ＩＴＴから二人のメンバーを追加するほかは現在の取締役会をそのまま留任させる」「本社は従来通りハートフォードに置き、取締役会の会議がある時には、ＩＴＴ系の取締役はハートフォードへ出張してくる」「地元の公共・社会活動への協力は従来通り続ける」などのことを誓約した一〇項目からなる声明書を提示した。そして合併はコネチカット州保険委員会の承認を得た。

つぎにわれわれは司法省アンチトラスト部に対抗しなくてはならなかった。新任のリチャード・マクラレン部長が、その合併を阻止するためにＩＴＴに対するアンチトラスト訴訟を提起したのだ。正直に言って、われわれはびっくりした。前のＡＢＣ合併の場合のラムゼー・クラーク司法長官の政治的立場は、わからないでもなかった。しかし、マクラレンは共和党員のニクソン大統領に仕える共和党員のジョン・ミッチェル司法長官に仕える共和党員なのだ。われわれには、マクラレンの動機は架空の〝大企業の害悪〟に対する政治的十字軍を気取る自己顕示としか思えなかった。もとアンチトラスト部長だった人物を含む、われわれが相談した外部のその方面の権威者たちの公平な見解によっても、ＩＴＴとハートフォード社の合併が、法によって禁止されているように、災害保険の分野での競争を相当に減らすなどということは、どう考えてもあり得なかった。報道機関さえも、マクラレンの訴因は根拠薄弱だと認めていた。しかし、彼は新しい法律、あるいはアンチトラスト法の新しい解釈を創造しようと努力しているのだった。

マクラレンのテーゼは、「大きな企業は、たとえ特定の市場を支配しなくても、公益に反する」というのだった。彼は就任して間もなく、コングロマリットは「より小さい会社の市場競争参加への障壁となり、その意欲を減退させる」という論拠から、コングロマリットの横行を取り締まるつもりだ、と宣言した。彼が言うことは事実としても意見としても間違っていると私は思うが、哲学としては、彼がそう考えるのは自由である。しかし、そのテーゼになんらかの法的根拠がなくては、法廷では通用しない。彼の法的主張は〝交互作用の可能性〟なる概念に基づいていた。たくさんの子会社を抱えたＩＴＴは、そうした会社の保険を全部ハートフォード社に扱わせることによって同社を助け、それによって他の保険会社との競争を不公正なものにする可能性がある、というのだ。それが〝交互作用の可能性〟というものだった。それはたとえば、ゴルフバッグを担いで街路を歩いている男には〝殺人の可能性〟があるというようなものだ。なぜなら、その男は不意に二番アイアンをゴルフバッグから取り出して、だれかの頭を撲る可能性があるからである。可能性などと言い出したら、ほとんどどんなことにでも可能性はある。

この訴訟事件の理非は法曹界、業界、財界、政界で広く論議された。報道媒体も広くその問題をとりあげた。ここではただ、ニクソン大統領とジョン・ミッチェル司法長官、それに何人かの他の閣僚が、単に大きい企業は悪いことだというテーゼは現政府の政策ではないと公式に述べたというにとどめておこう。しかし、彼らのアンチトラスト部長の個人的聖戦をやめさせる術《すべ》はないらしかった。彼らは部下の一人の自由に干渉することで、政治的反響を呼ぶことを恐れていたのだ。

マクラレンがアメリカの会社の合併を阻止する聖戦を遂行しているいっぽうで、他の国の政府がまさに反対のことをしていることは秘密でもなんでもなかった。日本政府は二つの鉄鋼会社が合併して、世界最大の鉄鋼会社、新日鉄となるように指導した。フランスではルノーとプジョーが合併して、ひとつの大自動車会社となった。ドイツでは二六の石炭会社がひとつに統合された。イギリスではスコットランドの五つの造船会社が合併された。そしてその傾向は西ヨーロッパのいたるところで、それぞれの国の政府が合併の仲介者の役を務めながら進行した。当時、世界はひとつの経済市場になろうとしており、そこでは企業が国際的なベースで競争しなくてはならず、そうするためには企業は大きく、能率的でなくてはならなかった。そして当時すでに、アメリカ合衆国は国際競争での優越性を失いつつあった。貿易収支は一二〇億ドルの赤字だった。しかし、ＩＴＴはその国際的な広がりによって、合衆国に年間一〇億ドルの金をもたらしており、それが国の福利への貢献であることは明らかだった。——そういったことをわれわれは懸命に力説した。

にもかかわらず、われわれは世論を動かすことができず、一人の人物にその行動方針を断念させることができなかった。ここでもまたＡＢＣとの場合と同様、われわれは法廷で勝てる見込みのある司法事件を抱えていた。しかし、われわれはハートフォード社の所有権に片足をとられたまま、さらに五年間も立ち続けていることは経済的に許されなかった。その戦いに、すでに三年間が注ぎこまれていた。そこでわれわれは一九七一年春、アンチトラスト部とのあいだに、以前マクラレンが他のコングロマリットとのあいだに成立させたものに条件の似た示談を成立させた。——ＩＴＴは一〇億ドルの年間保険料収入のあるハートフォード社を保有することを許される。そのかわり、われわれは売上高がそれと同類の他の子会社を手放さなくてはならない。またＩＴＴは向こう一〇年間、一〇〇〇万ドル以上の資産を有する保険会社あるいは一億ドル以上の資産を有する他のどんな会社をも、司法省の事前の承認なしには買収しないことに同意する。その協定にしたがって、われわれはエイビス、レヴィット、キャンティーンの各社と、グリンネル社の一部を売却した。

私に判断できる限りでは、その示談はどちらの側にとっても、また他のだれにとっても、勝利ではなかった。われわれがそれらの会社を手放したことが、そうしなかった場合に比べて、それらを買った会社の助けになったとも、市場に変化をもたらしたとも、いくらかでも社会のためになったとも、私には認められない。エイビス・レンタカーの所有権が他のコングロマリット――ノートン・サイモンとエスマーク――の手に移ったことが、いくらかでも公共のためになっただろうか？　示談の成立時までに、株式市況は不振となり、株価収益率は低下していて、示談の条件を押しつけられなくても、その後もわれわれが大きな買収をし続けたか、私には疑わしい。

買収以後、ハートフォード社は繁栄し、五倍に成長した。その売上高は一〇億ドルから一九八二年には五〇億ドルに、純収入は五〇〇〇万ドルから二億五四〇〇万ドルに増えた。今日、ハートフォード社の事業は全ＩＴＴの収入の二三％を占めている。それればかりか、その収益は全ＩＴＴの収益の三六％を生み出している。また、われわれはその会社と市に対する誓約をすべて実行してきた。ハートフォード社の会長兼最高経営者だったハリー・ウィリアムズは、合併と同時に身を引く覚悟でいた。われわれが彼に留任してほしいということ、そして将来の成長のために必要な投資ができるように、彼の胸にある計画を聞きたいと告げた時、彼は驚いたと思う。何年か後に退職する時、後継者のハーブ・シオンを指名したのは彼であり、マネジメントの継承はさらに続いた。というのは、つぎの後継者がピーター・トマスに決まったのもまたシオンの指名によるものだったからである。また、今日まで、ハートフォード社との合意を守って、ハートフォード社の取締役会でＩＴＴを代表するメンバーは、その会議に出席するために毎月のある日、特別に早起きをしてニューヨークからハートフォードへ飛ぶ。ＩＴＴの人間でそれをやるのはＩＴＴ会長兼最高経営者のランド・アラスコッグと、かくいう私との二人である。

ハートフォード社の事件は政治的に――経営的にではなく――支離滅裂な紛糾劇だった。しかし、あれ以来、世論は大いに変わった。もはや会社の規模は、それが国のために良いか悪いかの自明な証拠とは見なされなくなった。世界市場で競争するためには大企業の力が必要なことを、時が証明した。一九八〇年代初期のデュポン、ＧＳスチール、そしていくつかの石油会社などの合併は、ＩＴＴとハートフォード社の一五億ドルの合併をはるかに上回る七〇億ドルにも及ぶ規模のものであったにもかかわらず、時の司法省アンチトラスト部から一言の抗議も受けることなしに成立した。六〇年代におけると同様、八〇年代に多くの会社が市場で過小評価される傾向が生じると、買収と合併が再びさかんになった。会社の資産も多角化し、市場のより広い分野をカバーすることの利点を、この歳月のあいだに多くの最高経営者が学んだことだろう。

コングロマリットそれ自体は、害悪を及ぼす性質のものではないことが、一般に理解されてきたと私は思いたい。それは集権的なマネジメントをそなえ、いかなる単一の産業も企て得ない多種多様の製品を生産する、多角化された企業のことである。良い経営がおこなわれれば、コングロマリットは顧客のニーズに奉仕して繁栄し、成長する。しかし、経営が不良なら、自らの重みのためにつまずき、倒れる。それは他のどんな会社とも同様だ。

第十一章　企業家精神

われわれを沈滞から引き上げ、合衆国を再び工業化世界の羨望たらしめるべく、かつてのアメリカの企業家精神を回復する必要の認識が高まっている。人びとは、会社の中にいる企業家をさがし出して、やりたいことをやらせ、彼らがおこなうベンチャーによって大儲けをすることができないものかと、そのための方策を模索している。隠れたるロックフェラーは、カーネギーは、フォードは、どこかにいないのか？今日のわれわれの大企業は、なぜ、みずからつくりだしたビューロクラシー（官僚主義）にがんじがらめになり、一時代前のような大胆なベンチャーを封殺する規則や慣習の檻《おり》に、自由な精神をとじこめてしまうのか？　われわれの待望する企業内企業家はどこにいるのか、と人びとは問い始めている。

どこにもいない、というのがその答えだ。

企業家とは、自分自身のために事業にたずさわっている人間として定義される。彼は事業を組織し、経営し、進んでリスクを冒す。平たく言えば、彼はすべてを賭け、大きな見返りのために大きなリスクを冒す人間である。自分は他人が知らないあることを知っているということに賭けるために自分の会社を危険にさらし、まだ自分の会社を持っていない場合には家から何から、所有物のすべてを抵当に入れる。賭けに勝てば、報酬は途方もなく莫大かもしれない。負ければ、なにもかもおしまいだ。今日われわれが目にする企業家は、新しい発明あるいは新しいサービスを基礎にして会社を始めるか、だれも欲しがらない、閉鎖されたり放棄されたりした事業を引きとり、猛烈に働くことによってそれを発展させる人たちである。しかし、これらの大部分は——すくなくとも、スタート時には——比較的小さいベンチャーで、それらは大きな規模でベンチャーをおこない得る資源を有する大企業の外で始められる。

GEあるいはGMのような会社の最高経営者が、なにかひとつの試みから期待される成果のために、〝会社を賭け〟たりすることが想像できるだろうか？　いや、株式公開会社を統率する人物は、他人の所有に属する何百万〜何十億ドルもの資産を委託されているのだ。リスクにさらされるのは彼の金ではない、彼は管財人の役を振り当てられているのだ。自分の金を彼の会社に投資した人びとは、年率一〇％か一二％か一五％の収益を彼がもたらすことを当てにしている。その投資を二倍あるいは四倍にする試みのために、彼が自分たちの資産をリスクにさらすことを彼らは望みはしない。もしそうした企業の〝ギャンブル〟が不成功に終わった場合、どんなに面倒で大がかりな訴訟が待ちかまえているか想像に余りある。最高経営者にとって、そうした〝計算されたリスク〟によって失うかもしれないものは、それから得られるものよりはるかに大きい。また、たとえ彼自身は向こうみずにやってみようとしても、自己保存を願う取締役会がそうした冒険に賛成するはずがない。

中には冒険的に振る舞おうとする大企業もあるが、それは薄められたやり方に限られる。彼らは、もし失敗しても会社のいかなる部分も危険に陥る恐れがない範囲で、実験または特別な開発の分野を仕切り、会社の主流の外で働くチームを任命する。危険にさらされる金は比較的少額なので、たとえそのベンチャーが完全な失敗に終わっても、最高経営者の〝被信託者としての資格〟は保全される。彼はそのことを知っており、そのプロジェクトを担当するグループも知っている。そのグループの人びともまた、とくに重大なリスクにさらされているわけではなく、給料はちゃんと保証されている。また、いわゆる冒険的ベンチャーが成功したとしても、それは会社の進路を左右するほど大きなものではない。動機はどれほど高邁《こうまい》であろうとも、会社のビューロクラシーから派生した自由の〝分室〟は、企業家精神といってもほとんど名ばかりの域を出ない。

実のところ、企業家精神は大きな公開会社の哲学とは相反するものだ。企業家とは革新的な、独立独歩の、そして大きな報酬の可能性のために常識的な限界以上のリスクを進んで冒す人びとである。安定した大会社は比較的小さな結果のための、漸進的な、比較的小さなリスクを冒すことしか許されない。

大企業を経営する人びとのおおかたは、何よりもまず、過ちを――たとえ小さな過ちでも――犯さないように心がける。彼らの仕事の評価はそれにかかっている。安定した年間利益が期待されている相当規模の企業では、過ちは簡単には許されない。昇進途上のエグゼクティブたちは、抜群のエリートと見なされるためには、自分の手腕を示すことをすくなくとも五つぐらいやってみせなくてはならない。その間にたったひとつ過ちを犯しただけでも、その会社でのその人物の将来を台なしにする不信の種子となりかねない。したがって、すべての賭けは会社としてのレベルと同時に個人としてのレベルからも考慮されなくてはならない。企業のマネジャーたちは新しいアイデアを扱うにあたっては、足場を確かめながら用心深く前進する。彼らはスタッフと外部のコンサルタントからなる大きな支援システムを頼りにする。また、通例、新しいベンチャーを提案するには同僚の支持を必要とし、いったん上部でそのアイデアが承認されれば、社内の序列で自分より上にいる人びとと責任を分担することになる。独り独行するなどということは、ほとんどあり得ない。会社のレベルでは、万一の場合の対策が慎重に練られ、いつでも速やかに撤退できる準備が整えられる。そこに見られる精神は、企業家精神にはほど遠く、リスクをできるだけ小さくすることを旨としたものだ。だが、そうした強力な支持システムも、大企業が大きな過ちを犯さない保証にはならない。それでも失敗することはある。しかし、そうした〝大きな過ち〟が、〝大きな報酬〟を当てこんだ〝大きなリスク〟の結果であることはほとんどない。それらは申し合わせたように、どちらかというと安全な、ありふれたものになるように意図されたベンチャーの、入念に立てられた計画を、予見されなかった事故によって狂わされた場合がほとんどである。

通例、新しい製品の発売を伴う高度な冒険的な事業としてスタートし、成功を収めて成長した多くの会社が、いったん一般の投資対象となるような規模に達すると、企業家的な熱気をなくしてしまうのは、皮肉でもあり寂しくもある。最初の乾式複写方式を開発したゼロックス社はその好例である。また、ポラロイド社はインスタントカメラの成功後も長らく企業家精神を発揮し続けたが、それもエドワード・ランド博士が支配者の椅子に座っているあいだだけだった。神秘的な発明の天才は、投資家や銀行や証券アナリストたちの心に、会社の革新的なイメージを焼きつけることができる。たとえばポラロイド社の場合、ランド博士のような圧倒的な人物がすぐまた現れるだろうと投資家たちは期待をかけた。しかし、ランド博士が引退してしまうと、同社の自由な、革新的な気風はいちじるしく減退する気配が見え、枢要人物の何人か――おそらくは社内でも企業家精神のさかんな部類に属する人びと――は、働くのにもっと刺激的な環境でないと満足できないという理由で会社を去った。ポラロイド社は彼らにとって安全で着実すぎる、退屈な会社になってしまったのだ。つまり同じぐらいの規模の他の会社と歩調を合わせるようになったのである。それはなんら間違ったことではない。ただ、会社が成功すればするほど、保守的な投資家を満足させるために冒険を避けなくてはならなくなるというだけのことだ。

大企業は革新的、冒険的ではあり得ないという法則には、例外もある。その中できわだった印象を私に与えたのはクライスラー社のリー・アイアコッカである。彼はひとつの年式の車のために会社を再組織し、経常費と労働コストの贅肉を削り、新型のフルラインの車の生産を監督し、利益を生み出すだけの台数のクライスラーを売ってみせるという信念に会社の全部を〝賭け〟た。政府からの巨額のローンという支えはあったにせよ、それは彼の責任における大きな賭けでもあった。そうすることを彼が許されたのは、ひとえに、クライスラー社にはそれ以外の道はないように見えたからである。それは高度の冒険的リスクだった。しかし、似たような非常事態に直面していたアメリカン・モーターズ社は、もっと保守的な道をとった。同社は株の半分をルノー社に売り、生産を二つの型式の車だけに縮小することを選んだ。

私は一九五九年にＩＴＴに着任して間もなく、自分が〝社運を賭ける〟べき立場にあることを悟った。私の就任一年目、キューバはＩＴＴの電話会社を接収した七番目の国となった。それはクライスラー社の状況ほど世間と一般株主の目を引かなかったが、われわれもまたＩＴＴで困難な選択――今賭けるか、そのうちいつか敗者となるかの選択――に迫られていた。それまでにわれわれの海外子会社の収益の八五％が剥奪され、危機に瀕していた。そこでわれわれは賭け始めた。安全への株主たちの懸念を配慮して、一挙に大きな賭けはやらなかった。最初は一連の小さな賭けを、それからやや大きいのを、時には一週間に四、五件も、しめて三五〇の新しい子会社を傘下に収めるまで続けた。そして全体として、ほとんど完全に別の会社のようになった。われわれがそうしたのは、そうせざるを得なかったからだ。それ以外に選択の余地はなかった。

われわれが危機に遭ったその最初の数年間以後は、自分たちがどの程度〝企業家的〟（冒険的、革新的）であったか私にはわからない。しかし、いったんその三五〇の買収した会社を二五〇のプロフィット・センターに編成してしまい、年間売上高が二〇〇億ドルに近づくようになると、先にも触れた高度成長期以前ですら、ＩＴＴはもはや当初のような企業家タイプのリスクは冒せなくなった。たとえば私がＩＴＴの最上部の二つの層のマネジャーだけを招集して、まったく新しい市場にめいめいの会社や事業を〝賭けよ〟と命じたりすることは不可能だった。ＩＴＴのそれらのマネジャーたちは、三七万五〇〇〇人に及ぶ従業員の仕事を監督しつつ、秩序ある予算によって秩序ある事業をおこなっていた。もしわれわれがシリコン・ヴァレーのハイ・テクノロジーの企業家たちのように振る舞おうとしたら、混乱して、世界じゅうにあるITTの子会社の統制をとることができなくなっただろう。われわれの年間総収益――五億ドル近くから後には九億ドル――をひとつの新製品または新しい会社あるいは新しい努力分野に賭けるかわりに、われわれはあるマネジャーに一〇〇万ドルか二〇〇万ドルの枠を与えて、なにか新しい〝企業家的〟なことを試みさせようとした。その程度なら、われわれにとって大したリスクではなかった。もしそのプロジェクトが失敗しても、すぐまたほかのことにとりかかると同時に、期待されている配当を支払う余裕があった。

近年、きわめて多くのアメリカ大企業の前進の足どりがのろのろと慎重になり、アメリカ産業の世界市場における競争力が減退してくるにつれて、ビジネス・リーダーたちはかつてアメリカ産業を世界の羨望たらしめていた古き企業家精神を復活させる道をさぐり始めた。もしわれわれの大企業が、固有の構造のために完全に企業家的であることは不可能だとしても、いわゆる〝企業家精神〟を教えこむことはできるのではないか、というわけだ。彼らが求めているのは、古き時代の企業家を特徴づける〝自分を賭ける熱情〟だった。自分の事業を推進するためにすべてを賭ける人物は、プライドと、失敗への恐れと、成功への夢と、自分の努力に対する大きい正当な報酬への期待に突き動かされている。仕事への努力において、計画において、考えにおいて、他のだれかのために働くことで給料をもらっているマネジャーたちより彼らのほうが上回るのは当然である。

そこで問題はこうなる。――どうしたら会社組織の中で、自発的な発明の才ある従業員に、企業家としての報酬を与えることができるか？　会社と従業員のあいだに企業家的熱情を駆き立てるために、どんなことができるか？　実は、それはなにも新しい問題ではない。昔からよく挙げられる例に、とびきり優秀なセールスマンの処遇の問題がある。会社全体の利益になる新しい売上げを〝創造〟したスターセールスマンが、どれほど大きな報酬を得ようとも、それにストップをかけるつもりはなく、仮に一人か二人のスターセールスマンの収入が社長である自分のそれより多かろうとも、ちっとも気にはしない、とあちこちの会社の社長が断言するのを私は耳にしてきた。しかし、セールスマンが実際に自分より多くの報酬を得ても前言をひるがえさなかった最高経営者は、一人か二人しか知らない。他はすべて方針を変えてしまった。

どちらが正しいのか？　正直言って、私にはわからない。どれほど優秀であろうと、販売の担当者が社長より多額の報酬を受けることが至当だろうか？　最高経営者は製品の設計と生産とマーケティング、そしてセールスマンが売るものの生産に関係した仕事の全部の財務と管理に責任を負っている。だから、その製品を市場へ出すのに力を貸した他のだれより多くの報酬を彼に支払うのは当然ではなかろうか？　スターセールスマンには、売上げの数量によって証明される独特な市場価値がある。そこへいくと、設計者や生産やマーケティングの担当者の貢献を計量するのはなかなか困難だが、彼らは自分たちと比べて桁はずれに多額の報酬を受けるどんなセールスマンに対しても、強い反感をいだくだろう。それでもスターセールスマンには、企業のヒエラルキーの中にあっても、もっと多くの報酬が得られる他の会社へ移ってしまわないように、その市場価値に匹敵するだけのものを支払うべきだと私には思われる。彼の市場価値とは、そのセールスの手腕に対して他のどこかの会社が喜んで支払うであろう金額のことだ。しかし、そのセールスマンが売る製品に寄与している他のすべての人びとの幸福感と忠誠心を損なってもかまわないのでない限り、それ以上は支払うべきでない。企業のセールスマンに期待できる企業家精神とはその範囲のものだ。

何年か前、レイシオン社は非凡な研究技術者の一人を、彼が開発したある製品を扱うレイシオンの内部の会社の社長兼一部所有者にした。その意図は、ほとんど技術者ばかりから成るその小さな独立した会社から、技術革新と新製品を生み出させることにあった。当時、レイシオン社に副社長として入社したばかりだった私は、その独立の開発会社と、レイシオン社のある事業部とのあいだで、その会社の製品の売り渡し価格について起こったはげしい紛争の調停役を言いつかった。その事業部はその製品を買いたいのだが、値段が高すぎるというのだった。これに対して社長の技術者は、値段を下げるつもりはなく、もしその値段で買わないのなら、レイシオン社の競争会社に売ると言い放った。彼は根っからの企業家のように振る舞っていた。敵意ある非難の応酬が交わされ、いかなる合意にも到達できなかった。レイシオン社は、その身中に巣食った企業家を操縦することができなかった。それでレイシオン社は彼の持ち分を買いとり、彼はその会社を去った。企業内の発明・企業家とは、その範囲のものにすぎない。

もっと最近、すでにITTもやめていた私が、企業家の環境としてのアメリカ企業をテストする機会があった。特別な種類の金融サービスを開発した才能ある男たちの小グループを、支援してくれる企業を私はさがしていた。それは事実上リスクなしの事業で、それまでにすでに創業段階を超えたテストを終えていた。ほんの二、三週間の時間と、ひとつの机と何本かの電話だけで、その金融会社はすでにかなりの利益を挙げつつあった。もっと拡張して収益を倍増するために、そのグループは自分たちがおこなっている短期金融事業に信用の箔《はく》をつけてくれる、より大きな会社の後ろ盾を欲しがっていた。そして大きな会社からの先行投資に対する見返りとして、そのグループは受けた融資を三年間で返済し、その会社に事業の所有権の五〇％を提供し、五年後には残りの五〇％の所有権を――そのころには、たぶん数千万ドルに膨らんでいる価額で――その会社に譲渡しようという計画だった。会社はそのベンチャーへの半額投資から約七倍の資本利得が得られるはずだった。

六つの会社がその計画を吟味し、結果の予測は正確で、投資は望ましく、後日の買収もおそらく利益になるだろうと、どの会社も認めた。しかし、五年間の営業の終わりには数千万ドルを手に入れることになっている一握りの新来者を、会社の仲間として迎え入れるという悪夢のような考えでは、どうしても受けいれることができなかった。そのグループが手にする報酬のことを、会社の他の副社長やマネジャーたちに――全社を経営することでその三～五％の報酬しかもらっていない社長自身に対してはさておき――どう説明したらいいのか？　彼らはみな、結局、話に乗らなかった。それはうまみのある話ではあるが、まぎれこんできた一粒の宝石のために、会社全体を紛糾させる危険を犯すわけにはいかない、とだれもが結論したのだった。

企業の給与基準は、会社の従業員、マネジャー、役員のすべてを満足させ、幸福にし、もっとたくさんもらえるようになろうと努力させ続けると同時に、会社自体の利益をも確保できるように考案された、微妙な価値体系である。社内のどの仕事も、たとえばボイラー係は郵便物係の事務員と同等、事業部マネジャーは上席のスタッフと同等というふうに、値域《ちいき》の中位数を基準として等級づけられ、年功にしたがって自分が属する等級の中で、ある程度の昇給ができるようになっている。しかし、企業にとって利益になるやり方の根本は、若い人びとを低い水準で採用し、それからきわめて徐々に昇進と昇給をさせることだ。この方式の究極的なねらいは、昇進のある時点で従業員を会社の捕虜にすることにある。優秀な従業員には、会社が彼に支払っている給与以上の価値があるかもしれない。会社をやめて、自分の実力を正当に売りこんでいれば、もとの会社が支払っていた給与の倍から二〇倍もの収入が得られていたかもしれない。しかし、そう思いついた時には、転職するにはもう時機を失していた、という寸法だ。

ずっと昔、私が初めて実社会に踏み出したころ、若いマネジャーたちをほとんど毎週のように昇進させて新しい肩書を与えるが、給与はぜんぜん増やさない、というやり方をとっている会社があった。その連中が、そのばかばかしさに気づいてやめると、会社側では何事もなかったかのように、また新しい人間を雇う、ということの繰り返しになっていた。しかし、このやり方はそれほど巧妙とはいえない。今日では、大学を卒業する若い男女を比較的高い初任給で雇い、彼らがその会社にいいかげん長くいて、今さらよそへ行ってもうまく勤まりにくい、というふうになるまで昇給させ続ける会社がある。それから昇給は緩慢になるか止まってしまい、よく見ると彼らは真の市場価値より低いところにとじこめられてしまっている。これもまた、良い従業員を安く使うための一法である。

けれども、たいていの会社は従業員の公正な市場価値と思われるものに照らして、しかるべき昇進、昇給、ボーナス等を与えている。自分たちの良い従業員が競争相手の会社に移ったりしては困るからだ。しかし、それでもなお、良い従業員を安く使えるほうが企業にとっては利益だ。管理職以上の人びとに対して、会社がキャッシュのかわりに与えるのは安全である。それは交換条件だ。たとえ報酬が大きくても、独力でやるリスクを冒すより、大きな家父長的な企業が与えてくれる安全と支持を選ぶ人びともいる。企業はまた、よく知られた、信用のある会社で働いているという社会的評価を提供する。エグゼクティブには豪華な執務室や、秘書やスタッフや、歯科まで含まれた医療サービスや、年金・貯蓄制度や、運転手つきの車やボーナスなどを提供する。会社主催のピクニックや宴会や、定年退職者への記念の金時計の贈呈といった行事もある。さらには暗黙の諒解事項として、彼らの仕事ぶりに対してボスは過度に厳格な態度をとらないという保証を与える。なんといっても、会社の人間はみんな、ほかのだれか――株主――のために働いているにすぎないのだ。自分だけのために働いている人間ほどよく働くことを期待するわけにはいかない。だれよりきびしいボスは自分自身である。

企業内企業家を求めて、中には――とくにハイ・テクノロジーの分野で、その中でもとくに歴史の浅いコンピュータ会社の中には――最優秀の従業員たちに、自由にやらせてみようとした会社もある。才能ある人びとの中に、会社という鳥籠から自由になりたいと切望する人びとがいることを理解して、それらの会社では、そうした人びとにワーク・グループを別につくらせ、自由に飛んでみるようにいった。ただ、その片足は糸でつながれていた。そうして彼らはしばらくセミ（半）企業家となったわけだが、実質的には親会社のために働いているのであり、彼らの努力が生み出す利益を収穫するのは親会社だった。それもまったく不当というわけではない。なぜなら、彼らが飛び去らないようにしている糸はまた命綱でもあるからだ。親会社は彼らの資金繰りやらマーケティングやら、その他あらゆる面で面倒を見ると同時に、彼らの成功の報酬を収穫するために、ちゃんと彼らの背後に控えていた。企業のビューロクラシーからの、いささかの一時的な独立は、真の企業家たることからはほど遠い。籠の中にいるのと、自由に飛んでいるようだが片足は糸でつながれているのと、どちらでも大した違いはない。

大企業の機構が真の企業家を受けいれないからといって、それはアメリカの企業の中に、真に創造的で革新的で、よく働く人間がいないということではない。あらためていうまでもなく、ＧＥもＡＴ＆Ｔのベル研究所もＩＢＭもＩＴＴも、多年、新製品や新しいサービスをつくり出し続けてきた。しかし、そのすべては研究開発の名において、会社の年次予算の一部分によってまかなわれてきたものである。全世界の電話通信に革命をもたらしつつあり、ＩＴＴにとって何千万ドルもの価値のあるデジタル交換装置は、イングランドのＩＴＴの研究所で、何年か前に、アレックス・リーヴズ博士によって発明されたパルス符号を基礎として開発されたものだ。私の記憶に誤りがなければ、電気通信の分野におけるこの輝かしい技術革新に対して、リーヴズ博士は五万ドルのボーナスをもらった。実際には、それは報酬というより表彰の性質の強いものだった。それは不当に少額だと感じる人びとがいるかもしれないが、リーヴス博士はその研究をするために給料をもらっていたのだということを忘れてはならない。博士はずっとＩＴＴから安楽と支援と安定を保証されながら仕事をしていたのである。

私の退職後、ＩＴＴは〈創造的マネジメントに対するハロルド・Ｓ・ジェニーン賞〉という制度を設け、毎年、ＩＴＴの現在従業員三〇万人のうち、企業家的手腕を表した五、六人を、ディナーと各自五〇〇〇～一万ドルの賞金によって表彰することにしている。しかし、リーヴズ博士をはじめとする何百人もの人びとと同様、彼らは創造的ではあるが、企業家的と呼ぶのは至当でない。

なぜ、そうした人たちは、なにもかも独力でやって利益を独り占めにするよりも、大きな非人格の会社のために富を生み出すことを選ぶのか、と問う人があるかもしれない。ひとつには、前にも触れたように、彼らが一人でなにかを始められるほど成熟した時には、会社が与えてくれる安楽と安定に慣れてしまっていることが多く、そのうえ、外の世界がどんなものかほとんどわかっていない。しかし、それ以上に、それは性格の問題でもあると思う。私が知っているたいていの会社員は、会社が与えてくれる挑戦と報酬に満足し、沈むか泳ぐかの企業家の環境に一人で乗り出したいとは思っていない。彼らは会社でよく働き、それで足りなければ週末にも家で仕事をし、自分たちがおこなう決定が、上のだれかの承認あるいは賛同を得るというかたちで支持されることをありがたく感じている。一口に言えば、独力で事業に乗り出す人間が冒すきわどいリスクと、その代償として手に入るかもしれない途方もない報酬に、彼らはあまり関心がないのだ。

これに対して、企業の中で私が出会った企業家的マネジャーは、それとはまったく違った性格だった。昇進の階段を小きざみに上ることや、年に五～一〇%の昇給や、自分の仕事の範囲が局限されていることに、彼らは満足できない。もっと困難な仕事が望みなのだ。私はそうした人びとを、ITTのうまくいっていない事業部に転属させ、彼らの努力でそうした事業部が立ち直ると、最高二〇%を限度とする昇給とボーナスでねぎらった。それは彼らが達成した結果に対する十分な報酬ではなかった。彼らはそのことを知っていたし、私も知っていたつもりだ。しかし、ITTは彼らが会社のために増やしてくれた収益の三〇%なり五〇%なりを与えるわけにはいかなかった。このことはアメリカのほとんどすべての企業でも同様だと思う。企業の中にも、とりつかれたような熱情と献身をもって働く企業家候補者がいる。しかし、そうした人びとは糸でつながれずに、自由に飛びたがり、ITTも含めてどんな大企業もそれを許すことはできない。そこで真の企業内企業家は——従来もそうしたように——すべての責任とリスクと、そして報酬を一人でとれる自分の事業を始めるために会社を去って行く。

今日、アメリカの事業環境に起こりつつある重要なことのひとつは、大企業の機構そのものを破壊することなしに、真の企業家精神をその機構の活力源として利用するという、二律背反的な命題への理解の高まりである。その結果として、士気と動機づけへの関心が強まっているのが目につく。経営層の意識強化の新しい努力もおこなわれている。新製品に進んで目を向けようとする態度も認められる。そうした努力はすべて企業家的と見なされている。しかし、それはその言葉の延長解釈である。そこにはリスクも報酬もないか、あるいは薄められた、一時的なかたちでしか存在しない。大きな株式公開会社は本体から分離された〝企業家的〟な事業部に、全体の予算の一、二ないし三％程度を割り当てるかもしれないが、あとの九七～九九％は依然として比較的月並みな――たとえば年率一〇％ぐらいの――成長率の維持に向けられる。しかし、大企業の一〇％の成長には、市場で競争しているいかなる、あるいはすべての、小さな企業家的ベンチャーに含まれるより、はるかに多くの金と資源と物財の生産が含まれていることを忘れてはならない。大企業のあいだでの士気、リーダーシップ、能率、技術革新、創造性のほんのわずかな違いでも、アメリカ産業の成長と安定に重大な関係がある。たぶん、〝企業家精神〟は事業の進むべき方向を示す助けにはなるだろう。しかし、企業の中には真の企業家は――長期にわたっては――存在せず、また存在し得ないのが実相である。企業家は十分な経験を身につけるまで大企業の中にとどまる。それからキャッシュを手に入れるために出て行ってしまう。

それでもなお、アメリカ企業の未来の動向は企業家にかかっているように私には思われる。過去二、三年、アメリカ社会には、企業家の役割を受けいれる新しく広い傾向が認められる。あえて独力で何かをやろうとする個人またはグループは、その努力によって新しい富と市場価値を創造できるということが、業界、財界、そして投資界で認められてきた。それらには投資する価値がある。そして多くの場合、人びとは改良されたネズミ捕りや新しいコンピュータにではなく、企業家自身が自分の事業に投資している燃えるようなエネルギーと献身と惜しみない労働に対して投資しているのだ。企業家はそうせざるを得ない。彼は自分の会社を賭けているのだから。成功か、さもなくば敗れてすべてを失うほかはないのだ。

最も成功している、あるいは最も普通の新しい企業家は、かならずしも何か新しいものを発明もしくは設計した人びととは限らない。しばしばそれは、借金をして、大企業から見捨てられた、利益の挙がらない事業部を買いとり、それを立て直して利益が上がるようにする人びとである。そしてそれが、その儲からない事業部のもとのマネジャーで、今度はそれを独力で経営してみようと決心した人びとである場合も往々にしてある。ITTに、クリーヴランドで電子装置用の小さなターミナルをつくっている子会社があった。われわれはそれから利益を挙げることができなかった。そこでわれわれは会社を、そこの二人の従業員に売却することに同意した。彼らはわれわれにたったひとつの条件をつけた。——その工場を彼らに売る前にいったん閉鎖し、全従業員を解雇すること。われわれはそうした。それから彼らはもとの従業員のほぼ半数を再雇用し、その翌日から利益を挙げ始めた。その工場でも他の工場でも、ITTがそんなことをしたらストライキが起こらずにはすまないだろう。しかし、新しいオーナーたちは半分の労働コストで、前と同じ量のものを生産することができた。

また、私が知っている二人の人物は、自分たちが経営者として雇われていたコンピュータ会社が他に買収された時、そのままそこで働き続けるのをやめて、ミネアポリスで自分たちの小さなコンピュータ会社を始めることにした。小さな投資グループの援助を受けて彼らは三〇〇万ドルの資金をつくり、さらにかなりの額を銀行から借りて、自分たち自身の特殊用途コンピュータをつくり、幸いにもすぐ販路が開けた。彼らはもとの会社からおおぜいの優秀な人間を引き抜いてきており、だれもが猛烈に働いて、サラリーより自社株購入権のかたちで多くの報酬を受け、三年後にはその会社の市場価値が三億ドル近くに増大していた。

新しい事業を始めることはリスクが大きく、変化のはげしいコンピュータ産業ではとくにそうだが、当然のこととして、そのリスクに比例して報酬もまた大きい。一例を挙げるなら、オズボーン・コンピュータ社は二年かそこらのあいだに大成功を収め、そのポータブル・コンピュータの年間売上高は九〇〇〇万ドルに達した。それから倒産した。しかし、企業家的ベンチャーは技術革新のみに限定されるものではない。近年、レストランチェーンや宝飾店や機械の部分的改良工場や金融サービスや婦人装身具や医療機器などの事業をおこなう会社を始めたり買収したりした人びとを私は知っている。彼らはみな、過去の彼らとは別人のようによく働き、自分自身と投資者たちを富ませた。

企業家的ベンチャーの中で最も成功率が高いのは、すでにできあがっている事業を、それをよく知っていて、経験豊かな男女が引きとり、企業家としてその経営に当たる場合である。その場合でもリスクは皆無ではないが、最小限にとどめられる。報酬はそれほど目覚ましくないかもしれないが、成功の確率は大きい。今日の事業界で、しだいに増加し、また受けいれられる傾向にあるのは、この種のベンチャーである。それらはいわゆる〝挺率効果を伴った買収〟である。挺率効果を伴った買収は、概略するとつぎのようなやり方でおこなわれる。

収益が低下し、株価が下がり、金利と債務返済比率が高くなり、あるいはそうした状況がいくつか組み合わさっている不況時に際して、大企業は事業の〝体質改善〟のために一部の事業部を売却しようとする場合がある。それにはいろいろな理由がある。——それらの事業部が赤字を出しているとか、手数がかかる割に収益が低いとか、あるいは単に会社の新しい戦略に〝適合〟しないとか。そこである事業部なり子会社なりが、その簿価あるいはそれに近いバーゲン価格で売りに出される。たとえばそれが税引き前一〇〇〇万ドル、あるいは税引き後五〇〇万ドルの収益のある会社だったと仮定しよう。それはどうしようもないダメ会社というわけではない。しかし、親会社の大企業にとっては、あれやこれらの理由から十分なうまみがない。そこで親会社はそれに値札をつける。——ほぼ簿価に近い四〇〇〇万ドル。

ところで、その事業部の重要なポジションにいる一人か二人か五人かのエグゼグティブが、それを引きとって自分たちで経営しようという気になったとしよう。彼らはその営業状態を改善できる自信がある。しかし、金がない。

そこで彼らは自分たちのバランス・シートの事実と数字、自分たちの損益計算書、自分たちの計画と戦略、そして自分たちの希望と抱負をもって、あるベンチャー資金調達グループのところへ行く。そしてあれやこれやを総合勘案して、筋が通った話だと判定できれば、ベンチャー資金調達グループはそれらのエグゼクティブが自分たちの会社のオーナーまたは部分的なオーナーとなれるような取引をまとめ上げる。ベンチャー資金調達グループはある額――たとえば二〇〇万ドル――の着手資金を提供する。マネジメント・グループはそのベンチャーへの献身を証明するために、自分たちも〝多少の金〟を出すように要請されるかもしれない。そして彼らはその計画のために、自分の家を抵当に入れて借金をしなくてはならないかもしれない。その〝多少〟の金は彼らが都合できる金のすべてであるかもしれない。彼らはまた、ベンチャー資金調達グループが新しい会社の株の一部を持つことに合意する。

つぎに、ベンチャー資金調達グループは、成功すれば気前のいい見返りが約束されている新しいベンチャーのリスクを進んで分担しようという投資家またはそのグループ、あるいは保険会社などの法人を見つける。そして彼または彼女またはその法人は新しい会社の八〇〇万ドルの社債または優先株を買い、またその返礼として新しい会社の普通株の四〇％を受けとる。

一〇〇〇万ドルを手にして、ベンチャー資金調達グループはその件に関するあらゆる事実と数字をたずさえて銀行へ行き、計算されたリスクを冒すように説得する。予想される支出、収入、そして逐年の収益等をリストアップした新会社の詳細な事業計画は、書物ぐらいの厚さになる。アメリカのビジネス界のひとつの新現象は、主要銀行がそうしたリスクを進んで冒そうとする傾向が強くなってきたことだ。市場で競争するために、銀行はより大きな収益を当てにできるより大きなリスクを、あえて冒すようになってきた。銀行は融資申し込みを慎重に検討する。事実と数字はもとより人的要素——新しいベンチャーに参加している人びとのこと——をも精査し、冒してみる価値のあるリスクだと見きわめがつくと、銀行は通例プライムレートを一・五〜二％上回る利子率で一定期限——たとえば五年の期限——の三〇〇〇万ドル程度の融資を承諾する。それは銀行に相当の利益をもたらし、三〇〇〇万ドルの融資は会社の四〇〇〇万ドルの簿価で保証されている。もし新会社が債務不履行に陥れば、銀行は他の一〇〇〇万ドルの社債、優先もしくは普通株に優先して、その全資産に対して第一順位の償還請求権を行使できる。

取引が完了し、会社が買いとられると、その結果として同じ会社が同じマネジメントをトップに、同じ製品を生産することになる。しかし、事情は以前とはまったく違っている。前には、事業部マネジャーは大企業のために働いていた。しかし、今や彼は会社の一〇％かそこらを所有し、他の一〇％を他の主だったマネジャーたちが分有して、自分は社長として自分自身のために働いているのだ。彼は一生の夢を現実に生きているのだ。その一〇％は、彼が成功すれば四〇〇〇万ドルかそれ以上の価値を持つことになるだろう。そこには彼の生死が賭けられている。もし失敗したら、彼の名前も評判も誇りも未来への希望も、会社とともに水泡に帰してしまうだろう。自分の金は注ぎこんでいないとしても（注ぎこむ者もあるが）彼はその計画に〝汗の出資〟をしているのだ。だから、その事業を大成功させるために懸命に働く。

新会社は売上げと生産を増やすいっぽうで、労働コストや経常費や冗費や非能率を減らそうと努力する。当分は配当もボーナスもなしだ。そして収益のほとんど全部を、会社への還元と銀行融資の返済に充てる。もとの会社は一〇〇〇万ドルの収益に対して五〇〇万ドルの税金を払っていたが、新会社はまず銀行の利子として四〇〇万ドルを支払い、そうするとあとには税金を払う三〇〇万ドルと、融資の元金の返済に充てる三〇〇万ドルしか残らない。しかし、新会社はなんとかして一年目には一一五〇万ドルに、翌年は一二八〇万ドルに、その翌年には一四二〇万ドルに、年率にしてすくなくとも一四％の割合で収益を向上させなくてはならない。そうすれば債務は年々減り、支払利息も減り、やがて完済するか資金補充をすることができ、家にかけられた抵当額も減っていくだろう。新会社は同額の収益に対して、もとの会社より税額がすくなくないという利点を持っている。

それはそれとして、その最初の五年間、マネジメントがどれほど経験に富み、よく働いたとしても、また新しいベンチャーのためにどれほど慎重な考究と計画がなされていたにせよ、新しい企業家たちの事業はかなりのリスクにさらされている。いつなんどき、経済がきびしい不景気に転じるかもしれず、自分たちの製品が旧式になるか、競争製品に出し抜かれるかもしれず、不意打ちのストライキあるいは洪水のために生産がストップするかもしれない。彼らには大企業のような余裕がない。毎年四〇〇万ドルの銀行への利子支払いの負担がある。もし収益が四〇〇万ドルを割ると面倒なことになる。銀行へ行って支払いの延期を頼まなくてはならない。私が調べたところでは、たいていの銀行は不可抗力的な原因で支払いが遅れた誠実な借り手に対しては、一緒になってなにかの打開策を講じようとする。きびしい手段に出るのは、どうしようもない、あるいは望みのない状況、または詐欺的なやり方に対する時だけだ。

さまざまな状況により、また新会社の業績いかんにより、企業家たちは銀行融資を四、五年あるいは八年の年賦で償還し、それからもっと自分たちに有利な条件で銀行から長期融資による資金補充ができるだろう。その時には、税引き前収益は二〇〇〇万ドル、税引き後で一〇〇〇万ドルに増え、会社の価値は七〇〇〇万ドルになっているかもしれない。だれもが花実が咲いたということだ——会社のオーナーとなったマネジャーたちも、取引をまとめたベンチャー資金調達チームも、私財をリスクにさらした最初の投資家も、新しい事業の創始の財務パートナーという本来の役割に立ち返った銀行も。それも宜《むべ》なるかな。なぜなら共同の創造的努力によって、彼らは無から七〇〇〇万ドル相当の新しい富をつくり出したのだから。もとの大会社は代価として四〇〇〇万ドルを受けとり、その金をおそらく他の用途に回しただろう。銀行は融資の返済を受けた。投資家たちも相応の報酬をつけて出資金を返してもらった。そして新しい会社は、かりに八〇〇人と想定される従業員を雇用することによって、さらに下請業者の八〇〇人の従業員に間接的に仕事を与えることにより、また両者の三二〇〇人の扶養家族の生計を支えることによって、地域社会の経済に有意義ななにかを付け加える。かくして新会社はわれわれの経済の中にあって、四八〇〇人の男女と子供たちを支えているのだ。

これがわれわれの経済機構の機能すべきかたちである。それはわれわれの伝統の一部である。株主たちはプロフェッショナルマネジャーに五〇万ドルの年俸を払うことに反対するかもしれない——反対する株主も現にいる——が、だれかが自分で事業を始め、それを大きくし、五〇〇万ドルなり五〇〇〇万ドルなりの報酬をものにすることにはだれも反対しない。彼はすべての人びとのためになにかを創造したのであり、それからもたらされるどんな報酬でも受納する資格がある。そんなわけで、国際競争において逆境にあり、大企業の多くが沈滞に陥っている現況の中から、アメリカの産業能率の真の模範たるべく、新しい企業家たちは台頭してきた。企業家たちは成功への情熱から、自分の自由になる資産の使い方を全般にわたって改良し、ダイナミックな生産性の向上を生み出した。それはだれにとっても利益となる。

今や真の企業家の時代が到来したかに見える。それでもなお、彼らはアメリカ経済のきわめて小さな部分をなすにすぎない。しかし、前記の例に示した七〇〇〇万ドルの会社は、五年後には一億四〇〇〇万ドルの会社に、そして一〇年先には二億ドルあるいは三億ドルの会社に成長を遂げるかもしれない。

そのうちに、それはフォーチュン誌のアメリカ最大五〇〇社リストに入る大企業になるかもしれない。フォーチュン誌五〇〇社リストの会社は絶えず交代しているのだから。そして、それでもなお、われわれが例に取った会社の創立者はトップにいて会社を〝賭け〟、企業家らしく行動することを許されているかもしれない。しかし、彼とその企業家的な仲間が去り、会社がニューヨーク証券取引所の上場会社となり、フォーチュン誌やフォーブス誌の会社リストの常連となった時、社内の頑固な一匹狼や企業家はもはや、足を糸でつながれずに自由に飛ぶことは許されなくなり、歴史はまた最初から繰り返されるのである。

第十二章　取締役会

アメリカの最大五〇〇社の中のどの会社の組織も、伝統的に、基底部に労働者の広い層があって、その上にマネジメントの層が乗って、しだいにすぼまりながら、社内の権力を一身に集約する最高経営者が座する頂点に達する、巨大なピラミッドを形づくっている。しかし、それは会社の組織図の半分にすぎない。もっとよく見ると、最高経営者の上方に、まとまりのない、大きなかたまりがあるのがわかるだろう。それは会社の所有者——株主——の集団であり、それを構成する人数は会社の全従業員をはるかにしのぐ場合のほうが、そうでない場合より多い。そして、さらによく見ると、その所有者集団はその頂点にある古風な、油の切れた装置——取締役会と呼ばれるもの——によって会社のピラミッドに連結されていることがわかる。

取締役会の尊厳なるメンバーは、大なる名誉と敬意をもって遇される。彼らは通例、企業のエグゼクティブ、弁護士、銀行家など、その職業的経歴によって品性、能力ともにすぐれた人物であることを証明した社会の柱石である。そしてあらゆる社交的な饗応やら接待やら、高級車やら飛行機やらを会社から提出される。月に一度、彼らは本社に集合し、株主を代表して会社のマネジメントの評定をおこなう。

大企業の取締役会議会を——あるいは中規模の会社の中でも——ごらんになったことがおありだろうか? それは密林の中のマヤの神殿のように、あわただしく活動している会社の霊魂が所在する場所として、とざされたドアの向かうに隠された、その建物の中で最も金をかけた、いかめしいたたずまいの部屋であるのが普通だ。その部屋の壁には、モダンアートの絵がかかっていなければ、かつてそこに君臨した歴代の故人のいかめしい肖像画がかかっていて、現在の聖火の守り手である部族の指導者たちを背後から見下ろしている。ピカピカに磨かれた大きなテーブルの周囲の椅子の数で、取締役会のメンバーの数が推定できる。着席した時に席順の上下ができないように、テーブルはもちろん楕円形だ。部屋のいっぽうには、牧師の聖書台のような机と拡大映写用のスクリーンがある。ほかにはメンバー用の薄い陶器のコーヒーカップが、いつでも使えるように食器棚に並んでいるかもしれない。しかし、アウトサイダーがそれらを眺める時には、その部屋にはだれもいないだろう。それらの重要な人びとは、年に一二回しかその部屋を使わないのだ。

毎月の第一火曜日か第二木曜日かに、メンバーたちは会議にやってくる。入室する時、各自は封をした封筒を手渡される。間もなく前回の会議の議事録が読み上げられ、承認される。たぶん、取締役会の執行委員会が別に会合してマネジメントの給与と人事の更迭を議することができるように、ここでいったん休憩になるだろう。それから取締役会が再び会合すると、最高経営者から会社の全般的な活動の概観と、その月の業績の報告がおこなわれるだろう。最高経営者は、その気があればみずから詳細にわたる説明をおこなうかもしれないし、あるいはその任務を財務担当副社長や生産担当副社長、またはマーケティング担当者や会社のコンサルタントに代行させる場合もあろう。彼らは会社で起こっていることを説明する。会社の最新の製品、最新の拡張あるいは買収の計画、ある在来製品への新しい市場需要その他もろもろについてだれかが説明をおこなう。会社が抱えている問題は確信のある態度で軽く説明されて、つぎへ移っていく。どんなに堪えがたい状況が経済または市場を蔽《おお》っていようとも、また実績はどうあろうと、マネジメントはいつでも、自分たちはいかによくやったか、そしてよくやっているか、そしてこれからもよくやるだろうということを主張する結果になる報告をする。自分たちの仕事ぶりはなっていなかったとか、より能率的な、または利口な競争相手にやられたとかいった報告は絶対にされない。――絶対にだって？まあ、ほとんど絶対にということにしておこうか。

これに対して、社外取締役はどんなことができるだろう？　彼は疑問に思うことを質問できる。その質問は論理的に――詳細にわたらずとも――答えられる。それでもまだその取締役に疑問が残っていれば、もうすこし詳しく説明される。そして、マネジメントの答えは最高経営者からの答えであるばかりでなく、下のほうの、その問題に直接関係のある事業部をも含んだ会社の人びとからの答えだということが強調される。彼らは会社のどんなことでも、その取締役よりよく知っている。彼らは毎日会社とともに生活しているのだ。その問題にしても、彼らは彼よりずっと多くの考慮と検討を加えてある。マネジメント・チームは取締役会に対して、できるだけ事実の良い面を出して、よく整理されて筋の通った説明ができるように、自分たちがしゃべろうとしていることを検討し練習しているのだ。取締役たちは月に一回やってくるだけではないか。それで何がわかるというのだ？　彼らが口にすることに、どんな裏づけがあるというのだ？　――思いつきか、漠然とした感じか、うわさ話か、それとも新聞や雑誌で読んだ記事か？　なおも続ける頑固な取締役は、自分の知らなかったことにぶつかって当惑させられるのがおちだ。それでもなお固執すると、揉め事を起こす厄介者の役を演じることになり、厄介者はだれにも好かれない。だとすれば、いいかげんで矛を収め、コーヒーを啜って、それ以上の追及を断念するほかにどうしようがあろう？

取締役会の会議は、概して一方通行のコミュニケーションである。おしゃべりの九〇～九五％はマネジメントで、マネジメントの身内でない社外取締役は、座って聞いているだけだ。それから会食をし、それから家へ帰って、報酬の入っている封筒を開ける。

彼らはみな善意の立派な人たちである。最高経営者と彼の副社長たちは嘘をついたり、取締役会に提出する事実を故意に歪めたりはしない。彼らはただ、いぼや傷を隠し、できるだけバラ色の絵を描いてみせようとしているだけだ。社外取締役会は会社のマネジメントの戦略を、計画を、そして仕事ぶりを研究し理解しようと努力する。――会社はうまくいっているか？　大丈夫、最高経営者とそのマネジメント・チームのおかげで順調そのものだ。取締役会なんか、なくてもぜんぜん困りはしない。黙ってマネジメントに任せておけばいいのだ。しかし、会社がうまくいっていないか、やればもっとやれるのに、そこまでやっていない場合はどうする？　それに対して、取締役会に何ができる？　会社がその能力を十分に発揮していないことが、どうして彼らにわかる？　彼らが知ることができるのは、当のマネジメントが教えてくれることだけだ。彼らは与えられるものをただ受けいれているだけだ。近年、多くのアメリカ企業がただ漫然と収支の辻つまを合わせるだけに終始している基本的な理由は、おそらくそこにある。私の見るところでは、アメリカ最大五〇〇社の九五％の取締役会は、自分たちが法的に、道徳的に、また倫理的になすべきことを十分にやっていない。彼らは責任を果たしていない。また、果たしたくても果たせないようになってしまっているのだ。

どんな会社にあっても、取締役会は会社の所有者――株主――の利益を代表し主張すべきものとされている。取締役会の第一の機能は、マネジメントの会社の経営ぶりを監視、評価し、もしそれが不適切または満足できないものであれば、それについてなにかをすることである。それは取締役会が会社を経営することを意味するものではない。その仕事のためにはプロフェッショナルマネジャーたちが雇われている。取締役会は所有者を代理するために選任されたのだ。その責任はマネジメント、なかんずく最高経営者の勤務評定をし、みずからの判断に基づいてマネジメントに報い、あるいは彼らを罰し、交替させることにある。それが期待されていることであり、そういうふうにいかねばならない。ところがそうならないところに問題がある。

会社機能の中での株主の最優位性ということは、よく口にはされるが、プロフェッショナルマネジャーと年季の長い（職業的な）取締役会のメンバーのあいだには、事情にうとい社外取締役を疎外する、内輪の人間としての傲慢さがある。そうした社外取締役は、どの程度独自の立場を貫けるのだろうか？　名目上は、彼らは株主たちによる選挙によって選任されることになっているが、実際には最高経営者の意思が強く働いている。彼らはまず社外取締役の委員会によって指名されるが、指名は最高経営者の検閲を経なくてはならない。「この人物とは一緒にやれない」と彼が言えば、その人物は指名されない。取締役会のメンバーの一人と最高経営者とのあいだに直接の対立、衝突があった場合、だれが残り、だれが去るか？〝うまくやっていける〟男女だけがマネジメントの指名候補者として、取締役に指名・選任されることは常識となっている。

取締役会のメンバーたちには、評定をおこなう対象であるマネジメントが押しつけるさまざまな役得を受けとっておいて、どれだけ自主性が守れるのかという疑問もある。本来なら、両者のあいだには本質的な利害の食い違いがあるべきではないのか？　もし会社の仕入れ担当者が納入業者の饗応や招待旅行に応じたら、もちろん取締役会はそれを咎めるだろう。しかし、取締役会のメンバー自身も、独立自尊を守るためには、重役食堂で供される五品ものコースの昼食の代金を支払うべきではなかろうか。また、取締役会のメンバーに支払われる報酬額も再検討されるべきかもしれない。もし彼らがその報酬に依存しているのであれば、どうして自主的に振る舞えよう？　たいていの取締役会の報酬は、それを得るためになされる働きに対しては高すぎ、なされるべき働きに対するものとしては低すぎるように私には思われる。

もし取締役会が本当に株主の利益を代表するために存在するのだとしたら、最高経営者はそこで何をしているのだろう？　彼は矛盾にぶつからないのか？　彼はプロフェッショナルマネジャーだ。それなのに株主を代表し、自分自身の仕事ぶりを評定することができるわけがない。また、すべきでもない。にもかかわらず、私が知っているどこの会社でも、最高経営者は取締役会のメンバーになっている。それどころか、フォーチュン誌アメリカ最大五〇〇社の四分の三以上の会社で、最高経営者は取締役会長を兼ねている。彼は会社を経営すると同時に、取締役会をも取り仕切っている。ＩＴＴにいた時は私も両方の地位を兼ね、はなはだいい気分だった。――最高経営者兼取締役会長。それはなんの犯罪でもない。しかし、株主の利益という見地からは公正ではない。それは適切な機構ではなく、取締役会の本来の目的にそぐわない。そればかりか、最高経営者は取締役会で孤立しているのではなく、普通、トップ・マネジメント・チームにバックアップされている。したがって、たいていの会社では、最高経営者は一人か二人の社外取締役を説得できれば過半数を獲得できるのが実情だ。社内取締役が取締役会で本気でボスに挑戦するなどということは、めったにあるとは思えない。

　だからといって、最高経営者は株主の最善の利益を念頭に置いていないというのではない。普通は、置いているだろう。しかし、利害の食い違いが起こる可能性がある。私が言いたいのは、現在の機構のままだと、大きな株式公開会社の内部での最高経営者の権力に歯どめをかけ、あるいはそれとの均衡をとるものが――仮にあるとしても――ほとんどないということだ。取締役会の本来の機能が果たされていないのだ。

　もちろん、取締役会は最高経営者の給料やボーナスや付加給付を決め、また彼を解雇することもできる。

しかし、不適任だからという理由で最高経営者を取締役会が解雇した例が、どれぐらいあるだろうか？　どの年をとっても、フォーチュン誌五〇〇社の中で、最高経営者が退任させられた会社は一握りもないだろう。このところ久しくアメリカ産業の生産性の衰退があげつらわれる中で、彼らはみな驚くばかりすばらしい業績を挙げ、ほんの少数者のみが、あれやこれやの理由から、欠格と判定されたのだろうか？　私にははなはだ疑わしい。取締役会が最高経営者の俸給を削ったことがあっただろうか？　そして災害が見舞い、大地が隆起し、壁が歪み、屋根が落ち、あたり一面が廃墟と化してしまってから、取締役会は──まだ生き残っていれば──ようやく立ち上がって行動する。しかし、その場合でもなお、そうするのは株主への配慮からではなく、突然、自己の利害──自分自身も受託者としての怠慢の罪を法的に問われるかもしれない危険──に目覚めたためではないかと私には疑われる。それでもなお、取締役会がなんら救済策らしいものを講ずることができずに、転覆してしまった会社がどれぐらいあるだろう？　取締役会は会社がどういう苦境に落ちこんでいるのか見当がつかず、それがわかった時にはもう手遅れという場合が多すぎた。

とはいっても、個々の取締役にはあまり罪はない。取締役会の構造とその伝統的な運営が、事実上、個々の取締役がその責任を正しく遂行することを不可能にしているのである。特定の拡張計画、研究開発、あるいは買収といったマネジメントからの特定の要請に不賛成な時には、取締役会はノーと言うことができるし、たまにはそうすることもある。しかし、仮に取締役会の何人かのメンバーが、今の最高経営者を不適任だという、あるいは有能ではあるが他のだれかほどではないという結論に達したとしよう。まず第一に、はっきりそうと断定することに困難がある。それを測る、信頼するに足る基準がない。そもそも、取締役会が情報をほとんどもっぱら最高経営者自身に頼っているのでは、どうして適正な判断がくだせようか。自分の過失や、決定の誤りや、取り逃がした機会や、失われた可能性を、簡単に本人が告白するはずがない。そしていかなる最高経営者も、取締役会のメンバーが、陰に回って、自分の部下たちから情報を集めたりすることを許しはしない。ボスの陰口を聞く部下が覚悟しなくてはならない制裁はいわずもがな、企業の機構と伝統はそうした気ままな行動を禁じている。

ではあるが、何人かの社外取締役が、一から一〇までの評価基準があるとして、自分たちの会社の最高経営者の評点はせいぜい四だという結論に達したと仮定しよう。彼はとくにひどい誤りを犯したわけではない。ただ凡庸だというだけだ。取締役会は彼との契約にしたがって三カ月分なり三年分なりの俸給に相当する手当を払って彼を解雇し、もっと優秀な人物をよそから連れてきて交替させる権限がある。それはさほど高い代価ではない。しかし、彼らは取締役会の最高経営者との関係の調和を破壊することを恐れて逡巡する。また、それが証券アナリストや銀行その他の金融機関や投資家のあいだに引き起こす〝取り沙汰〟を恐れる。あの会社にはなにか正常でないところがある——上層部の軋轢《あつれき》か、もっとほかのなにか隠されたことか、いわゆる〝内部問題〟というやつだ——という取り沙汰がおこなわれ、その結果としての会社の評判と株価は、一人の不適任なエグゼクティブを解任する必要とは比べものにならない、大きな打撃を受けるだろう。彼が不適任であることなど、外部の世間はめったに知らないものだ。もちろん、業界財界には彼の友人や追随者もいる。彼をやめさせることは会社に敵をつくり、彼らはしゃべりたいことをしゃべって回るだろう。

非主流の取締役たちは、たとえ思い立ったことを実行に移したくても、取締役会の全体と公式の討議をするわけにはいかない。最高経営者は取締役会長なのだから。行動するためには、彼らは彼に対して陰謀団を結成しなくてはならない。彼らは他の社外取締役に電話をかけ、おそらくは一人ずつ、最高経営者のことを内密で話し合うために、クラブでの昼食とかホテルの一室での秘密の会合に誘う。もし説得に失敗したら、返報を覚悟しなくてはならない。彼はそうした連中を追い出しにかかるだろう。どうなるともわからない結果のために、はっきりしたリスクを冒す価値が果たしてあるのか、彼らは迷うに違いない。そして結局、異端派の取締役たちは、不満ではあるが現状を持ち越すほうが――もうしばらくは――得策だと自分を納得させてしまうかもしれない。とにかくマネジメントは、状況を好転させると約束しているのだから……。それはその取締役たちが、株主たちの損失において、マネジメントの凡庸さに加担してしまったことにほかならない。

たいていの大企業では、取締役会はトップ・マネジメントの報酬を決める大権を放棄してしまっている。外部の報酬コンサルタントが委嘱を受け、彼らはその会社の給与のパラメーターを定める。彼らが用いる尺度は仕事の実績よりもむしろ会社の規模であり、似たような場合に対してよそではどれぐらい払っているかということだ。取締役会はほとんど間違いなくその勧告を受けいれる。それは彼ら流の無過失保険なのだ。それから毎年、昇給を考慮すべき時期がくると、取締役会はマネジメントを管理するための唯一かつ真の手段を、取締役会のメンバーの小委員会――通例三人か五人の代表者――に委ね、その委員会の〝OBたち〟は別に会合して、今年はどんなふうに最高経営者とその部下たちに報いたらいいのかを討議する。討議は三分ないし三〇分以上はかからない。前もって用意されたものをそのまま認めるだけなのだから。通常、討議の雰囲気は和気あいあいたるものだ。OBたちはみんな以心伝心の間柄なのだ。

もし会社に現在問題がなければ、トップ・マネジメントは自動的に、一〇%かそこらの昇給を受ける。一人、とくによくやった人物がいれば、一五%を勝ち取る。トップ・マネジメントが昇給しない年はほとんどない。それに、ほとんど慣習として、相応の自社株購入権が与えられる。それらの基準となるのは会社の業績ではなく——かつてそうだったが——世間の常識またはダウ・ジョーンズ平均指数である。株価が上がれば、だれもが換金する。下がれば、取締役会はもっと低い価格で新しい自社株購入権を与える。しかし、会社が倒産の瀬戸ぎわにあるのでない限り、取締役会が最高経営者の報酬を削ったなどという話を聞いたことがあるだろうか？　一〇〇社の会社についておこなわれた最近の調査によると、一九八二年には、そのうち五五社で収益が減退したが、その五五社のほとんど半数の最高経営者は報酬を上げてもらった。アメリカの自動車産業が危機的な不景気から立ち直りはしたものの、なお日本との競争で苦しんでいた一九八四年、自動車メーカーのトップ・エグゼクティブたちはなおお手盛りのボーナスと自社株購入権で、あまりにも気前よく自分たちをねぎらったために、一般から非難の声が上がった。それらの報酬はすべて、三大自動車メーカーの取締役会の承認を経たものであった。

自動車メーカーの最高経営者の一人は、一九八三年の高額の給料に追加された巨額のボーナスの弁解として、その年の会社の収益の数字を挙げ、自分個人の報酬は収益のほんの一小片であり、それをその年売られた自分の会社のすべての車に割り振った場合、車の価格に対するその割合は微々たるものだと述べた。そのうえ、自分はその会社の最高経営者を二五年も務めてきたのだ、と。それはまったくその通りだ。ただ、私から見ると、彼はいちばん重要な問いに答えていない。それは——その増収益をもたらし、それほど巨額のボーナスを保証するために、彼は個人としてどんなことをし、どんな直接的貢献をしたのか？という問いだ。報酬の額そのものには、私は一部の人びとのようには心を動かされない。ロック歌手やプロ野球選手や映画スターは多額の金を得るが、そうした場合には、彼らが支払われるのは彼らが稼いだものであることがはっきりしている。金を払うお客を引き寄せるのは、彼らの非凡なプレーや演技だ。収益への彼らの貢献は計量することができる。なにか新しい、あるいは価値あるものを創造し、または他の人びとが達成したことのない高さまで、なにかを築いた人間はだれでも、それなりに多額の報酬を得る資格があると私は思う。ビジネスマンもだ。しかし、自動車産業にたずさわる人びとのみならず、すべてのビジネス・エグゼクティブが問われなくてはならない肝要な質問はこうだ。――それだけの報酬を得るのに十分なだけ傑出した、どのような真の個人的貢献を、きみはしたのか？　ボーナスは市場の動向や世間相場に、単純に結びつけられるべきものではない。

最高経営者が経営層の部下の報酬に関する事柄を扱う態度は、これとはかなり異なる。彼とトップ・マネジャーたちは、長い緊張した会議を開いて、部下たちの仕事ぶりを検討する。部下たちはかねて与えられた目標があり、それらの目標に照らして結果が評価される。おかげで社内の人びとはいつも背伸びをし、戦々兢々だ。不適任なマネジャーは、結果をもたらすことができる人間に場所を譲るために抜き捨てられる。昇給と昇進は慎重な検討と配慮をもって割り振られる。それは管理層で不断に進行しているプロセスである。それなのに最上層の取締役会のレベルでは、会社を経営している人びとの仕事ぶりに対するそうした評定はおこなわれない。取締役会の議事リストには、収益への最高経営者の貢献の考課という項目はない。取締役会の第一の機能であるその仕事は小委員会に付託され、その委員会のかたちばかりの決定が取締役会の満場一致で事務的に承認されてしまう。

以上を要するに、会社の所有者の権限と、最高経営者をはじめとするマネジメントの業績基準とのつながりがあいまいなことが主たる原因で、アメリカ企業の取締役会には、せっかく一流の能力を持ちながら、二流の働きしかしていない人びとが満ちあふれている。現状のもとでは、個人たると法人たるとを問わず、株主たちは自分の会社を経営させるために雇っている人びとから、彼らに支払っている報酬に見合うだけのサービスを受けているかどうか、事実上、知りようがない。株主たちは新聞や雑誌や証券アナリストの報告を読むことはできるが、そうした記事や資料は、会社の中で本当に起こっていることに関与していないアウトサイダーによって書かれたものである。取締役会は自分たちの知りたいことについて報告を受けるべき立場にあるばかりでなく、それを追及する法的権限を有し、また行動しようと思えば行動することができる。しかし長い年月の間に彼らは軟化、無力化し、たいていの場合、会社の所有者たちの有能な代表者というよりむしろマネジメントのとりこのような状態に堕してしまった。

さらに言うなら、近年のアメリカ企業の積極性と生産力の衰えは、すくなくとも部分的には、取締役会のなすべくしてなさざりしことに起因する。そこに賭けられているものは甚大である。フォーチュン誌五〇〇社に代表されるアメリカ大企業は、なんといってもアメリカの工業生産の圧倒的部分を構成するものであり、古風なOBの集まりはもはや世界最大の産業勢力の必要を満たすことができない。

すべての勤勉な取締役会は、株主のために、この基本問題に取り組まねばならぬ。――その会社のマネジメントの業績達成の基準をどこに置くか――言い換えれば、去年または今年、会社がどれだけの収益を挙げたかではなく、挙げるべきであったかということ。会社の発揮されずに終わった能力、取り逃がした機会、到達されなかった水準、失われた時間、おこなわれなかった方向転換に、ほとんどの取締役会が注意を向けていない。

今日の取締役会が無力化しているのは、これらの問いに対する答えがわかっていないためである。わかっているつもりかもしれない。会社のマネジメントが言うことに基づいた意見は持っているだろう。しかし、彼らの中のだれでも、自分自身のこととなったら、だれかの言うことを根拠にして自分の金あるいは自分の銀行の金を投資しはすまい。自分で動き回って調べるにちがいない。それは当然の務めであり、その当然の務めを果たさなければ責任違反である。

もし取締役会が全体としてその責任を果たすつもりなら、取締役たちはマネジメントの業績を客観的に眺める態度を取り戻さなくてはならない。年来、生産性と並んでしだいに失われてきたのは客観性である。しかし、創立者または過半数株の所有者が会長を務めている取締役会では、今でもその種の客観性が生きている。自分の金がかかっている場合には、取締役会のメンバーたちは自分たちの会社を経営しているトップ・マネジャーたちにあらゆる質問をしかけることをためらわず、業績が期待に沿わなければ満足しない。私の考えでは、それこそがすべての公開会社の勤勉な取締役会のあるべきかたちである。

取締役会が会社のマネジメントに対する客観性をいかにして回復するかは、それぞれの状況にしたがって、個々の取締役会がみずから工夫すべきことだ。問題は、取締役会がいかにしてマネジメントからの一方的な情報の流れへの依存から脱却するか、マネジメントが自分たちに告げることをチェックできるように、会社の経営状態に関する独自の情報をどうして入手するか、そしてマネジメントの仕事ぶりを評価する基準をいかにして定めるかにある。手短に言えば、取締役会のメンバーたちは、自分がもし会社の所有者だったらどうするかということだ。

取締役会が独立を取り戻すには、社内取締役を全部締め出すことも一法だろう。最高経営者もだ！

最高経営者とそのマネジメント・チームは、引き続き取締役会の会議に出席はするが、それはあくまでも——前にもやっていたことだが——会社を経営するのに自分たちはどういうことを、なぜしたかを、取締役会に報告し説明するためだ。取締役会には、マネジメントが満足のいく仕事をするように監視するというはっきりした責任がある。それで初めて、どちらのグループも——取締役会もマネジメントも——別々の明確な責任を担うことになる。

それでも取締役会の役目は、会社を経営することではないし、どう経営すべきかを最高経営者に指示することでもない。取締役会がマネジメントに対抗する立場をとるのは、最高経営者が物事をうまく運営していないとか、意味をなさないことをやろうと言い出すとか、彼の提案する支出の水準が法外だとかいった場合に限られる。そうした場合には、取締役会は彼がもっとほかのやり方を考えなければならない理由を説明することによって、彼の知識と判断に資することができる。

これに対して、自分の提案には確実な根拠があり、それが備えている長所ゆえに支持されるべきだということを取締役会に納得させるのが最高経営者の役割になる。これが彼の当面の、そして伝統的な役割である。有能な最高経営者ならだれでも、さしたる困難もなしにやっていけるはずだ。依然として、会社を経営しているのは彼だ。依然として会社のことについて、取締役会の社外メンバーには及びもつかない、詳細な、直接の、深い知識を持っている。もし彼がそれなりに有能で、健全な判断力のある人間なら、自分を支持するように取締役会を説得するのは難事であるまい。そして意見の違いが起こった時は、会議室にいる全員があらゆる事実と意見と感情を吐露するシステムが、到達し得る最善の答えへの合意という結果をもたらしてくれるだろう。

これこそ現在おこなわれていてしかるべきあり方である。しかし、大体においておこなわれていない。必要な改善をするためには、取締役会は自分たちが勤務評定をおこなう立場にあるマネジメントから、十分に独立していなくてはならない。忘れてはならないのは、最高経営者と彼のマネジメント・チームが物事を適切かつ申し分なく運営しているかどうかについて、絶えず目を光らせているのが取締役会の第一の役目だということだ。取締役会はマネジメントの株主に対する正当な立場を支持しはするが、あくまでも株主を、そして株主のみを代表するのでなくてはならない。取締役会のメンバーたちは、マネジメントから役得や特典などの恩義を受けることを――受けているように見えることすらも――慎まなくてはならない。あらゆる慣習的な役得と特典を辞退することで、それは簡単にできる。たとえば取締役の報酬は、株主たちの要求があればいつでもその金額を公開するという条件つきで、最高経営者ではなく彼ら自身が決めなくてはならない。また、マネジメントを監視するために専従あるいはパートタイムで働く取締役を必要とする会社もあるかもしれない。そうした取締役たちはどれほどよく、また積極的に働くかによって、それ相当の報酬を受けるべきだ。また、会社のマネジメントの働きぶりを〝監査〟し、その結果を取締役会に報告する経験ある人びとを、独自のスタッフとして取締役たちにつけることを必要とする会社もあるかもしれない。それともまた、取締役会によっては、自分たちのために会社の特定の部門に関して独自の調査をおこなわせるために、外部の経営コンサルタント会社を雇うことを選ぶかもしれない。ともかく、マネジメントから分離するだけで、必要なだけの独立性が取締役会にもたらされるかもしれない。

会社の機構の中で、抗議の叫びが上がるのが聞こえるような気がする。常時、自分のやることを、だれかに背後から眺かれていることを喜ぶ最高経営者はいない。しかし、会社のマネジメントの数字については、それをチェックする監査役をすでに取締役会は委嘱している。だったら、マネジメントのポリシーや活動も、外部のマネジメントの〝監査役〟にチェックさせてもよいではないか。それは取締役会の本来の役目である。そうした監査をした人間は、最高経営者にも他のだれにも、どうせよと命令する権限はない。彼はただ監査をするだけだ。そしていうまでもなく、彼もまたマネジメントと親密になったり、恩義を受けたりすることから職業的独立を守らなくてはならない。彼の忠誠は取締役会に向けられねばならぬ。彼は会計事務所と同じように、自分がおこなった監査の結果を取締役会に報告しなくてはならない。その情報を活用し、適切と認められる処置をとるのは取締役会である。しかし、今や取締役会はきわめて必要な、独自の情報源を持ったことになる。私の推測では、実際にはそうした職業的情報提供者が取締役会の会議で発言することはほとんどあるまい。〝よく知っている〟人間がそこにいるというだけで、最高経営者の取締役会への報告は、より客観的なものにならざるを得ないだろう。

ひとつ、私に確信できることがある。——社外のメンバーの一人を会長とする、情報収集機能をそなえた取締役会を設けることによって、取締役会の会議の質と密度は、近年見たことがなかったレベルまで高まるだろう。むろん、取締役会は外部の人間または機関によるマネジメントの監査を、額面通りに受けとる必要はないだろうし、受けとるべきでもない。会社のマネジメントは、あらゆる論評、攻撃、非難に対して、十分な答弁の機会を与えられることはいうまでもない。また、取締役会がことさら敵意をもってマネジメントに対することはない。取締役会の意図は、マネジメントに対して客観的、協力的たらんとするところにある。両者は会社と株主のために同じ目的を追求しいるのだが、時折、いかにしてそれを達成するかについて見解が異なることがあるだけだ。真理、あるいは成功への確実な道、また特定の問題を解く最善の方法は、だれの占有物でもない。いかなる状況のもとにあっても、真理を追究する最善の方法は互いに啓発し合うこと——豊富な情報に裏づけられた、異なる見地からの意見をめいめいが提出し、事実を深くさぐり、可能な限り最善の答えをつかんで浮上してくることである。

会社を一歩先へ前進させたかったら、取締役会はマネジメントに対して、いつでも良いほうへ良いほうへと照準を合わせた期待を押しつけるべきだ。会社の目標を定める役目を、雇われたマネジャーたちだけに任せておかなくてはならない理由がどこにある？　会社の所有者の代表として、取締役たちも、すくなくともそのプロセスに参加しては、なぜいけないのか？　そうした種類の相互啓発は、単に過去の業績を評価するだけでよしとしているよりも、ずっと会社のためになるにちがいない。会計年度の後でなく前に、株主の代表として取締役会がマネジメントに期待することを、取締役会と最高経営者が合議するようになったら、どんなことが起こるだろう？　それは取締役会に、現在持っていない役割を与え、会社の短期、長期の目標を、今よりずっと適切に評価できるようになるだろう。この場合もまた、取締役会は会社を経営しようとしているのでもなければ、最高経営者にどうせよと命令しようとしているのでもない。ただ、株主たちの利益についての自分たちの見解を満足させるためには、彼がどんな業績を挙げなくてはならないかという、計算に基づいたひとつの考えを彼に伝えようとしているだけだ。私の推測では、たぶん、最高経営者は自分のマネジメント・チームを集めて、こう言うだろう。「いいか、みんな、われわれはもっと良い業績を挙げられるはずだと取締役会は考えている。あと一〇％高い目標を達成すべきだというのが彼らの意見で、その理由も聞かされてきた。もしかしたら彼らの考えは誤りで、われわれのほうが正しかったという結果になるかもしれない。しかし、ここはひとつ、がんばってみるほかなさそうだ」。それはつまり、経営者は経営しなくてはならないということであり、しかも取締役会がそう言っているのだ。

アメリカ企業の取締役たちがそういう仕事をやり始め、それは手ぎわよくやるようになったら、毎年、ひとつかみかそこらの最高経営者が交替するぐらいでは収まらなくなるだろう。しかし、五〇万～一〇〇万ドルの年俸とボーナスをとる最高経営者はみんな、それに相当するだけのことをやらずにはすまなくなると保証できる。

また、昔より若い人びとを大企業のトップに据える傾向が始まっていると見る私の観測が正しければ、取締役会には、彼らがやることを監視するという新しい責任が追加される。というのは、四十代またはそれより若い人びとは、年長者たちのやり方を改めるのに、若さからくる精力と大胆さから、性急に走る恐れがあるからである。

若い最高経営者を任命すること自体は、彼の知能や、機敏な頭の働きや大胆さは、経験による成熟によってほどよく和らげられていないということを取締役会が承知している限り、なにも間違ってはいない。それも確率の問題だ。三十代の末あるいは四十代の初めの人物が、どんな点でも五十代の末または六十代の初めの人びとと同じぐらい成熟し安定していることもあり得なくはない。しかし、その確率はきわめて低い。そして本人はもちろんそのことを自覚していない。若い人びとが権威ある地位につくことに、私はなんら異存はない。かつては私も若かった。そのころ、私は自信満々で自分の考えを固持したものだ。やがて年齢と経験でかどがとれてきた。

私もまたＩＴＴで多くの若い人びとの能力を買って、年功序列を無視して事業部長に昇進させたことがあるが、そうした場合には慎重な監視を怠らないようにした。それは今日の取締役会が、若い最高経営者を任命した場合にとらなくてはならない責任である。若い最高経営者は無鉄砲な、突拍子もない過誤を犯し、取り返しのつかない結果を招く危険がある。それもまた確率の問題ではある。しかし、要は、取締役会が若い最高経営者を監視するには、それだけよけい慎重にしなくてはならないということだ。この場合、取締役会の責任は、未成年から大人へと成長していく子供を見守る親のそれに似ている。取締役会はみずからも誤りを犯しがちであることを認めると同時に、年齢的な成熟による賢明さをもって、自分は親より利口だと確信しているティーンエイジャーの極端な意見に、いつでも歯止めをかける用意のある親としての自覚を持たなくてはならない。私としてはただ、良い取締役会は良い親のように、ある程度の抑制力を行使して、最高経営者を〝育成〟しなくてはならないと述べるにとどめておこう。取締役会は彼らが家を乗っ取ることを許してはならない。

独立した、情報に通じた取締役会は、その制度が創設された目的である仕事を、きっとやりこなすことができるだろう。そうした取締役会が会合すれば、会社の合理的な評価をするためにどんな種類の情報が必要かということは、良識が教えてくれるだろう。彼らはマネジメントからだけでなく、外部の情報源から、また自分たちの独自の調査からも情報を求めるだろう。それからあらためてマネジメントと対座する時、取締役会の会議は今日のそれとはかなり違ったものになるだろう。取締役会議室では、コミュニケーションの交流がおこなわれるようになるだろう。

そうした力を取締役会に付与することに、どんな危険があるだろうか？　株主たちが取締役会の行動を詮議する権利を保有し、それがおこなったことが会社の年次報告書に記録される限り、克服できない問題があろうとは私には考えられない。最高経営者は取締役会の助言を受けいれる義務はない。そのために行き悩んで両者の対決ということになれば、最高経営者は辞任して、その経緯の供述を公開すると申し出ることもできる。理不尽な取締役会に対しては、妥当な解雇手当を保証した雇用契約と世論が彼を守ってくれるだろう。独立の取締役会が権力を乱用する余地はほとんどない。取締役会の個々のメンバーの定年を、普通より延ばすことはできるかもしれない。しかし、そうしたメンバーも仕事に応じた報酬以上のものは受けられないし、その報酬が適正であるかどうかは、両方の側が株主に対して報告をおこなう株主総会の審査を受けることができよう。

会社をよく運営して計量し得る結果を生み、自分の地位に自信のある最高経営者は、独立の取締役会を恐れるいわれはまったくない。それどころか、かえって歓迎するかもしれない。それは彼らを長距離ランナーの孤独から解放してくれるだろう。独立した取締役会は、マネジメントと馴れ合いと見られることから解放されて、模範的な結果を挙げた最高経営者に対して報奨を与えやすくなるだろう。会社の増収益の分け前にあずかった株主たちは、自分たちの会社では役員もマネジャーも、各人の報酬に相当する働きをしていることを再認識して安心するだろう。

以上、取締役会とマネジメントの混ざり合った関係の問題点を明確にすることができたら、私はそれで満足だ。ここに示した解決法は、全アメリカ企業に適用するには極端すぎると思われる人びともあろう。しかし、極端な例は人びとに考えさせる。するとつぎに、どういう方策をとるかは、それぞれの会社のそれぞれの状況に応じた程度の問題になる。しかし、目標は同じだ。——株主を代表する取締役会が、会社のプロフェッショナルマネジャーたちと、取締役会議室のテーブルを囲んで直接にわたり合うことができる方法を発見すること。

自由で独立した取締役会が会社のマネジメントに与えるインパクトは甚大であるにちがいない。そしてそれがアメリカの生産性に及ぼす究極的な効果は計り知れぬものがあろう。

第十三章

気になること——結びとして

気になるとも！　だからこの本を書いたのだ。私はアメリカ企業に大なる信頼を寄せている。しかし、見回すと、私の目に入るのは――他の人びとにもそうだろうが――企業活動におけるアメリカの卓越した地位が、他の国々に奪われつつある現象だ。かつてあれほど活力さかんで成長を志向していた大企業が、今やまごつき、当惑しているような印象を受ける。そして月並みな経営と私が見なすものは、小さな新しい企業より、われわれの経済の水源ともいうべき大企業に多く見受けられる。マネジメントの最上層から活力と精髄が染み出てしまい、そのかわりに退廃と官僚主義的な煩雑な手続きがはびこりつつあるように見える。きわめて多くの主要主義が、法則や慣習や手続きやＰＲや責任転嫁や安全第一という態度の泥沼に漬かっているように見える。

残念ながら、アメリカ企業には弛緩がはびこっている。非難はしばしば労働者に向けられ、それも確かにその一部をなすものではあるが、不幸なことに、弛緩はまずマネジメントの最上層に始まり、下へと広がっていくのが常だ。もしそれを矯正するとしたら、治療はまずトップに対してほどこされなくてはならない。私が恐れるのは、あまりにも多くのビジネス・エグゼクティブが、環境に馴らさせられてしまっているのでないかということだ。彼らはスマートにプレーすること、適切なことを言い、適切な行動をし、群れの流れにしたがい、ＰＲマンの助言にしたがうことが身についてしまっている。過ぎし日のガッツのあるビジネスマン、波乱を起こす男たち、〝正々堂々の〟人物として一目置かれる男たちはどこへ行ってしまったのか？　〝ガッツ〟という言葉は、響きは優雅でないが、意味するものの感じをよくとらえている。それは今日のアメリカの企業経営の本流から失われてしまったと私が考えるものを表すのに最も適した言葉だ。

すべての良い企業経営の最も重要かつ本質的な要素は情緒的態度である。あとはすべて機械的な要素ばかりだ。私流の言い回しをさせてもらうなら、マネジメントとは人名と肩書を枠で囲んで組織的に書きこまれた四角い仕切りの集合ではない。マネジメントは生きている力だ。それは納得できる水準――その気があるなら高い水準――に達するように、物事をやり遂げる力である。ある企業にはそれがあり、ある企業にはない。マネジメントには目的が、献身がなくてはならず、その献身は情緒的な自己投入でなくてはならぬ。それは真のマネジャーならだれでも、人格の枢要部分として組みこまれていなければならないものだ。言い方を換えるなら、それは、経営者は経営しなくてはならないという意味がわかる人間のことだ。

その態度はまた自己達成的なものでもある。「自分はこれをやらなくてはならない」と決めた人間は、いつという時間の見境なくそれに取り組み、満足できる答えが見つかるまで、何度でもやり直すだろう。その答えは、何よりもまず、自分自身にとって満足のいくものでなくてはならない。そのことは本人も承知している。あることをやるのに七八通りのやり方があるとして、どうにか満足できる答えにつながっているのは、その中の一〇通りだけだ。それは全部の中で最善の答えではないかもしれない。しかし、彼は一〇より下のものでは我慢できない。そしてつぎの機会にはもっと上位の、より良い答えを求めて奮闘し、絶えずなにか新しいことを学び、より良い結果を達成できるようになっていく。彼がそうするのは、他の何より彼自身の情緒的態度によるもので、一緒に働いている人びともかならずその態度を真似るようになり、やがてそれはその組織の気風となる。なすべきことをしようとする衝動の原動力となるのは、論理ではなく、深いところに内在する情緒である。自分がなぜそういうふうに行動するのか、またなぜほかの行動でなくその行動を選択するのか、彼には説明できないかもしれない。彼がそうするのは、それが正しいことだと〝感じる〟からだ。その情緒の動きは彼と一緒に、あるいは彼の下で働く人びとにも伝わる。彼のその情緒的献身は、会社の目標のみならず自分たちに対するものであることを、彼らは感じとる。そして彼らは彼の性格の本質をなすその〝情緒〟に同調して、喜んで彼のリードにしたがう。

企業であろうと教会であろうと探検隊であろうと特定の職域であろうと家庭生活であろうと、そのマネジメントの良否は、それがみずから設定した目標を達成するかどうかによって判定され、その目標が高ければ高いほど、良いマネジメントだといえる。実際、目標があまりにも低ければ、私はそれをマネジメントとは呼ばない。それだったら、だれにでもできる。マラソン走者とは二六マイル三八五ヤードを、二時間半なり三時間なり三時間半なり、ある基準にしたがった一定の時間で走ることができる人間のことである。しかし、一〇時間で走る人間はどうか？　彼はマラソン走者ではない。彼はただショートパンツにランニングシューズを履き、すこし運動をして血のめぐりをよくしようとしている人間にすぎない。走者を実績という見地から定義すれば、そういうことになる。企業のエグゼグティブについても同じことだ。

マネジャーが目的を達成するためには、なんとしても、正しい決定をするのに必要な情報を入手しなくてはならない。そうすれば、目的への道は一歩一歩、おのずと開けていく。どの一段を上るにも、真の状況を把握するための正確な事実が必要だ。信頼できる情報に拠ることができれば、決定をおこなうことはさほど困難ではない。事実は力である。それは良い経営に不可欠なものだ。いかなる状況にあっても、適切かつ正確な事実を入手するには、マネジャーは適切な質問をすることができなくてはならず、そのためには家での休息の時間を縮めてでも、自分が遭遇している物事を深く見きわめなくてはならない。そうすることによって正しい決定の好記録をつくることができれば、それは周囲の人びとがそれぞれの持ち場で有効に能力を発揮することを助け、各自の働きの単なる合計より大きな総合的成果を挙げさせる。それがリーダーシップだ。そしてすぐれたリーダーシップは、企業内に誇りの感覚とエネルギーを強化するはずみを生じさせ、それは自分たちにできるとは思ってもいなかった結果——短期的、長期的な結果——を生み出させる。説明が煩雑になったかもしれないが、実際には、これらの要素はすべて一緒に、原子炉の中での核融合のように相互反応を引き起こし、エネルギーを生み出す火を、圧力を、そして力を創造しながら、ひとつの全体として進行するのである。その全部が、良い経営を成立させるのに不可欠な情緒的成分をなしているのだ。

リーダーシップは物事を遂行するように人びとを駆り立て、答えを出さなくてはならないと感じるがゆえにそれをやり続け、満足できる結果を得るまでやめないように駆り立てる情念の力である。もちろん、努力がいつでも功を収めるとは限らない。だが、その場合には、早くそれを悟り、その状況から抜け出すことだ。損失を最小限にとどめて、ほかのことに向かっていくのだ。マネジャーたる者は、押し流されてはならない。

それが、ＩＴＴでわれわれのやったことだ。ＩＴＴは立て続けの、あわただしい買収計画によって成長したのだ、と人は言う。しかし、われわれは買収した子会社をも含めて、会社が内部的に成長するように経営することに、われわれの時間の九〇％までを費やし、それがわれわれの株を他の会社の資産と交換することを可能にしてくれたのである。買収すること自体に使った時間は、せいぜい一〇％ぐらいのものだ。それよりずっと重要なこととして、われわれは当初から、これまでに述べたようなマネジャーの定義に該当するマネジャーのチームをつくり上げるまで、おおぜいのエグゼグティブを解雇し、また雇い入れた。そしてそれが〝臨界質量（効果的に望ましい結果を得るための十分な量）〟に達した時、われわれは発進した。われわれは目標として定めた発展と成長を達成するための情緒的火力を確保していた。

これに対して経営の〝機械的要素〟は、マネジャーが軌道をはずれないように――情緒的火力がさかんすぎて破滅の断崖から飛び出さないように――してくれる。この機械的要素とは会社の機構と組織、情報の流れを扱うコミュニケーションのネットワーク、財務管理、会議のスケジュール、そして生産、品質管理、マーケティング、流通その他もろもろのシステムである。そうした機械的要素はきわめて重要である。それらを軽視したため脱線し転覆した企業はすくなくない。これまで本書の中で私はビジネス・スクールについて不満を述べ、MBA（経営学修士）の学位の価値を不当にけなしてきたきらいがあるかもしれない。だからここで、私はなにも、ビジネス・スクールで教えていることが間違っていると思っているわけではないことを断っておきたい。ただ、重点の置かれ方が片寄っていると思うのだ。それらの学校では、機械的要素（構造や方式）に重点が置かれすぎ、良い企業経営における情緒的な要素の価値に十分な関心が払われていない。

MBAの称号をもらって社会に巣立った若い人たちは、経営の情緒的要素の価値と、それを身につけるために支払わなくてはならない代価を知るまでは、私の定義に当てはまるビジネス・マネジャーにはなれない。そしてそうしたタイプのマネジャーが国じゅうにあふれるようになった時、アメリカ企業は国際競争において群を抜き、再び世界の羨望となるだろう。一流のマネジャーはいつの世でも不足している。経営における情緒的態度と機械的要素の概念を会得し、それらを常時使い分けることができる若い男女には、今日でも、アメリカ合衆国のトップ・エグゼグティブの椅子が、座を空けて待ち受けている。

私はしばらく前にウォートン・ビジネス・スクールで講演をした時、ビジネスマンとして成功するにはどうすればいいかという質問を受けた。その時、私は学生たちに、それには若いうちは働き回ってさまざまな経験を積み、三〇か三五歳ぐらいになったらひとつの職業を選んで落ち着くことだと答えた。そうすればその人は三〇年から三五年を、その職業に身を捧げることができる。そのあいだに、会社のトップ・マネジメントは三、四回以上交替するのが普通だ。だから、良いマネジャーには常に機会がある。若い人たちがすべきことは、ただ仕事を選び、それに向かって努力し始めることだ。自分の人生の経営も含めて、あらゆる経営について私が前に述べたように、自分は何をやりたいのかを見きわめ、それをやり始めることだ……。

今日、その答えを修正し、ビジネスの世界での長い経歴を通じて信じるようになったことを要約せよと言われたら、私はつぎのような事柄を、経営についての個人的な勧めとして補足しておきたい。

●物事をおこなうには会社の機構を通し、近道をせず、ルールにしたがってやらねばならぬ。しかし、ルールにしたがって考える必要はない。物事がいつでもなされるやり方に自分の想像力をとじこめるのは大なる誤りである。実際、それは自分を市場の大勢に追随させるだけに終始させてしまうだろう。

●本来の自分でないものの振りをするな。〝見せかけ〟のために物事を遂行することは自分に跳ね返り、やることのすべてを鼻もちならないものにしてしまう。自己顕示のための旅行、社内政治その他、真の自分でない役を演じることを避けよ。

●紙に書かれた事実は人びとから直接に伝えられる事実と同一でないことを銘記せよ。事実そのものと同じぐらい重要なのは、事実を伝える人間の信頼度である。事実はめったに事実でないが、人びとが考えることは憶測を強く加味した事実であることに留意せよ。

●本当に重要なことはすべて、自分で発見しなくてはならない。マネジャーには、ストレートな質問に対してストレートな答えを要求する権利があるが、そのためには質問が適切でなくてはならない。適切な質問は出所のさまざまな情報をもとにして、自分の頭の中で、しかも初めて、組み立てられたものでなくてはならない。

●組織の中の良い連中はマネジャーから質問されるのを待ち受けている。なぜなら、彼らはそれに答えることができ、答えたいと思っているからだ。それから初めて両者は一緒に前進することができる。

●物事の核心を突く質問をされるのをいやがるのはインチキな人間に決まっており、インチキな人間を見分けて厄介払いするのはマネジャーの仕事である。良い連中はそれをマネジャーに期待している。

●どんな問題についても、答えや解決法を、聞かれもしないのに教えてくれる者はいない。それはヒエラルキー（階層組織）の中で仲間と円満にやっていくための掟であり、賢い人間はそれを破ろうとしないのが普通だからである。

●決定は、とりわけきわどい決定は、マネジャーが、そしてマネジャーのみがおこなわなくてはならない。ある計画なり、部なり、会社なりの統率者は、そのために給料をもらっているのである。その決定は状況に関する事実に基づいていなくてはならない。事実は権威である。責任者であるからには、正しかったり間違ったりする権利があるが、それはマネジャー本人でなければならぬ。マネジャーの命令は尊重されるが、それはマネジャー本人の命令でなくてはならぬ。マネジャーには、他のだれかに決定や命令を代行させる権利はない。

これらすべてには、個人として支払わなくてはならない代価がある。自分にたずねてみるがいい。――傑出した結果を達成することに成功するマネジャーになるために、自分の人生のどれだけを捧げる気があるか？　と。今日のアメリカ企業の無気力さは、経営する資格をつけることに時間と努力を傾注するより、むしろ地位に伴う役得を享受しながらトップに到達した人びとのせいであるところが大きい。困難な意思決定の仕事は他人に任せておき、自分は外に出かけて昼食会や晩餐会や会議で社長や副社長の役を務めるほうが楽にきまっている。

　自分にたずねてみるのもいい。——自分自身を、成功するに違いないマネジャーに仕立て上げるために、人生の多くの快適な面を放棄する決意と高邁《こうまい》な職業意識が自分にはあるだろうか？　名声を得られるだけのすぐれた結果を達成するために、社交生活の大部分を返上して、長時間、夜遅くまで働くことを厭わないだろうか？　と。そして自分はそれほど熱心にやる気はないし、そんなにあくせく働くつもりはないと思うなら、真のマネジャーになることはあきらめたほうがいい。なぜなら、そんなことではトップのレースの途中で、だれかに追い越されてしまうにきまっているからだ。逆に、もしそうした個人的犠牲を払う気があるなら、そうするがいいし、不平は言わないことだ。それを望んだのは自分であり、だれからも強制されたわけではないのだから。

　そうして一人前のマネジャーとなったら、毎日午後五時になると、必要とされる個人的犠牲に現実に直面させられることになる。マネジャーの正規の執務時間は、おおむね他人のためのものだ。組織の中のだれかが彼と連絡をとる必要がある時には、いつでもそれに応じられなくてはならない。公式、非公式の会議、そして同僚や部下との一対一の話し合いは際限のない緊張を彼に強いるだろう。人びとは彼のところへ、さまざまな要求、苦情、問題——すべて会社の内から発生するもの——を持ってくるだろう。そして対外的には、自分に会いたいという人びと、自分のほうから会いたい人びと、会いたくないけれども会わなければならない人びとが陸続と続き、それに加えてどうしても断るわけにはいかない昼食会など……。

しかし、午後五時になると、押し寄せる人びととその要求の波はとまる。そして彼は一人机に向かって座り、ようやく自分のしたいことをしてもいい時間がきたことを知る。机の上のブザーを押せば、秘書がご用を承りにくるだろう。下には運転手つきの専用車が待っている。近くの空港には会社の飛行機も待機している。行こうと思えばどこへでも行ける。机の上にはコンピュータのターミナルもあるかもしれない。それでその日の株式市況や、ニューヨークやロンドンの劇場でどんなショーをやっているかをチェックすることもできよう。また、出席するつもりなら、ほとんどいつでもディナーへの招待があるだろう。しかし、また、机の上には〝宿題〟もある。

ほかのみんながいなくなってしまったその時間こそ、自分自身の仕事、自分自身の思考ができる時間だ。むろん、やらなくてもかまわない。彼がそうしないからといって、会社は潰れはしない。彼にかわって決定をしたがっている人間はいくらでもある。だから適当に彼らに任せ、しかも自分がやっているように見せかけることもできよう。命令を発し、それに従わせることもできよう。しかし、そこには違いができる。それらはもはや彼の命令、彼の決定ではない。他の人間がおこなったものを、彼の口から伝えているだけだ。そのことは自分も知っているし、組織の中の他の連中も知っている。そして彼は仲間や部下たちの尊敬と信用と呼ばれるものを失う。彼のリーダーシップはビューロクラシーに取って代わられ、会社の活力は沈滞する。それはきわめて徐々に進行するので、気がつくのはよほど敏感な人びとだけだ。しかし本人は、心の底の底でそのことに気づかないはずはない。それを選択したのは彼自身なのだ。——きみは夜遅くまで宿題をやろうと思うか？　それとも仕事じまいをして家へ帰り、残った仕事は他人任せにするか？

私はＩＴＴで、通常の執務時間の終わりにいつもその選択に直面させられた。時にはため息をついたりもして、私は家へ電話をかけ、帰りが遅くなると知らせた。それから上着を脱いで古い黒のセーターに着替え、やおら宿題の取り組みにかかった。夕食が運ばれて来、それを執務室にある小さなテーブルで食べた。妻は私がまた一一時半かもっと遅くまで帰宅しないことを覚悟した。それは私の時間であり、私はそれを、数字や文字がぼやけてよく見えなくなるまで、さまざまの報告書と取り組むことに充てた。それは私の時間であり、私はそれを、思案と反省と決定事項について考えを決めることに充てた。そんなに時間と努力を注ぎこむのはばかげてはいないか、自分はやりすぎをしているのではないかと疑ったこともしばしばだった。しかし、ほかにやりようはない、というのが私の不変の結論だった。真のリーダーで、どれほど高価につこうとも自分に課された宿題をやらない人間には、私は会ったことがない。本当に、ほかに道はないのだ。

しかし、成功するための仕事への献身といっても、なにも一枚岩のように完全でなくてはならないわけではない。一般にはそう考えられていることを私は知っている。しかし、計画的にやれば、週のあいだには家族やレクリエーションや趣味や休養に充てられる時間は十分にある。私は職業人としての生活の初期にひとつのパターンを定め、ＩＴＴにいるあいだもずっとそれを守ってきた。私は職場の近くに住み、郊外からの通勤はしなかった。そして週に五日、しばしば夜遅くまで、仕事に必要なだけの時間を捧げた。しかし、週末には仕事のことはすっかり忘れることにしていた。といっても、まだやることが残っていれば家へ持って帰り、週末の一部をそれに割くことはあった。私はゴルフクラブのチャンピオンシップを狙ったことはないし、その他の趣味やスポーツでも真剣な目標を定めたことはなかった。それらは私にとって、あくまでも緊張をほぐすためのもの——余暇活動と娯楽にすぎなかった。

いちばん早くから始めて、生涯続けてきた私の気晴らしといえば、釣りと狩猟だろう。それらは私を、若いころからいやというほど付き合わされてきた都市と書類や帳簿から離れさせ、戸外へ連れ出してくれた。

　私が初めて魚を釣ったのは、八歳ぐらいの時、夏休みのキャンプでだった。それは美しい黄色い肌をしたスズキ類の淡水魚だった。水の中を上がってくるその魚のすばらしい色が、今でも目に浮かぶ。もうずっと大昔のことだ。その時、魚と一緒に私も〝釣り〟というものに釣られてしまったのだ。海といわず湖といわず川といわず鱒の泳ぐ溪流といわず、水がずっと大好きだった。溪流での毛鉤釣りから大洋での大物狙いのトローリングまで、釣りなら何でもやる。私は旅行の機会が多いので、世界じゅうで釣りをしてきた。それはすばらしい時間つぶしで、飽きることがない。私の関心はそこでとどまりはしなかった。私はなおも水の魅力に惹かれ続け、時がたって経済的な余裕ができると、手漕ぎのボートから小舟《スキフ》、レース用のシェル型ボートからタワーとファイティング・チェアを設備した大型のトローリングボートまで、ほとんどあらゆる種類のボートの所有者となり、自分でも操縦した。それは――母の思い出によると――私がまだ生後九カ月のころ、母がボーンマスの砂浜に穴を掘り、〝幼児のためにいい〟からというので、そこにできた小さな海水のプールに私を入れたという大昔の出来事に源を発するものなのかもしれない。もちろん覚えてはいないが、きっと、私はいっぺんでその感覚のとりこになってしまったのだろう。

　狩猟のほうは私の人生の後半、中西部に移り住んでから身につけたものだ。釣りと同様、それは私を戸外へ――たいていは良い仲間たちと一緒に――連れ出してくれた。ニューヨーク市では大した狩猟はできないが、大草原でのキジ撃ち、川でのカモ撃ち、南部でのウズラとカモ撃ちは私を魅了した。獣はどうも撃つ気になれない。ニューハンプシャーにある私たちの農園のあたりには、かなり獣がいる。しかし、鹿にも熊にも、私は無害な存在だ。だが、鳥撃ちと散弾銃となると話は別だ。クレー射撃の腕前はかなりのもので――スキート射撃（通常八つの射撃位置から撃つ難しい技術）もやる。散弾銃はよい投資対象だと思う。もっとも、これは美しい銃をつくるすばらしい職人芸に魅せられた者の勝手なこじつけかもしれないが……。私は何挺か持っている。

ＩＴＴに在任中、私はこうした気分の一部を他人にも伝え、私のために、また私とともに働いている人びとの気持ちにゆとりをもたせる一助にしようと試みた。ＩＴＴはカナダ国境に、鱒釣りのできる三〇キロ以上に及ぶ溪流と、五つの湖をかかえたフィッシング・キャンプを所有していた。またフロリダ・キーズ諸島にも、八人から一〇人が乗って浅瀬での釣りを楽しめるように改造されたヨットを備えたフィッシング・キャンプを持っていた。ジョージア州には材木の供給源であると同時に、野生のウズラが繁殖する一万五〇〇〇エーカーの土地に狩猟キャンプが設けられていた。

われわれはそうしたものを所有し、興味と気分を会社の人びとと共有しようと試みた。そして取締役会の狩猟好きなメンバーを、恒例として春のある週、ジョージア州のキャンプに招待すると同時に、トップ・マネジメントのエグゼクティブたちも招待してＩＴＴの取締役たちと知り合う機会が持てるように、順番に交替してそこへ行かせた。私は自分の人生にあってきわめて望ましいと知ったものを、彼らにも経験させたかったのだ。

もちろん、これにはビジネスに関わる面もあった。今言ったような人たちは、ディーラーや顧客をもてなすためにそれらの施設を使うことを覚えた。顧客とよく知り合うのにそれにまさる方法はなく、前にも言ったように、人間を知ることこそセールスマンシップの精髄である。そのやり方の手引きをしてくれたのは、年季を積んだＩＴＴの取締役の一人、ジョージ・ブラウンだった。彼はテキサス州南部に持っている狩猟キャンプに私を招待し、他の会社の経営者たちや、時には相当の地位にある官僚とも知り合いにならせてくれた。富豪として知られているが、実際にはもの静かで内気な、もう一人の取締役、アラン・カービーも、ニューブランズウィック州（カナダ）のガスペ半島の川で釣りをしながら、まじめな事柄についていろいろと含蓄に富む話をしてくれた。このほかにも、容易に忘れられない特別な思い出となっていることはたくさんある。私が会社の連中に知らせたい、自然の一部となることから得られる〝あるもの〟とは、こうしたことをいうのである。

株主の中に、これらのための支出を心配される方がたがいるかもしれないので、断っておくが、それは会社になんの迷惑も及ぼさなかった。私がＩＴＴの最高経営者を辞任した後、新しいマネジメントは私とは違った価値観から、そうした不動産のいっさいを売却した。私の記憶では、生産力のある森林地への初期投資額は約一二〇〇万ドルだった。そしてそれは約三〇〇〇万ドルで売れ、二〇〇〇万ドル近くの差益をもたらした。しかし、ＩＴＴが得た真の利益はそんなものではない。真の収穫は、自然との触れ合いによって思想と精神に新しい活力を吹き込まれたこと、そして自分たちが精出して働いている会社が、たとえ少々脇道に外れても、自分たちの人生に忘れがたいあるもの——ビジネス以外の、一生の糧《かて》となるもの——を付け加えたということを、野外生活を楽しんだすべての人びとが認識したことだ。それこそが真の報酬だった。私はまたマサチューセッツ州ボストンのクラブハウスつきのゴルフコースを建設したが、これもまた似たような報酬を、しかし違ったかたちでもたらした。バック・ティーから八三〇〇ヤードのこのコースは、アメリカのベスト一〇〇コースの中に名を連ね、また最長コースのひとつでもある。それは今なおＩＴＴの顧客たちのために使われている。

私がみずから参加して楽しんだスポーツとしては、他にテニスがあり、これは寄宿学校にいた当時に始め、脚が追いつかなくなるまで続けた。もっと後から覚えたゴルフでは、他の人たちと同様、私も欲求不満に悩まされることがあるが、今ではそれが他の欲求不満を解消してくれること、また相当の年齢——私のような年齢——になってもそれなりに楽しめることを有り難く思っている。私の関心をあまりそそったことがないもの、それは見るスポーツである。なぜか私は腰かけて偉大なプレーヤーのプレーを見物するより、へたでも自分でプレーするほうが性に合っている。

趣味的な事柄はいつでも私の知的好奇心を引きつけ、ビジネス関係以外のものを読むこと、そして若いころにはそれらについて書くことにも私を誘った。ピアノは今でもいたずらする。〝いたずら〟と言ったのは、持ってもいない技量を持っているかのように、ほのめかすことすら憚《はばか》られるからだ。自分でもびっくりすることだが、そのほかの楽器も——ギターとバンジョーとアコーディオンを——私はいたずらする。私はジャズもスウィングもディキシーランドも好きで、部屋の一方の壁を埋めるぐらいのレコード・コレクションを持っている。演劇も好きだが（たぶん、母親からの影響だろう）教訓めいた高踏的なのはごめんだ。そんなわけで、私はいろんなことを知るのが好きだ。飽くことを知らない情報の収集家とでもいうのだろうか。私は約二〇種の雑誌と三つの日刊新聞の定期購読者である。

これだけのことをやって、どうして仕事をする時間があるのかって？　その答えは私のやらないことの中にある。友人からの特別のいわれのある招待、またはどうしても果たさなくてはならない義務に迫られた場合を除いて、社交だけが目的の会合には——昼食会であれカクテルパーティであれ晩餐会であれ——私はいっさい出席しない。その辺をうろうろ歩き回って、こまぎれの会話を交わすのは私の本意ではない。社交的な接触はビジネスマンとしての日常の中に十分にある。人びとをつかまえるには、事前の社交的接触を必要としない。そうしたい時は、電話を取り上げて相手を呼び出しさえすればいい。そのやり方がどんなに有効かは、おどろくばかりだ。私の考えでは、社交的な集まりを避けて、その時間を戸外でのスポーツや趣味に充てることは、なんら咎められるべきことではないと思う。

いつも人からたずねられる、あるいはだれもが自分自身についてたずねる質問がある。――もしもう一度人生をやり直すとしたら、違ったようにするか？　私はそうは思わない。今、自分の過去のすべてを顧りみる時、私は自分がビジネスの世界で過ごしてきたすべての歳月を楽しんだと断言できる。私は精いっぱい働くことが好きだった。私は同僚たちとともに過ごした時間を楽しんだ。そしてその時どき高揚した気分を分かち合い、中でも最高だったのは、われわれ全員が創造的経営という点で――もっと単純な言い方をするなら、他のだれでもないわれわれ自身の業績として――何事かをなし遂げたと実感できる、いくつかのピークをなす経験をしたことだった。

その間ずっと、私は自分がＩＴＴの偉大なマネジャーたちのチームとともに、年々新しい物事を学び、成長しているのを自覚していた。グループとして、われわれは自分たちが挙げた高水準の実績と、われわれの発展と達成の記録と、それが多くの人びとの生活に及ぼした意義ある寄与に満足と達成感を味わった。もっと深く考えると、この達成と寄与の感覚が、われわれの仕事のペースと、それへの献身を支えてくれたのだと私は確信する。われわれは以前になされたことがないなにかをやり、それをやるために懸命になっていた。

それ以上を求めるのは身のほど知らずというものだ。私は戻っていく仕事がある限りにおいてゴルフを楽しむ。たぶんそれは二つのことを意味していると思う。――私はゴルフが好きだということ、それと、私は仕事を必要としているが、すくなくともゴルフと同じぐらいに仕事が好きだということを。

第十四章　やろう！

編集者のアル・モスコーは、この章は不必要だという考えだった。だが、私は必要だと思った。それだけでなく、一三章という不吉な数で終わりにするのがいやだった。結局、彼が折れて、これを付け加えることになった。

これは本書の中でいちばん短くて、たぶんいちばん重要な章である。

言葉は言葉、説明は説明、約束は約束……なにもとりたてて言うべきことはない。だが、実績は実在であり、実績のみが実在である。——これがビジネスの不易の大原則だと私は思う。実績のみが、きみの自信、能力、そして勇気の最良の尺度だ。実績のみが、きみ自身として成長する自由をきみに与えてくれる。覚えておきたまえ。——実績こそきみの実在だ。ほかのことはどうでもいい。マネジャーとは〝実績をもたらす人間〟だと私が定義するのはこの理由による。他人あるいは自分自身に対してどんな言い抜けを考案しようと、この事実を変えることはできない。そしてきみが立派な実績を挙げたら、ほかのことはすべて忘れられた時になっても、世界はそれを覚えているだろう。そして何より重いのは、きみもそれを覚えているだろうということだ。

グッド・ラック——そしてすばらしい実績を成就されんことを！

付録

「創意」と「結果」7つの法則

これが「プロフェッショナルマネジャー」の仕事術だ

柳井　正

1　経営の秘訣――まず目標を設定し「逆算」せよ

僕は社員に「高い志や目標を持て」とよく言う。人は安定を求めると成長が止まってしまう。高い目標を掲げて、その実現に向けてなすべきことを確実に実行することこそ重要なのだ。目標は低すぎてはいけない。大事なのはあきらめないことだ。やり続けることである。これは、企業にもいえる。

ジェニーン氏もＩＴＴ社の毎年の収益率を非常に高く設定しており、「われわれの目標は、〝いかなる状況のもと〟でも収益を年に一〇％から一五％増やすことだ」と、いつも記者たちの前で説明していたほどだ。

ところが、経営者の中には、努力すれば成果はついてくると単純に思われている方、一つずつ課題を解決する努力を積み上げていけば結論が出ると言われる方が非常に多い。僕も、昔はそうだった。

だが、努力しても、その方向性が間違っていたら結論は得られない。一歩一歩積み上げてやっても、一〇回繰り返せば、一〇歩だけ歩んだことにはなるが、目指すべき目標が何かの結論は見えてこない。何かを実行しようと思ったら、最終的な目的や目標を最初に明示しない限り、行動は起こせない。

繰り返すが、ジェニーン氏は言う。

「本を読む時は、初めから終わりへと読む。／ビジネスの経営はそれとは逆だ。／終わりからはじめて、そこへ到達するためにできる限りのことをするのだ」

僕も、現実的な確固たる目標を決め、その実現のための方法を行動単位で考えて、会社全体で実行していくことが経営だと考える。一九八四年にユニクロ第一号店を出店し、自分の事業の最初の姿が見えたとき、僕自身も社員も、「自分たちでも、結構なことができるじゃないか」と思った。その思いがすべての出発点になった。現実の延長線上で考え、できるか、できないか、よくわからないうちに、「自分にはできない」と規定してしまうことは誤りだと気づいたからだ。

だからこそ、僕はそのとき、「世界一のカジュアルチェーンになる」と言い始めた。そのためには、まず「一〇〇店舗の達成と株式公開」を達成し、次に「日本一のカジュアルチェーンになる」と決めた。『プロフェッショナルマネジャー』を読み、山口県の宇部市という田舎で、金にも人材にも恵まれない中でも、こういうことが可能だと僕が信じたからこそ、社員も「やろう！」と思い、結果として日本一の目標が実現できた。

もちろん、それぞれの節目で、そのステップにおける最終形の目標を示し、売上高と利益水準を具体的に定め、そのために必要な人材の能力と人材確保の手段、組織のあり方、戦略戦術を明確に示してきた。終わりから始める逆算発想の素晴らしい点は、節目ごとの目標を達成するためにしなくてはならないことを次々と示してくれることだ。

僕は、売上高が一〇〇〇億円を超えたとき、新しい経営チームをつくるため、取締役のメンバーを一新した。地方出身の小売業の現場感覚だけの経営に限界を感じたからだ。チェーン化の初期は、店舗を標準化し、いかにローコストで、より多くの店舗を出店するかに力点を置いた。だが、それだけでは次のステージには進めない。だから経営チームを入れ替えたのだ。

自ら商品を企画し、生産し、販売するというユニクロのビジネスモデルのさらなる成長を目指し、商品カテゴリーも増やしてきた。ユニクロの基本は、ノンエイジ、ユニセックスのベーシックなカジュアルウエアだったが、ウィメンズ、キッズを充実させ、ベビーウエアに続き、この二〇〇四年四月には下着などのインナー&リビング分野へも参入した。

僕は今、世界一になるために「売上高一兆円構想」の設計図を描いている。幸いなことに、この業界には成功モデルがある。アメリカのギャップやリミテッドである。彼らは、ちょうど我々の今ぐらいの売上高のとき、新しい柱となる業態開発やM&A(企業の買収や合併)で急成長した。

婦人服専門店チェーンのリミテッドは、ビクトリアズ・シークレットを買収し、高級下着市場を開拓した。小売業の世界を離れれば、他産業には同じような成功例がいくらでもある。僕は、基本的に、誰も経験していない成功のノウハウは、ほとんどありえないと思っている。他企業や他産業にできたことは、我々にもできると信じている。

それでも、失敗は常にある。最近も、ロンドン進出の挫折や安全で新鮮な野菜と果物を売る青果事業からの撤退を経験した。

ロンドン進出では、消費者の認知を得て、ライバルと戦うのに必要な最低限の店舗数として「三年間で五〇店舗」を目標にした。実際、一年半で二一店舗を出店したが、不採算の状況が続き、二〇〇三年三月にロンドン市内と近郊の五店舗以外の閉鎖を決断した。

失敗の原因は、「三年間で五〇店舗」という言葉が一人歩きし、まず一店舗から儲けを出すことを基本に、儲かる仕組みを徐々に拡大するという基本を怠ったことにある。ジェニーン氏は、「経営の秘訣」の章で「最初の四半期に目標を達成できなかったら、年間の目標も達成できない」と書き、「現四半期はダメでも、年度末までに決まりをつけるさ」といった態度を厳しくいさめている。最初の一店舗の収益を犠牲にしても、五〇店舗展開すれば、そこで儲けが出るという錯覚に現地の経営者や現場のスタッフが陥ったことは、僕の責任だ。

ジェニーン氏も五年間の計画ばかりに目をとられ、四半期の目標がおろそかになってきた社員たちの行動に気づき「今後、長期計画はいっさい無効とする」という覚書を社内に出している。

青果事業は、社会的意義もあり、商品の評判も高かっただけに、僕としては、もう一年は頑張ったほうがいいと思っていた。だが、青果事業のトップも、「収益が上がらないので、やめたほうがいい」と言う。トップがそういう気持ちになる事業は続かない。一年間で収益を劇的に回復させる見通しや、「俺がやってやる！」という強い気持ちがない限りは、やってもムダである。

その代わり、撤退決定後、これ以上はないほど素早く、みごとに撤収を完了させた。大事なことは、失敗に気づいたら、「すぐに撤退」できることだ。撤退もスピードが大事である。短期間で撤退後の方針を決め、人材の再配置を行う。ダラダラやれば、その分損失は膨らむ。失敗に学ぶことと、リカバリーのスピード、これが何よりも大切なのだ。

わが社の経営理念の第一二条は、「成功・失敗の情報を具体的に徹底分析し、記憶し、次の実行の参考にする経営」である。失敗には、次の成功につながる芽が潜んでいるものだ。だから、僕は、実行した個々の内容を具体的に分析し、因果関係が明らかになるまで考え抜く。そして、分析の経緯と因果関係をしっかりと記憶する。他の経営者と僕が違うとしたら、過去に実行したことや勉強したことの記憶量だと思っている。

ジェニーン氏は「経営の秘訣」の最後を、「自分は何をやりたいのかをしっかり見定め、それをやり始めよ。しかし、言うは易く、おこなうは難しだ。肝心なのはおこなうことである」という一文で締め括っている。

実行しなければ、何も生まれない。失敗はしたが、ユニクロは引き続き、世界の主要市場にすべて進出したいと考えている。一兆円構想の設計図を描くには、海外展開はもちろん、新規事業や新業態開発は不可欠だ。そうした事業が一兆円構想の三〜四割を占めることになるだろう。当然、M&Aも積極的に展開したい。二〇〇三年九月に米国セオリーグループの経営権を取得したのも、アメリカ進出の足がかりとするためだ。

世界一の企業になるために、今どんな人材や組織が必要で、何を実行するべきかを考えることを、僕は心から楽しんでいる。

2　部下の報告――「5つの事実」をどう見分けるか

僕が初めて組織図を書いたのは、「世界的な企業になりたい」という最終形に到達するには株式公開が必要だと密かに考え、公認会計士の先生の教えを受け始めた一九九〇年一一月のことだった。左端に会社の機能を、その横に各部門の目的、追求すべき目標と指標とキーワードを書き、次にだれにやってもらうかの個人名を掲げ、最後の一番右端に部署の名前をつけてみた。

ジェニーン氏は「二つの組織」の冒頭に、「どの会社にも二つの組織がある。そのひとつは組織図に書き表すことのできる公式のもの、そしてもうひとつは、その会社に所属する男女の、日常の、血のかよった関係である」と書いている。

会社の規模が大きくなると、ちょっとした失敗が致命傷になりかねない。会社を潰さないために、目標と計画が全体に必要になる。会社の仕組みや組織を一からつくり直さないといけないと切実に思った。成長し続けていくには、会社の事業目的と経営理念を明らかにし、それに共鳴してくれる人材を集めることも重要になる。仕事をするための組織と、社員と熱い情熱を語り、共有できる関係を築かなくては、組織は機能しない。組織図を書きながら、ジェニーン氏の言葉を思った。

「組織図に含まれるすべての人びとを、共同一致して機能させ、何よりも肝要な、緊密な人間関係によって結束させた時に、初めて真の経営は始まる」

僕は、一億円の商売と一〇億円の商売は違うし、一〇〇億円の商売もやり方が違ってくると思っている。だから、経営トップが組織図を書くという作業をやり続けないと、組織は硬直化してしまう。組織ができあがると、組織の論理が優先され、変化を求めず、安逸をむさぼろうとする。それが楽だからだ。

これを打破するには、組織は仕事をするためにあり、組織のために仕事をするのではないということを決定的に知らしめる必要がある。それは、絶えざる組織改革であり、現実に即した柔軟な人材の異動を行うことだ。僕は、組織図は毎日でも変えたいと思っている。

実際、売上高が一〇〇〇億円を超えた時点から、経営執行陣には「もっと上を目指したいので、これからはこういう考え方、やり方でやってほしい」と、どんどんハードルを高くして具体的な要求を出した。

古参の社員や取締役の中には、僕の要求に答えることができず、経営執行からの卒業を求める人や退社した人もいる。苦しそうに仕事する姿を見るのは辛かったが、厳しい言い方をすれば、しかたないことだった。

九一年九月の株式公開宣言後、僕は一週間単位の会議体を確立した。毎週、月曜日と火曜日にまとめて会議を開く。会議で何も発言しない人には、「もう次回から出席しなくて結構です」と僕の明確な意思を伝えた。会議とは、読んで字のごとく、一堂に会して議論し、物事を決める場所であるからだ。

僕は、会社で仕事をする限り、経営トップと各事業部のメンバーは、役割は違っても、対等であると思っている。当社では、ごく一部の機密事項を除けば、本部スタッフや店長は、あらゆる情報に自由にアクセスできるようになっている。会議は何でも言い合える雰囲気になっている。お互いに聞く耳を持ち、伝えるべきことは伝える。上司がA、部下がBという意見を持っていても、他の人たちのC、D、Eという意見を聞き、Fという新しい考え方が生まれることもある。

　多くの会社では、問題点を指摘し、解決策を提案しようとする人に、自分の上司の上司に直截に意見具申してはならないという暗黙のルールを課している。情報のヒエラルキーをつくることは、まったくのナンセンスだ。ジェニーン氏は、こう書いている。

「最高基本方針として、スタッフ系の人間はだれでも、会社のどこへ行ってどんな質問をしてもよく、その結果として発見したことを私のオフィスへ直接報告できるようにした。ただし、その報告を提出する前に、自分が何をしようとしているかを、報告内容に関係のあるマネジャーにはっきりと知らせることが、ただひとつの条件だった」

　これは、僕が父から会社を任されて以来、一貫して心がけてきたことでもある。ジェニーン氏は、「経営者は自分の会社と市場の現実を知ることによってのみ、満足のいく経営をおこなうことを期待できる」と言う。まったくその通りだ。彼は、こうも言う。

「ITTの基本ポリシーのひとつは、『びっくりさせるな！《ノー・サプライズ》』ということだった。（中略）予期しなかった問題を発見し、それに対処するのが早ければ早いほど、解決するのはそれだけ容易になる。その全部を早期発見することはできないかもしれないが、手遅れにならないうちにそうした状況の九五％に対処できれば、残りの時間とエネルギーを、網の目を漏れた二、三の大きな問題の処理に向けることができよう」

　優れた経営者は、発想法が似ているのだろう。僕は同じことをイトーヨーカ堂の名誉会長の伊藤雅俊氏から「前始末」という言葉で学んだ。失敗の予兆を早期に察知して、対処する。経営の基本だ。早期に察知できれば、失敗した事業の後始末よりも前始末の方が圧倒的に効率が良い。それに要する時間や経費は、恐らく一〇分の一程度に減るだろう。

そうした失敗の前兆をはっきりと指摘し続けること、指摘できることが、「ノー・サプライズ経営」のあるべき姿だ。

ノー・サプライズ経営のための必須要件として、ジェニーン氏は「プロフェッショナル・マネジメントという最高の芸術は、〝本当の事実〟をそれ以外のものから〝嗅ぎ分ける〟能力と、さらには現在自分の手もとにあるものが、〝揺るがすことができない事実〟であることを確認するひたむきさと、知的好奇心と、根性と、必要な場合には無作法さもそなえていることを要求する」と指摘した。

彼は、事実には〝揺るがすことができない事実〟以外にも、四つの事実があると書く。〝表面的な事実〟（一見事実と見える事柄）と〝仮定的事実〟（事実と見なされていること）、〝報告された事実〟（事実として報告されたこと）、〝希望的事実〟（願わくば事実であってほしい事柄）である。

この分類は実に示唆に富む。事実を確定するには、現場の人間と顔を突き合わせ、現場で自分で確かめるしかない。

「われわれは仲間の見解に耳を傾けることによって、市場や世界経済や貿易や国際法やエンジニアリングや、そしてもちろん企業経営の技術に関する知識を深めた。そればかりか、われわれ全員はひとりのチームだった。その結果として、われわれは働くシンクタンク——経営に関する問題を解く機械装置のような機構となった」とジェニーン氏は言う。

僕は、店舗現場の人間の顔、言い換えるとお客さまの顔が見えないときは、経営が危機に瀕していると判断する。

売上高が一〇〇〇億円を超えたときに、店舗運営思想を逆転し、商売という場面では、店舗が主役で本部はサポート役というあり方に変えた。店長は本部スタッフに昇格するための登竜門ではなく、会社の主役であり、店長でいることが最終目標でありうるように、報酬体系も変えた。「自立と自律」を達成し、店長の仕事を全うすれば、本部にいるよりも高収入が得られるスーパースター店長制度を導入した。スーパースター店長は、理論上、三〇〇〇万円を超える年収も可能になる。

もちろん、人間はお金のためにだけ働くわけではない。働くことのやりがいは、正当に評価され、認められることにある。僕は経営者として、店をつくったり、潰したりをゲームのように楽しんだ時期があったことを否定しない。しかし、真の経営はチームワークと正当な人事評価だと今も昔も思っている。

3　リーダーシップ——現場と「緊張感ある対等関係」をつくれ

僕は、小売業では、お客さまとの接点の最前線である現場が重要だと考える。店で働く人々の「気づき」がどんどん本部に伝わってこないと、商品の品質向上もできない。店で働く人が、「この商品のここはもっとああしてほしい」「こうしないと売れない」と感じたのであれば、お客さまはもっと強く感じているはずだ。それを直ちに本部に伝えてもらう。そうなるには、商品を売らされるのではなく、自ら商品にコミットし、自分で売る感覚を日常化することが必要だ。

そこで大切な前提は、社長でも社員でもパートでも「対等」であることを、働く人々が現実に実感できることだ。お互いに努力して一つの目標を実現したいと思えるのは、全員が対等だと信じられるからだ。

これがあって初めて、経営や店舗運営におけるリーダーシップが発揮できる。ジェニーン氏は言う。

「(リーダーシップは)最高経営者と彼を中心としたトップ・マネジメント・チームの性格の反映として、どんな企業の中にもあって、それぞれの会社の個性をつくり出している。私の考えでは、リーダーシップの質こそ、企業の成功をもたらす処方に含まれる最も重要な成分である」

僕は、「リーダーシップの質」とは、全員が対等で、現場の人が自分で考え、本当の自分の意見を出し合えるようにすることだと考える。ジェニーン氏は、「私の考えでは、楽しい繁栄の雰囲気をつくるのに最も重要な要素は、経営組織の上下を通じて、開放的で自由で率直なコミュニケーションを定着させることである」とも書いているが、これは人を動かすための大原則である。

僕は、事業はスポーツに似ていると思う。例えば、サッカーでいえば、監督はゴールの所在を告げ、ゴールにたどり着くためのルールと戦略を示し、選手の適性に合うポジションを割り振り、厳しい練習を重ねる。

しかし、状況が変化し続ける試合の最中に、「ここでキックしろ」と命令することはできない。選手個々人が、与えられた戦略的知識を活かし、自分のポジションを考え、状況を把握して臨機応変に動く。そこでは、自分は命令する人、僕は命令通りにやる人と言う関係は成立しない。それでは、試合に負ける。

事業も同じだ。目標と戦略、方法論は示すが、「あとは個々に考えて、一緒にやりましょう」と社員に言う。僕は普段、「お客さまが考えずに買える売り場、単純明快な売り場をつくってください」と舌足らずな断言口調の言い方しかできない。だから、僕の考えをかみくだいて、実現可能な道筋をつけてくれるパートナーを常に求めている。ジェニーン氏も同じだったと思う。彼は書く。

「私に固有のリーダーシップの感覚の傾向として、それをなし遂げる最善のやりかたとして選んだのは、ほかの人びとと一緒にボートに飛び乗り、オールをつかんで漕ぎ始めることだった。仮に名づけるなら、参加型リーダーシップと呼んでもよかろう」

一番いい会社とは、「社長の言ってることがその通りに行われない会社」ではないかと僕は思う。社長の言ったことをすべて真に受けて実行していたら、会社は間違いなく潰れる。社長の意見が間違っていることや、もっといいやり方があるかもしれない。社長の言いたいことの本質を理解し、現場では自分なりにその本質を見極め、どう具体化するかを考え、そして実行する。もちろん、実行した結果については報告を求める。

スーパースター店長という仕組みをつくったのも、会社全体をそういう方向に持っていきたいと考えたからだ。店長の仕事で最も重要なことは、人を動かすことだ。店舗には三〇人から四〇人の従業員がいる。従業員を動かしてお客さまのために買っていただける売り場環境にしておくことが第一である。従業員がきびきびとした元気な態度で接客できるようにする。当然、店長は部下よりも断然、気を使わなければならない。

店舗の従業員が活性化すれば、事業は伸びる。店長が、自分の役割を果たし、お客さまと従業員に支持される店になっているかどうかは業績に表れる。業績が上がれば、報酬で報いる。店長個人の人柄や努力も二割は評価するが、基本は成果主義である。僕は、成果以外に給料をもらう理由はないと思う。

「私は働くことへの熱意という点で私と共通している人びとを周囲に置きたかった。そうした種類のエグゼクティブをITTに誘引し、引き留めておくために、われわれは業界の平均より一〇%高い基本給を払い、加うるに気前のいい年末ボーナスと至当な昇給によってそれを補った。さらにまた、昇進も早かった。エグゼクティブたちに、年齢にも過去の経験にも関係なく、彼らが求め、かつ扱うことができる限り大きな責任を授け、それによって彼らは成長した」

というジェニーン氏の言葉は真実だ。

僕は、会社と社員の関係をお互いに緊張感のある対等なものにしたい。だから、会社にタブーをつくったり、不当な行為は許さない。同族というだけで、息子を経営執行に加えることは、それ自体で大きなマイナスになる。僕の子供には、「うちの役員の何倍も優秀だったら別だが、同じぐらいの能力だったら、この会社の経営執行に関わろうと思うな」と言っている。パート従業員を自分の手足と勘違いし、不当な要求をしたり、不当に解雇した店長は、即座に首にする。そういう会社であると末端の従業員も理解すれば、「それは不当だ」と言えるようになるはずだ。

我々の会社では、能力より自信だけが勝っている社員には、同僚や上司、部下が「そのやり方、意見は間違っている」とはっきり指摘し、「君はどう考えるのか」と当たり前のように問う。義務と責任を果たす意思がなければ、一緒に仕事はできない。最終的には、解雇もありうることだ。

「人を解雇することは、おそらく会社のリーダーシップに課される最もきびしいテストである。だれが、なぜ、いつ――さらには、どんなふうに――解雇されるかは、会社とそのマネジメントとリーダーシップの性格の核心につながる問題である。組織に貢献していない人間、あるいは他の全員の努力を妨害している人間を取り除くのは、明らかにリーダー――工場長なりグループ副社長なり最高経営者なり――の責任である」

とジェニーン氏は言う。ただ、多くの場合、上司や同僚、部下は「解雇されてもしようがないよな」と言われる人の存在を知っているものだ。当然、風当たりが強くなり、自ら会社を去るケースも多い。僕は基本的に、会社を去ろうとする人は追わない。いてほしい人材にはとどまるように言うが、引き留めることは難しい。会社の風土に合わない、行く方向が違うということであれば、それはそれで仕方がないと思う。

「会社を統率する人間は、その会社の人びとが本当は彼のために働いているのではないということを認識しなくてはいけない。彼らは彼と一緒に自分自身のために働いているのだ。彼らはそれぞれに自分の夢を、自己達成への要求を持っている」

経営者やリーダーは、このジェニーン氏の言葉を真摯に受け止めてほしい。小売業の経営者には、オーナー経営が多いためか、自分をオールマイティだと思っている人、「生涯現役」を公言する方が少なくない。事業は社員全員の力を結集しないとできない。全員の力を結集するということは、僕は他人の存在を認め、正当に評価することだと思う。ジェニーン氏はリーダーシップの本質を、「リーダーシップを伝授することはできない。それは各自がみずから学ぶものだ」と言う。とすれば、経営者はリーダーシップを学べる環境づくりや、優秀な若い人材の登用という方向でもリーダーシップを発揮すべきだろう。

4　意思決定――ロジカルシンキングの限界を知れ

本章「エグゼクティブの机」を読むと、ジェニーン氏は心底からの実務家であるとわかる。彼は現在、必要な書類のうち、重要なものは机の上に、そして一部は床と背後、それに巨大なアタッシェケースに入れて置き、毎日仕事が終わると自分がわかりやすい分類で一五〜二〇個ものアタッシェケースにしまうという。退社するときや出張に出るときは、そのアタッシェケース三〜四個を持って出る。彼は、その数個のアタッシェケースを「〝コンテナ化された〟私のオフィス」とユーモアを込めて名づけている。

パソコンがなかった当時は、データや報告書の大半は紙に記されていたはずだ。ゆえに彼は、こう語ってやまない。

「（ビジネスマンが自分のオフィスの机に向かって働いているとき）多年にわたる私の経験からいって、机の上に何も出ていない、きれいな机の主は、ビジネスの現実から隔離されて、それを他のだれかにかわって運営してもらっているのだ。（中略）もし、社長の机の上もきれいなら、きっと執行副社長が一人で仕事を背負いこんでいるのだ」

僕も彼の意見に賛成する。かつての自分もそうだった。僕は、自分を活字中毒だと思っている。時間があると本を読まないと気が済まない。若い頃はファッション誌も読み漁った。二三歳で会社を任され、必死に走ってきたが、ふと立ち止まって考えてみると、社員は一〇〇人近くになり、会社の売り上げ規模も総資産も大きくなっていたが、銀行からの借入金も父親や自分の個人資産をはるかに超えていた。本格的に経営を勉強しようと思い、それからは経営書も一日一冊近く読んでいる。会社にも家にも本がたまる。もちろん、処分した本も多い。だが、本と書類とメモは、いつも机の上にあった。現在はパソコンに相当の資料が入っているが、いろいろな数字や資料を見比べて仕事をするなら、少なくとも昼間に机の上をきれいにする暇はない。散らかっていて当然なのだ。

ジェニーン氏がきれいな机のエグゼクティブを批判するのは、もう一つ理由がある。

「私が反対するのは、きれいな机のエグゼクティブのオフィスの様子とか机の上の状態よりむしろ、彼の心的態度に対してである。きれいな机は科学的経営への、ビジネス・スクール仕立ての方式への、データの整理保存への、過度に厳格な時間配分への、機構化した権限委譲への、そしてまた未来が自分のプラン通りのものを生み出すという当てにならない確信に基づいた無保証の自信と独りよがりへの固執を象徴している。そんなものを、夢にも信じてはならない」

彼はビジネス・スクール出身のＭＢＡ（経営学修士）にありがちなセオリー信仰、言い換えると、「未知の将来を予測する間違いようのない戦略を編み出す方式とされているもの」への過度の依存を否定する。

僕は〝秀才タイプ〟と呼んでいるが、ＭＢＡとして学んだケーススタディ通りにやっても、経営には失敗するだろう。経営に対する考え方や技術、方法論を学ぶことは大切だ。だが、実際の経営とケーススタディでは、与えられた条件が違うからだ。一つひとつのケースで、その都度その都度判断してみて、「ひょっとして自分の考え方は間違っているんじゃないか」「もっといい解決法があるんじゃないか」と多方面から深く考えないと、考え方がワンパターンになってしまう。

我々の会社にもＭＢＡの資格を持つ経営執行役員はいる。だが、僕は、ＭＢＡはプロフェッショナルマネジャーへの入り口に、他の人よりも早く立てるかもしれない資格でしかないと思う。ジェニーン氏はちょっぴりの皮肉を込めて、こう書いている。

「戦略家たちはみな同じ教育を受け、同じ情報を研究し、同じ結論に同時に到達するからだ。彼らの勧告は一種の流行のようなものをもたらす。それにしたがって航空会社が競ってホテルを買収し、巨大通信会社が競って書籍出版社を買い、書籍出版社が競ってペーパーバックの出版社を買い、だれもが競ってコンピュータ会社を買おうとするといったことが起こる」

僕のような現場たたき上げの人間は、方法論についてあまり勉強していないので、自分の考えを相手に伝えるとか、問題点をまとめたり整理したりして分析することが苦手なのだ。その点、ＭＢＡを持つ人は、さすがに厳しい教育と訓練を受けてきただけに、僕とは逆に、それがうまい。考える力もある。

だが、その能力をいかに活かすかは、個人次第である。ただ、一つ言っておきたいことは、ロジカルシンキングだけでは、人間が見えてこないということだ。同じ表現を使っても、人によってまったく異なる意味に受け取ることもある。同僚や上司、部下、取引先と顔を突き合わせ、人柄や考え方をつかむ努力をせずに、「俺の指示は的確だから、言えば聞くだろう」と考えることは、勝手な思い込みだ。「あの人が言ってるんだから自分も協力しよう」という人間が会社の内外にいないと、事業や商売はできない。

ただ、今の僕が二十代で、サラリーマンをしていたら、やはりMBAの勉強もしてみたいと思う。すでに商売を始めていたら、たぶんやらないし、MBAも含めて優秀な人間をパートナーにする道を選ぶだろう。

その人が本当に優秀ならば、三十代、四十代でも経営執行役員に抜擢する。創業者といえども、「生涯現役」では周囲の人々にも会社にも迷惑になる。僕もすでに五十代半ばになる。経営を担うチームメンバーが三十代、四十代主体になってくれれば、同じ年代の人たちが構成する経営チームが、その仲間全員をこういう企業にしたいと考えてその方向に引っ張っていくほうがいい。そう考えて二〇〇二年一一月、若い玉塚元一君に最高経営執行者（COO）兼社長に就任してもらった。

日本の大企業もだいぶ変わってきたが、それでも四十代で中間管理職、五十代で部長、役員は五五歳以上というのでは、遅すぎると僕は思う。これでは、お客さまや環境の変化に対応して常にマネジメントを変えていくという、柔軟で反応の早い体制はつくれない。逆に言えば、お御輿に乗るだけの経営者、きれいな机の経営者は無能ということになる。

ジェニーン氏は、「私の机の上は散らかっているが、それは私が前進する会社の事業に没頭しているからである。私は、たいていのエグゼクティブは他の人びとに権限を委譲するが、私はそれをせず、何でも自分でやった」「会社を経営する責任を、そこに何が含まれているかをよく知らずに委譲してしまうエグゼクティブは、自分を無用化するという大きな危険を犯している」と言うが、その通りだろう。

最高経営責任者という肩書はあっても、彼が真に決定を下していなければ、そのことに誰かが気づいた瞬間に、その肩書を彼は失うだろう。もちろん権限委譲は必要だ。

「どんな最高経営者でも、ある程度の責任委譲をしなくてはならないことはいうまでもない。（中略）各子会社のマネジャーは事実上の自治権と、それに伴う責任を付与されていた。ただ、そうした責任を委譲するにあたって、私は自分の当然なすべきこととして、その責任に含まれる事業のことを十分に知っていなくてはならなかった。なぜなら私は最高経営者として、ＩＴＴの子会社の全部の総和に関して、取締役会に対して責任を負っていたからだ」（ジェニーン氏）

「子会社」を「店舗」と置き換えれば、それは僕の経営のやり方でもある。経営者が本業に専念すればするほど、必要な人材は自然に集まってくる。人脈もできる。僕は群れることは嫌いだが、話を聞きたいと願った人とは、必ず出会えた。ジェニーン氏は何度でも繰り返す「経営者は経営しなくてはならぬ！」と。

5　部下指導法――「オレオレ社員」の台頭を許すな

アメリカでは、ブッシュ大統領も若き日に悩んだというアルコール依存症は、昔も今も相当に大きな問題であるらしい。本書には、合衆国政府はアルコール依存症による社会的な損失を「金額にして年間三三○億ドル――うち一九○億ドルはそのために生じた生産性の低下、一四○億ドルは健康保険と福祉給付の増加によるもの――と推定している」と書かれている。日本では、この種の調査の話を聞いたことがないが、二○年前の数字でも大変な金額だ。だが、ジェニーン氏は、こう冒頭に書く。

「現役のビジネス・エグゼクティブを侵す最悪の病は、一般の推測とは異なって、アルコール依存症ではなくエゴチスムである」

そして、「アメリカ企業がアルコール依存症のために負担させられているコストは、エグゼクティブのエゴチスムという現象のために支払わされている代価の大きさとは比べものになるまい」と続ける。

実際、チームで仕事をしながら、その成果を自分一人で達成したように振る舞い、独り占めしようとする社員や役員は、どこの会社にもいる。多くの場合、そのエゴチストの存在を社員も知っていて、あきらめて何も言わないか、意図的に避けている。

昔、うちにもいた。部長だったが、部下に対して「何々部長と言え！」と命じる。「得意先からお中元がきていますよ」と部下が言うと、「そんな物は、家に送るように言え！」と怒鳴る。部下や上司の不信を察すると、取引先の大物部長や社長に電話して、自分が偉いところを見せようとする。外資系企業の日本人ビジネスマンや社長の中に、本社を向いて仕事をしている人を見かけることもある。これもエゴチスムだ。

「ミドル・マネジメントでもトップ・マネジメントでも、欲しいままに放任されたエゴチスムは、周囲の現実をその本人に見えなくさせる。彼はしだいに自分自身の幻想の世界に生きるようになり、しかも自分は絶対に誤りを犯さないと本気で信じているために、下で働く人びとを困らせる」（ジェニーン氏）

確かに、その通りだ。新任のリーダーや店長に抜擢されると、自分には権力があると錯覚する人がいる。そういう人の多くは、「管理職になったら、こういう行動や発言の仕方をしなくてはならない」といったステレオタイプを信じている。

エゴチスム社員を許すのは上司の責任であり、部長なら役員の、役員ならやはり社長の責任ということになる。会社では社員全員が対等であり、地位や肩書は役割の違いでしかないことを明確に指摘し、叱責し、ステレオタイプの管理職像には価値観がないことを教えなくてはいけない。そうしなければ組織のモラールは下がる一方だ。

正直な話、僕も自分の都合ばかり考えて会議で意見を言うことがある。しかし、異業種からきてくれた多種多様な個性のある人たちと議論し、会社にとって良いこととは何か、課題の優先順位は何かなど、僕とはまったく違う見方からの発言や提案を聞くと、もう一度考え直さないといけないかなと、はっと気づくことがある。ジェニーン氏も、こう告白している。

「部下と意見が合わない場合、時には私も自分の主張を通そうとするあまりにわれを忘れたこともある。しかし、自分が間違っているとわかったら、人前でなり二人きりでなり、こちらから進んで非を認め、将来にかけてその誤りを訂正する処置をとった」

そうできることが、経営者としての人間的な魅力となり、日本では「器量」という言葉で評価される。ジェニーン氏は書く。

「エゴチスムは、なにごとかを達成したことのある人ならだれでも密かに抱懐している正常なプライドもしくは自負心とは非常に違ったものだ。適度の自負心と自信は、企業でも他のどこでもリーダーたるべき人間には不可欠なものだ。企業のリーダーは、正しいにせよ誤っているにせよ、自分の目に正しく見える目的に向かって人びとを動かすために自己の人格的魅力を発現させなくてはならないからである」

ジェニーン氏は、エゴチスムは過度の確信や失敗への恐れから生まれると指摘する。僕も、そう思う。仕事や事業は、うまくやって当たり前、成功して当然と思っている人が多すぎるのだ。現実は、そうではない。繰り返すが、僕は「商売はうまくいかないものだ」と思っている。失敗することが大事なのだ。

失敗することをしなくなると、それはイコール、会社も社員も誰も新規のことをやっていないことに通じる。誰もが自分の頭で自由に考え、議論し、お客さまや会社にとって良いと思われることを自由に実行する。そのためには、致命的な失敗は認められないが、少々の失敗は許されるという包容力ある企業風土がないといけない。それがない限り、チャレンジしようという人は出てこない。

自分で考えるということは、現場の人が、他の人には考えられないようなアイデアや方法を編み出し、自分の仕事として実行していくということに通じる。そのことで組織自体も活性化するし、個人も成長する。

撤退を決めた青果事業のトップには、次に新規事業開発室のような部門で仕事をしてもらいたいと、僕は考えている。今回の失敗経験が、次の新規事業の立ち上げに役立つと思うからだ。ジェニーン氏も言う。「人は失敗から物事を学ぶのだ。成功からなにかを学ぶことはめったにない。たいていの人は、〝失敗〟の意味を考える以上の時間をかけて、〝成功〟の意味を考えようとはしない」「成功は失敗よりずっと扱いにくいもののように私には思える。なぜなら、それをどう扱うかは、まったく本人しだいだからである』。

これは卓見であろう。「成功は失敗よりずっと扱いにくい」のは確かだ。

根拠のない自信に満ちあふれたエゴチスト社員ほど、異業種交流会に積極的に参加しないといけないと主張し、いくつもの交流会に掛け持ちで参加する。成功したベンチャー企業の経営者は、なぜか業界団体に集い、人脈を広げると称して、夜の会合やパーティに好んで出席する人が少なくない。

だが、異業種交流会も、お客さまや社外の人間と接することの少ない内側の仕事をしている人にとっては、ときには必要だと思うが、やりすぎても効果はないだろう。

「人脈」といっても、その人が自分を信頼してくれるという状況にならない限り、人脈があるとはいえない。人脈をつくるには、自分の本業に専念することで信頼してもらうしかない。本業で結果を出せば、全然知らない人でも、訪ねれば会ってもらえるし、どんな質問にも答えてくれるものだ。

「（エゴチスムの）真の害悪は（中略）抑制されない個人的虚栄心が高進すると、その本人が自分自身のエゴの餌食になってしまうことだ。彼はやがて自分自身がおこなった新聞発表や、部下のPRマンが彼のためこしらえた賛辞を信じこむようになる、そして自分自身と虚栄心の中にのめり込んで、他人の感情への感受性を失ってしまう。常識も客観性も失われる。そして意思決定の過程を脅かす厄介者となる」

僕は夜の会合やパーティを遠慮させてもらっている。僕はずっと失敗を続けてきたが、確実に一勝は挙げた。それでも「ずっと失敗を続けてきた」という思いのほうが僕にとっては強いからだ。僕がやるべきことは、まだ本業に専念することだ。

「（エゴチスムの）害悪の計測法の不在が、ビジネスの世界で、失格経営の原因が究明されないロスとして放置され続けるのを許している。今後もそれは甘やかされ続けそうだと私には思われる」

エゴチスムと戦い続けたジェニーン氏にして、こう書く。自分自身も含めて、エゴチスムとの戦いが終わることはないだろう。

6　数字把握力——データの背後にあるものを読み解け

僕は過去の会社の数字とその数字を出したときの経営状況を記憶に刻みつけてきた。数字の傾向に何かの異常が生じれば、記憶を紐解き、比較し、どこで何が起こっているのかを確認し、対策を考え、実行する。時には、僕が判断の基準としてきた傾向値そのものを変えねばならないこともある。

「数字はシンボルである。それは言葉によく似て、ひとつきりでは固有の単純な意味を持つだけだが、関係のある他の数字と対照したりつなげたりされると、はるかに複雑で意味深長なものとなる」（ジェニーン氏）

数字を見続け、読み解くことはひどく退屈な作業であるが、僕は経営者が絶対にやらなければいけないことだと思う。ところが、その作業を怠っている経営者が多い。数字を見るのは経理や財務、あるいは経営企画室や経営計画室のようなスタッフ部門で、社長は報告を聞くだけでよいと思っている。これは危険な考え方だ。報告者が数字の意味を理解していないと、間違った情報で判断してしまうことになる。重要な数字は経営者が自分でチェックしなければ、数字の背後にある意味も決して理解できない。ジェニーン氏は言う。

「数字は企業の健康状態を測る一種の体温計の役をする。それは何が起こっているかをマネジメントに知らせる第一次情報伝達ラインとして機能し、それらの数字が精密であればあるほど、また〝揺るがすことができない事実〟に基づいていればいるほど、情報は明確に伝わる」

わが社が最初に店舗のレジと自前のコンピュータを使った販売時点情報管理システム、いわゆるPOSシステムを導入したのは、店数がわずか一五店舗だった一九八八年七月のことだ。「一〇〇店舗の出店と株式公開」を社内で宣言した九一年には、その規模に見合う新情報システムの構築に乗り出し、その後もシステムの拡充を図ってきた。

大規模にチェーン展開するには、反復継続した売り上げデータをいかに早く分析して、商品投入、店舗間振り替え、売価変更などにつなげるかが勝負の分かれ目となる。これればかりはコンピュータがないとできない。POS導入以前も、メーカーのブランドタグを切り取って集計し、商品管理を行っていたが、手作業のため膨大な時間と手間がかかった。

ジェニーン氏は、「彼（プロフェッショナルマネジャー）が追求しているのは数字の含蓄――それらが意味するものである。それを成就するには、数字が持つ意味の絶えざる暴露、絶えざる反復、過去に読んだものの記憶の保持、そして数字が代表する実際の活動への親近によるほかはない」と書く。パソコンのない時代に、こう言い切れるほど数字による管理を徹底していたことは、僕からすれば、驚異と言うしかない。

現在の情報システムは、販売情報や在庫情報などの基幹システム（血液）だけでなく、情報伝達の仕組み、メールやデータの共有など神経系統の拡充も進んでいる。ジェニーン氏が羨むであろう〝コンテナ化された情報オフィス〟がつくられているのだ。

必要な数字、時には現在進行形の数字も即座にパソコンから取り出せる。数字はすごく正直で客観的だから、企業の現在の姿をレントゲン写真を見るようにわからせてくれる。

株式公開を決意したとき、僕は「社会的に認められる企業」「組織で動ける会社」にしようと改革に乗り出した。すでに述べたが、改革のポイントは多かったが、数字による管理も大きな柱だった。新情報システムの導入に加え、「月次決算をスピーディに正確に実施し、年度予算と月次決算を比較し差異を分析して、すぐに手を打つ」「ユニクロの標準店舗の規模（売り場面積、売り上げ。在庫規模、人員体制、設備投資額など）を決め、一店あたりの標準損益を設定し、それに基づいて年間の出店計画、販売計画、仕入れ計画、資金繰り予定表をつくる」こともやった。

数字による管理とは、厳しいノルマを与えることではない。要は、数字に基づく経営である。数字を見るのが早ければ早いほど、そして数字が正確であればあるほど、それだけ早く必要な対策を打てる。そこが肝心だ。

「これは最も重要なことなのだが——数字自体は何をなすべきかを教えてはくれない。それは行動へのシグナル、思考への引き金にすぎない。それは水脈のありかを指し示す占い棒に似ている。実際に水を得るためには掘らなくてはならない。企業経営において肝要なのは、そうして数字の背後で起こっていることを突きとめることだ」

ジェニーン氏は、「ITTは同じ規模の会社より急速に、また成功を収めながら成長した。なぜなら、われわれはみずからの数字を知っているおかげで、恐れずに前進できたからである」とも言う。彼の意見に、僕も全面的に賛同する。ユニクロの成長もまた、そうしてもたらされたと思うからだ。

公認会計士であったジェニーン氏は、数字の扱い方や数字が持つ意味と本質、数字の性格についての深い洞察力を見せてくれる。僕にはとてもできないが、そこから多くのことを学ぶことはできた。例えば、ジェニーン氏は、「数字には個性がある」と言う。

「数字には数そのものと同じぐらい重要な個性がある。数字には正確なものとあまり正確でないもの、精密なものとおおよそのもの、詳細なものや平均的なものや漠然としたものがある。数字が持つそうした性質は、通常、その会社の最高経営者と、彼が部下たちから何を期待しているかによって決まる」

数字ほど確実な事実はないと思っている人は多い。だが、数字も人間との関わりの中で独特な変容を遂げるということなのだ。彼はジェニーン氏流の数字の見方をこう書く。

『ある事業部のひとつの要素を表すものとして、4という数字に彼がぶつかったと仮定しよう。その4を分析した結果、それは2＋2あるいは3＋1を表しているのではないことを発見するかもしれない。ビジネスにおいては、4という数はプラス12とマイナス8の和を表していることがしばしばある。プラス12

という数字にはすこし掛け値があるかもしれない、と彼は思うが、それよりもまずマイナス8のほうに注意を集中し、それがプラス5とマイナス13から成り立っていることを発見する。それから彼はマイナス13を掘り下げて、（中略／損失原因の発見と処置で）13の損失をセーブすることができ、その結果をその事業部の総和の4という数字に適用すると、新しい総和は17となり、それは新しい体制の健全な利得となる。つまり彼は数字の背後にあるものを変えたのである」

僕は、「数字を読み解く」ということは、まさにこういうことなのだと納得させられた。これは、誰にでもできることではないと思うが、少なくとも、数字の背後にあるものを変える発想法を学ぶことができるはずだ。

僕は、彼が自分の上司だったら非常に怖いと感じると思うが、経営者は本来そうあるべきだと考える。どんな数字でも、すべて意味を持っているのだ。僕が数字を見るときは、記憶している過去の損益計算書や財務諸表の数字とその時の経営状況との比較、業界や優秀な競争相手との比較をしつつ、数字の中の良いところと悪いところ、数字の傾向、数字対数字のバランスを掘り下げて考える。経営とは、数字のバランスを崩さないようにして高い水準に持っていくことだと思う。

「ビジネスにおいて修復不可能の失敗は、キャッシュが尽きてしまうことである。それ以外なら、ほとんどどんな失敗でもなんとか回復の道がある。しかし、キャッシュが尽きてしまったらゲームはそれで終わりだ」

「数字が強いる苦行は自由への過程である」は経営者として、このジェニーン氏の二つの言葉を肝に銘じている。

7　後継ぎ育成法──「社員ＦＣ制度」が究極の形だ

「企業内企業家はどこにいるのか？」という疑問形から始まる「企業家精神」の章は、ジェニーン氏の経営者としてのある意味での悩みや、当時のアメリカ経済の沈滞ぶりを反映して、その筆致もやや悲嘆気味になる。

「隠れたるロックフェラーは、カーネギーは、フォードは、どこかにいないのか？　今日のわれわれの大企業は、なぜ、みずからのつくりなしたビューロクラシー（官僚主義）にがんじがらめになり、一時代前のような大胆なベンチャーを封刹する規則や慣習の檻《おり》に、自由な精神をとじこめてしまうのか？　われわれの待望する企業内企業家はどこにいるのか、と人びとは問い始めている」

ジェニーン氏は、そう書いたすぐあとに続けて、こう断言している。

「どこにもいない、というのがその答えだ」

なぜ企業内企業家は存在しえないのか。確かに、日本でも「社内ベンチャー制度」が一時期注目されたが、そこから生まれて成長した企業はほとんどない。ジェニーン氏は企業家をこう定義する。

「企業家とは、自分自身のために事業にたずさわっている人間として定義される。彼は事業を組織し、経営し、進んでリスクを冒す。平たく言えば、彼はすべてを賭け、大きな見返りのために大きなリスクを冒す人間である。（中略）賭けに勝てば、報酬は途方もなく莫大かもしれない。負ければなにもかもおしまいだ」

そのうえで、こう疑問を投げかける。

「ＧＥ（ゼネラル・エレクトリック）あるいはＧＭ（ゼネラル・モータース）のような会社の最高経営者

が、なにかひとつの試みから期待される成果のために、〝会社を賭け〟たりすることが想像できるだろうか？」

実際問題として、リスクを承知のうえで会社に大きな打撃を与えれば、訴訟社会のアメリカでは、経営者は株主代表訴訟で巨額の賠償を要求されるだろう。株式公開企業は、会社の一部を他人に売り渡したのと同じで、他人のお金を預かって、経営を行っている。当然、投資家のお金を常識を超えるリスクにさらすことはできない。

「いわゆる冒険的ベンチャーが成功したとしても、それは会社の進路を左右するほど大きなものではない。動機はどれほど高邁《こうまい》であろうとも、会社のビューロクラシーから派生した自由の〝分室〟は、企業家精神といってもほとんど名ばかりの域を出ない。実のところ、企業家精神は大きな公開会社の哲学とは相反するものだ」

このジェニーン氏の意見は、アメリカでは当たり前の見解だろう。

だが、日本では、その税制ゆえに企業家にとって「株式公開」は目標ではなく、出発点にすぎないということに僕は気づかされた。ＳＰＡ（製造小売業）として急成長を遂げるには、本格的なチェーン展開を目指すしかない。出店スピードを上げると、売上高が増え、運転資金も増大する。現金で売って、支払いは数カ月後の手形とすることで、回転差資金と呼ばれる余剰資金も大きくなるが、それは出店費用に消えてしまう。

そのうえ、日本の税制では、仮に二年連続一〇億円の利益が出ると、年に約六億円を法人税、事業税、地方税として払う。しかも、当年度半ばまでに、前年度納税額の約半分を予定納税としなければならない。急成長すると翌年度の上半期の資金繰りが逼迫する。銀行は担保のない会社にお金を貸さない。残る資金調達手段は株式公開しかなくなる。

実際、株式公開をして、一夜で一三四億円という大量の資金が会社に入った。言い換えると、日本では企業家が企業家であろうとする限り、株式公開するしかないのだ。

「通例、新しい製品の発売を伴う高度な冒険的な事業としてスタートし、成功を収めて成長した多くの会社が、いったん一般の投資対象となるような規模に達すると、企業家的な熱気をなくしてしまうのは、皮肉でもあり寂しくもある」

ジェニーン氏が言うように、日本でも、株式公開した途端に成長力に陰りが生じる会社もある。それは経営者の責任だ。経営トップがその地位に安住し、社員が喜んで働くような目標も処遇も報酬も与えないからだ。

僕は、スーパースター店長制度をつくり、成果主義に基づく報酬体系に変えた。今は第二弾として社員フランチャイズ（FC）の制度化を進めている。店舗と本部が対等の立場で別々の会社で経営する。これは、現場と本部が緊張感のある対等の関係を築くための究極の形だと考えている。

僕は店舗運営にタッチしていないが、総店舗数の二割は社員FC店にしていくことが基本方針だ。

社員FCの報酬については、ジェニーン氏が参考とすべき指摘をしている。

「スターセールスマンには、企業のヒエラルキーの中にあっても、もっと多くの報酬が得られる他の会社へ移ってしまわないように、その市場価値に匹敵するだけのものを支払うべきだと私には思われる。彼の市場価値とは、そのセールスマンの手腕に対して他のどこかの会社が喜んで支払うであろう金額のことだ。しかし、そのセールスマンが売る製品に寄与している他のすべての人びとの幸福感と忠誠心を損なってもかまわないのでない限り、それ以上は支払うべきではない」

僕は、会社と個人関係でいえば、これからは〝個人稼業〟の時代に入っていくと思う。自分の能力を会社に市場価格で提供する。アメリカのように、人格と仕事の能力とは別だという共通の了解事項ができて、お互いに会社では仮の姿だから、仕事で対立しても、人格は認めあう。そういう社会に、ここ一〇年ぐらいで変わるのではないかと見ている。現在のグローバル化とはアメリカ化であるからだ。

そうなると、個人のキャリア形成は会社に頼らず、自己責任で行う部分が拡大するだろう。企業が優秀な個人を囲い込み、個人も会社を頼るという関係は、僕はもう一〇年もたたないうちに崩壊すると思う。「企業の給与水準は、会社の従業員、マネジャー、役員のすべてを満足させ、幸福にし、もっとたくさんもらえるようになろうと努力させ続けると同時に、会社自体の利益をも確保できるように考案された、微妙な価値体系である」

ジェニーン氏が指摘するように、株主資本主義に基づく公開会社の給与、報酬体系には一定の限度がある。仮に、会社の収益に大きく貢献する発明をしたとしても、その人に支払われる報酬や表彰金にも限度がある。

最近、青色ダイオードの発明者に、発明に対する対価として「二〇〇億円支払え」という裁判所の判決が出た。いくら大発明といっても、これは高すぎる。会社の資産を使い、会社が雇っている他の社員研究者の協力も得て研究開発を続けてきたわけで、その間も社員として安定と支援を保証されてたことを忘れてはならないと思う。

ジェニーン氏によると、ＩＴＴにとって何万千ドルもの価値のあるデジタル交換装置の開発の基礎となる「パルス符号」という電気通信分野における輝かしい技術革新をもたらしたアレックス・リーヴズ博士に支払われた報酬は五万ドルのボーナスだったという。

当時の円レートでいえば、一〇〇〇万円強といったところだ。二〇年前の話だが、大発明にも常識的な報酬ラインがある。

それが嫌なら、自らリスクを負って資金と人材を集め、自ら開発するしかない。その自由を資本主義社会は認めている。日本だけでなく、国境を越えて資金調達をすることも可能だ。確かに、企業内企業家は育ちにくいが、そのことと企業家精神を持つことは別だと思う。

僕は、少なくとも自らリスクを取り続けてきたと自負している。

［著者紹介］

●ハロルド・シドニー・ジェニーン

Harold Sydney Geneen（1910～1997）

英国ボーンマス生まれ。ニューヨーク証券取引所のボーイから、図書の訪問販売、新聞の広告営業、会計事務などを経てジョーンズ・アンド・ラフリン社、レイシオン社で企業の経営に参加参画。1959年ＩＴＴの社長兼最高経営責任者に就任。アメリカ企業史上空前の記録、"14年半連続増益"という金字塔を打ち立てた。17年間の就任中に買収・合併・吸収した会社はエイビス・レンタカー、シェラトン・ホテル、ハートフォード保険会社はじめ80か国に所在する350社に及ぶ。ジェニーン引退後グループは解体した。

［編者紹介］

●アルヴィン・モスコー　Alvin Moscow

ＡＰ通信記者を経てジャーナリスト。本書の他、代表作に『ロックフェラー家の継承』、『ニクソン回顧録』等があり、15の著作のうち、7作がベストセラーとなる。

［訳者紹介］

●田中融二　たなか・ゆうじ（1926～1998）

主な訳書に『ＧＭとともに－世界最大企業の経営哲学と成長戦略』『ピーターの法則－創造的無能のすすめ』がある。

プロフェッショナルマネジャー

発　行――2004年5月20日　第1刷発行
　　　　　2021年9月22日　第38刷発行

編著者――ハロルド・Ｓ・ジェニーン、Ａ・モスコー

訳　者――田中融二

発行者――長坂嘉昭

発行所――株式会社プレジデント社

〒102-8641　東京都千代田区平河町2-16-1
平河町森タワー
電話：編集（03）3237-3737
販売（03）3237-3731

編　集――桂木栄一

印刷・製本―中央精版印刷株式会社

ISBN978-4-8334-5002-7 C0034　Printed in Japan